Thuiskomen

ANNE TYLER BIJ DE BEZIGE BIJ

Tijd van leven
Aardse bezittingen
Het huis met de klokken
Toen we volwassen waren
Jouw plaats is leeg
Het amateurhuwelijk

Anne Tyler

Thuiskomen

Vertaling Mea Flothuis

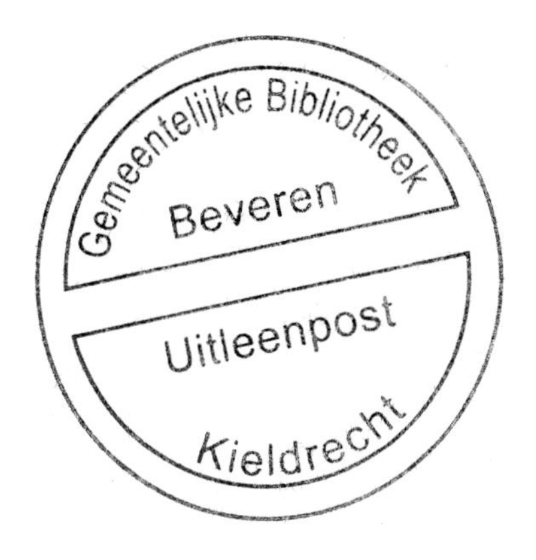

2006
DE BEZIGE BIJ
AMSTERDAM

Cargo is een imprint van uitgeverij De Bezige Bij, Amsterdam

Oorspronkelijke titel *Digging to America*
Oorspronkelijke uitgever Knopf, New York
Omslagontwerp Marry van Baar
Omslagillustratie Taxi/Getty Images
Foto auteur Diana Walker
Vormgeving binnenwerk Perfect Service, Schoonhoven
Druk Wöhrmann, Zutphen
ISBN 90 234 2063 2
NUR 302

www.uitgeverijcargo.nl

1

Om acht uur 's avonds was de luchthaven van Baltimore nagenoeg uitgestorven. De brede grijze corridors waren leeg, de krantenkiosken donker en de coffeeshops dicht. De meeste gates hadden hun laatste vluchten doorgelaten. De informatieborden waren blanco en de rijen vinylstoelen onbezet en spookachtig.

Maar in de verte was een gonzen te horen, een geroezemoes van verwachting aan het eind van pier D. Er was een al te opgewonden kind te zien dat zichzelf duizelig tolde midden in de gang, en toen een volwassene die toeschoot om haar op te rapen en haar giechelend en spartelend terug te brengen naar de wachtruimte. En een laatkomer, een vrouw in een gele jurk, kwam naar de gate gesneld met een armvol langstelige rozen.

Eén stap de hoek om en je stuitte op wat eruitzag als een gigantische babyshower. Heel de wachtruimte voor de vlucht uit San Francisco stond mudvol mensen met hun handen vol roze en blauw verpakte cadeautjes, of geklemd om een flottielje van zilverige ballonnen met 'T IS EEN MEISJE! erop gedrukt en een sleep van slingerende roze linten. Een man greep het stuur van een gerokt mandenwiegje op wieltjes alsof hij het op het vliegtuig dacht te rollen, en een vrouw stond klaar met een wandelwagentje zo afgebiesd met chroom en wemelend van hendels dat het in staat leek aan de Indy 500 mee te doen. Zeker vijf of zes mensen droegen een videocamera bij zich en nog veel meer hadden gewone fototoestellen om hun hals hangen. Een vrouw praatte gedreven en verstolen in een bandrecorder. De man naast haar drukte een met fluweel bekleed kinderautozitje tegen zijn borst.

MAMMA stond er op de button op de schouder van de vrouw – zo'n gelamineerde button die je in een verkiezingsjaar kunt zien. En op die van de man stond PAPPA. Een aardig stel, niet zo jong als je zou verwachten – de vrouw in een wijde zwarte broek en een kunstnijver zwart-wit topje met een geometrisch dessin, haar korte haar met grijs doorschoten; de man een groot, glunderend, joviaal type met een stoppelig blonde borstelkop, wiens blote knieën schuchter uit een volumineuze kakikleurige bermuda staken.

En niet alleen waren daar MAMMA en PAPPA; er waren ook OMA en OPA, dubbelop – twee complete stellen. De ene oma was een verkreukelde, gezellige vrouw in een denim zonnejurk en een honkbalpetje met bandanaprint; de andere was mager en goudblond en bekwaam opgemaakt, gekleed in een ecru linnen broekpak en in kleur bijpassende pumps. De opa's waren eveneens bijpassend – de man van de verkreukelde vrouw was al even verkreukeld, zijn ijzergrijze krullen allang aan knippen toe, terwijl de man van de goudblonde vrouw een linnen broek en een of ander gaasachtig tropisch hemd droeg, en zijn hooggele haar mogelijk voor een deel niet zijn eigen was.

Weliswaar wachtten er ook andere mensen, mensen die overduidelijk buiten de feestvreugde vielen. Een vrouw met vermoeide ogen en krulspelden in; een oudere vrouw met een jongere die haar dochter zou kunnen zijn; een vader met twee kleine kinderen die al in pyjama waren. Deze buitenstaanders stonden aan de kanten, stil en op de een of andere manier uit het licht, en waagden nu en dan een stiekeme blik in de richting van MAMMA en PAPPA.

Het vliegtuig was te laat. Mensen werden ongedurig. Een kind wees er verwijtend op dat het aankomstbord nog steeds

OP TIJD te lezen gaf – een vierkante leugen. Enkele tieners slenterden weg naar de onverlichte wachtruimte aan het andere eind van de corridor. Een meisje met vlechtjes viel op een plastic stoel in slaap, de button op haar groen geruite blouseje vermeldde NICHTJE.

Toen kwam er verandering. Er was geen aankondiging – de omroepinstallatie had al een tijdje gezwegen – maar de mensen hielden van lieverlee op met praten en drongen op naar de aviobrug, reikhalzend, hoog op hun tenen. Een vrouw in een uniform tikte een code in en zwaaide de deur van de brug open. Een vliegveldkruier arriveerde met een rolstoel. De tieners kwamen weer opdagen. MAMMA en PAPPA, tot nu toe midden in de menigte, werden met aanmoedigende klapjes naar voren geduwd, een doorgang verbreedde zich als bij toverslag om hen tot bij de deur te brengen.

De eerst aangekomene was een boomlange jongeman in jeans, met het beduusde gezicht van iemand die te lang gevlogen heeft. Hij kreeg moeder en dochter in het oog, kwam op hen toe en bukte om de dochter een kus te geven, maar alleen op de wang, omdat zij te verdiept langs hem heen tuurde en zijn omhelzing maar kort beantwoordde, terwijl ze haar ogen gericht hield op de nieuw aangekomenen.

Twee zakenlieden met aktentassen stapten resoluut op de terminal af. Een tienerjongen met een rugzak zo reusachtig dat hij een mier leek met een al te grote broodkruimel. Weer een zakenman. Nog een tienerjongen; deze werd opgevangen door de vrouw met de krulspelden. Een lachende roodharige vrouw met roze wangen werd ogenblikkelijk om de hals gevallen door de twee kinderen in pyjama.

Nu een pauze. Een soort toespitsen van focus.

Een correct geklede Aziatische vrouw passeerde de deur met een baby. Deze baby was misschien vijf of zes maanden oud – ze kon zich zelfstandig rechtop houden. Ze had een poezel gezichtje en een kopje met verbazend dik zwart haar, dwars over haar voorhoofd en over de puntjes van haar oren recht afgeknipt, en ze droeg een roze slobbroekje met voetjes. 'Ah!' zuchtte iedereen – zelfs de buitenstaanders, zelfs de moeder en de volwassen dochter. (Hoewel de vriend van de dochter nog steeds beduusd keek.) De aanstaande moeder strekte beide armen uit, zodat de bandrecorder aan het eind van zijn riem op en neer sprong. Maar de Aziatische vrouw bleef stokstijf staan, met een gezag dat elke toenadering afweerde. Ze richtte zich op en zei: 'Donaldson?'

'Donaldson. Dat zijn wij,' zei de aanstaande vader. Zijn stem trilde. Hij had het autozitje ergens weten kwijt te raken, het deze of gene blindelings toegespeeld, maar hij bleef iets achter zijn vrouw, met een hand op haar rug alsof hij steun zocht.

'Gefeliciteerd,' zei de Aziatische vrouw. 'Dit is Jin-Ho.' Ze droeg de baby over aan de wachtende armen van de moeder, en toen haakte ze een roze luierzak van haar schouder en overhandigde die aan de vader. De moeder begroef haar gezicht in de halsholte van de baby. De baby bleef rechtop, staarde bedaard naar de menigte. 'Ah,' zeiden mensen telkens, en 'Is het geen dotje!' en 'Heb je ooit zo'n poppetje gezien?'

Flitslampen, opdringerige videocamera's, iedereen verdrukte zich te dichtbij. De ogen van de vader waren nat. Die van veel mensen eveneens; overal in de wachtruimte klonken er snuffende geluiden en werden er neuzen gesnoten. En toen de moeder eindelijk haar gezicht ophief, baadden haar wangen in tranen. 'Hier,' zei ze tot de vader. 'Hou jij haar vast.'

'O nee, ik ben bang dat ik... doe jij maar, schat. Ik kijk wel.'

De Aziatische vrouw begon door een pak papieren te bladeren. Mensen die nog van boord kwamen moesten om haar heen lopen, en om het gezinnetje en de sympathisanten en de wirwar van babyuitrusting. Gelukkig was het geen vol bezette vlucht geweest. De passagiers arriveerden in vlagen: man met een stok, pauze; gepensioneerd echtpaar, pauze...

En toen nóg een Aziatische vrouw, jonger dan de eerste en minder knap, met een ingehouden, verontschuldigende manier van om zich heen kijken. Ze sleurde een bakvormige maxi-cosi mee aan het hengsel, en je kon zien dat de baby erin niet zo heel veel moest wegen. Ook deze baby was een meisje, als je afging op het roze T-shirtje, maar kleiner dan de eerste, geelbleek en spichtig, met tere vlokjes zwart haar die over haar voorhoofd slierden. Evenals de jonge vrouw die haar vervoerde, legde ze een soort benauwde belangstelling voor de menigte aan de dag. Haar waakzame zwarte ogen bewogen te vlug van het ene gezicht naar het andere.

De jonge vrouw zei iets dat klonk als 'Yaz-dun?'

'Yaz-dán,' riep een vrouw achterin. Het klonk als een terechtwijzing. De menigte week weer uiteen, niet wetend naar welke kant maar toch graag behulpzaam, en drie mensen die niemand nog had opgemerkt, kwamen achter elkaar naderbij: een vrij jong stel, buitenlanders zo te zien, olijfkleurig van huid en aantrekkelijk, gevolgd door een slanke, oudere vrouw met een laag in haar nek vastgestoken wrong van glanzend zwart haar. Zij moest het zijn geweest die hun naam had geroepen, omdat ze die nu nogmaals riep met dezelfde heldere, vérdragende stem. 'Hier zijn we. Yazdan.' Er was een spoortje accent te horen in de geroffelde 'r'.

De jonge vrouw wendde zich naar hen toe, de maxi-cosi onhandig voor zich uit. 'Gefeliciteerd, dit is Sooki,' zei ze, maar zo zacht en zo ademloos dat de mensen elkaar moesten vragen 'Wát?', 'Wie zei ze?', 'Sooki geloof ik dat het was.' 'Sooki! Is dat niet schattig!'

Het was even lastig, de riemen losmaken die de baby in haar maxi-cosi vasthielden. De nieuwe ouders moesten het doen omdat de Aziatische vrouw haar handen vol had, en de ouders waren nerveus en onbedreven – de moeder lachte wat en gooide haar waterval van hennakleurige krullen naar achteren, de vader beet op zijn lip en leek verstoord over zichzelf. Hij droeg een heel schoon, randloos brilletje dat glinsterde toen hij eerst van de ene, toen van de andere kant voorovervoog, worstelend met een plastic gesp. De grootmoeder, als dat was wie ze was, maakte meewarige tutgeluidjes.

Maar eindelijk was de baby toch vrij. Ach, wat een kleintje nog! De vader plukte haar er behoedzaam op armlengte uit en gaf haar over aan de moeder, die haar in de armen sloot en wiegde en haar wang tegen de kruin van het zwartgevederde kopje van de baby drukte. De baby krinkelde haar wenkbrauwen maar bood geen weerstand. Toeschouwers snoten alweer neuzen en de vader moest zijn bril afzetten en de glazen schoonvegen, maar moeder en grootmoeder hielden het droog; ze glimlachten en murmelden zachtjes. Ze sloegen geen acht op de menigte. Toen iemand vroeg: 'Komt die van u ook uit Korea?' antwoordde geen van beide vrouwen, en het was de vader die ten slotte zei: 'Hmm? O, ja. Ja.'

'Hoor je dat, Bitsy en Brad? Hier is nóg een Koreaanse baby!'

De eerste moeder keek om – ze gunde de twee grootmoeders een nadere inspectie – en zei: 'Eerlijk?' Haar man echode haar: 'Eerlijk!' Hij liep op de andere ouders toe en stak zijn hand uit. 'Brad Donaldson. Dat is mijn vrouw, Bitsy, daarginds.'

'Aangenaam,' zei de tweede vader. 'Sami Yazdan.' Hij gaf Brad een hand, maar zijn gebrek aan interesse was op het komische af; hij kon zijn ogen niet van zijn baby afhouden. 'Eh, mijn vrouw, Ziba,' voegde hij er na een ogenblik aan toe. 'Mijn moeder, Maryam.' Hij had een normaal Baltimore-accent, hoewel hij de twee vrouwennamen uitsprak zoals geen Amerikaan zou doen – 'Zi-bá' en 'Mar-yám'. Zijn vrouw keek niet eens op. Ze wiegde de baby en zei iets wat klonk als 'soe-soe-soe'. Brad Donaldson wapperde joviaal met een hand in haar richting en keerde terug naar zijn eigen gezin.

Toen eindelijk de overdrachten formeel waren afgehandeld – beide Aziatische vrouwen bleken tot in de puntjes secuur – was de groep Donaldson al aan het uitdunnen. Er was blijkbaar later een soort bijeenkomst gepland, omdat mensen almaar riepen: 'Tot straks in het huis dan!' wanneer ze op weg gingen naar de terminal. En toen waren ook de ouders zelf vrij om te gaan, Bitsy voorop, terwijl de vrouw met het wandelwagentje vlak achter haar aan reed als een hofdame. (Het was duidelijk dat niets Bitsy zou bewegen haar greep op de baby op te geven.) Brad sjokte achter haar aan, gevolgd door een paar nakomers en helemaal achteraan de Yazdans. Een van de Donaldson-opa's, de verkreukelde, bleef even achter om de Yazdans te vragen: 'Zo. Was het lang wachten op úw baby? Veel administratief gedoe en kruisverhoren?'

'Ja,' zei Sami, 'het was heel lang wachten. Een eindeloos slepend proces.' En hij wierp een blik op zijn vrouw. 'Af en toe dachten we dat het er nooit van zou komen,' zei hij.

De opa klakte met zijn tong en zei: 'Ik weet er alles van! God, wat Bitsy en Brad hebben moeten doorstaan!'

Ze passeerden de veiligheidscontrole, die werd bemand door een eenzame werknemer op een kruk, en namen de roltrap naar beneden – allen behalve de man met het mandenwiegje. Die moest de lift nemen. De vrouw met de wandelwagen daarentegen leek onvervaard. Ze kantelde de voorkant van het wagentje handig achterover en stapte zonder aarzelen op.

'Hoor eens,' riep Brad naar de Yazdans vanaf een lager niveau. 'Hebben jullie zin om naar ons huis te komen? Mee te feesten?'

Maar Sami was druk bezig zijn vrouw naar de roltrap te

loodsen en toen hij geen antwoord gaf, wapperde Brad andermaal met zijn hand op die goedmoedige 'ook best'-manier van hem. 'Ander keertje misschien,' zei hij tegen niemand in het bijzonder, en hij draaide zich om om de anderen in te halen.

De uitgangsdeuren schoven open en de Donaldsons stroomden naar buiten. Ze gingen op weg naar de parkeergarage in groepjes van twee en drie en vier, en kort daarna kwamen de Yazdans naar buiten en bleven even op de stoeprand staan, bewegingloos, alsof ze tijd nodig hadden om te wennen aan de warme, vochtige, schemerig verlichte, naar benzine ruikende nacht.

Vrijdag 15 augustus 1997. De avond dat de meisjes aankwamen.

2

Wanneer Maryam Yazdan naar haar nieuwe kleindochtertje keek, kreeg ze soms een eng, licht gevoel in haar hoofd, alsof ze in een soort alternatief heelal was beland. Alles aan het kind was onmogelijk volmaakt. Haar huid was van een smetteloos ivoor en haar haar was haast te zacht om voelbaar te zijn onder Maryams vingertoppen. Haar ogen hadden de vorm van watermeloenpitjes, heel zwart en heel precies in haar ernstige gezichtje gekorven. Ze woog zo weinig dat Maryam haar vaak per ongeluk te hoog tilde wanneer ze haar opnam. Heel kleine handjes, met krullende vingertjes. De rimpels op haar knokkels hadden de kleur van halva (zo grappig, dat een baby rimpels had!) en haar nagels waren niet groter dan stipjes.

Susan noemden ze haar. Ze kozen een naam die leek op de naam waarmee ze was gekomen, Sooki, en die ook voor Iraniërs een makkelijke klank was om uit te spreken.

'Soe-san!' zong Maryam als ze haar uit haar slaapje ging halen. 'Soe-Soe-Soe!' Dan staarde Susan vanachter de spijlen van haar bedje, prachtig rechtop zittend met een hand op elke knie, evenwichtig en kalm.

Maryam paste dinsdags en donderdags op haar – de dagen dat haar schoondochter wel werkte en Maryam niet. Ze kwam aan bij het huis rond halfnegen, ietsje later als het verkeer tegenzat. (Sami en Ziba woonden helemaal in Hunt Valley, in de spits vanuit de stad wel een halfuur rijden.) Dan zat Susan al aan haar ontbijt in de kinderstoel. Dan begon ze te stralen en maakte een welkomstgeluidje als Maryam de keuken in kwam. 'Ah!' was wat ze het vaakst zei – dat niets te maken had met 'Mari-june', zoals ze hadden besloten dat ze Maryam zou moeten noemen. 'Ah!' zei ze dan, en ze gaf haar typische lachje, met haar zedig opeengeknepen lipjes, en hief haar wang voor een kusje.

Nu ja, niet de eerste weken natuurlijk. O, die eerste weken waren een lijdensweg geweest, waarin de twee ouders zich uitsloofden, 'Susie-june!' snerpten en voor haar gezicht met speeltjes rammelden en met haar in hun armen rondwalsten. Het enige wat zij deed was hen aanstaren of – nog erger – van hen vandaan staren, zich loswringen, met haar ogen koppig op iets anders gericht. Ze weigerde meer dan een of twee slokjes van haar flesje te nemen en als ze 's nachts huilend wakker werd, wat ze om de paar uur deed, maakten de pogingen van haar ouders om haar te troosten haar alleen maar harder aan het huilen. Maryam hield hun voor dat dat normaal was. Eerlijk gezegd had ze geen idee, maar ze zei: 'Ze kwam uit een pleeggezin! Wat kun je verwachten? Ze is niet gewend aan zo veel aandacht.'

'Jin-Ho kwam ook uit een pleeggezin. En zíj doet niet zo,' zei Ziba.

Ze wisten alles van Jin-Ho doordat Jin-Ho's moeder twee weken na de aankomst van de baby's had opgebeld. 'Jullie vinden het hoop ik niet erg dat ik jullie heb opgezocht,' had ze gezegd. 'Jullie zijn de enige Yazdans in de gids en ik kon mezelf er niet van weerhouden jullie op te bellen om te horen hoe het ging.' Jin-Ho, leek het, deed het wonderwel. Ze sliep door tot de ochtend en ze schaterde als ze 'Zie zo rijden de vrouwen' deden, en ze had al geleerd op te houden met om haar flesje krijsen zodra ze de magnetron hoorde aangaan. En Jin-Ho was jonger dan Susan! Ze was vijf maanden en Susan zeven, ook al was Susan kleiner. Deden de Yazdans iets verkeerd?

'Nee nee nee,' zei Maryam. Met een kleine wijziging in haar

verhaal zei ze: 'Het is juist béter dat Susan verdrietig is. Het betekent dat het pleeggezin goed voor haar gezorgd heeft en nu heeft ze heimwee naar ze. Je zou toch geen harteloos, onachtzaam kind willen? Ze toont dat ze een warm karakter heeft.'

Maryam hoopte dat dit ook zo was.

En dat was het ook, goddank. Op een ochtend liep Ziba de kinderkamer in en lachte Susan tegen haar. Ziba was zo opgewonden dat ze onmiddellijk Maryam belde, ook al was het een dinsdag en zou Maryam zo dadelijk komen; en ze belde haar moeder in Washington en later haar schoonzusjes in LA. Het was alsof er in Susans hoofdje een knop was omgedraaid, want ze lachte ook tegen Maryam toen die binnenkwam – haar glimlach al die hartveroverende, samengeknepen v die je het gevoel gaf dat jullie tweeën een of ander vrolijk geheimpje hadden. En binnen de week gniffelde ze om Sami's malle fratsen en sliep ze de hele nacht door, en toonde ze een voorliefde voor Cheerio's, die ze ingespannen over het blad van haar kinderstoel najoeg met haar fijne, pincetachtige vingertjes.

'Had ik het niet gezegd?' zei Maryam.

Ze was een optimiste, Maryam. Of, bij nader inzien, geen optimiste: een pessimiste. Maar haar leven was zo wisselvallig geweest dat ze mogelijke rampen filosofischer tegemoet trad dan de meesten. Nog voor haar twintigste had ze haar familie in de steek moeten laten; nog voor haar veertigste was ze al weduwe geworden; ze had haar zoon alleen grootgebracht in een land waar ze zich nooit anders dan een vreemdeling zou voelen. Maar in de grond geloofde ze dat ze een blijmoedig mens was. Ze vertrouwde erop dat ze als het misging – wat best zou kunnen – zich zou kunnen redden.

Nu zag ze diezelfde eigenschap in Susan. Noem het fantasie, maar ze had een diepe band met Susan gevoeld toen ze elkaar ontmoetten op het vliegveld. Soms verbeeldde ze zich dat Susan ook fysiek op haar leek, maar dan moest ze lachen om zichzelf. En toch, iets rond de ogen, een manier van naar de dingen kijken, die 'toeschouwersblik': dat was wat ze gemeen hadden. Geen van tweeën hoorde er helemaal bij.

Haar zoon wel. Haar zoon had niet eens een accent; hij had het al vanaf zijn vierde jaar vertikt Farsi te spreken, al verstond hij het wel. Haar schoondochter, met haar hele familie geïmmigreerd toen ze al op de middelbare school zat, had een hoorbaar accent, maar ze had zich zo direct en geestdriftig aangepast – non-stop naar 98 Rock geluisterd, rondgehangen in het winkelcentrum, haar kleine, tengere, on-Amerikaanse figuurtje gehuld in spijkerbroeken en vormeloze T-shirts met opgedrukte letters – dat ze nu hier geboren leek, bijna.

Ziba vertrok naar haar werk wanneer het haar uitkwam; ze was binnenhuisarchitecte en regelde haar eigen afspraken. Vaak hing ze na de komst van Maryam nog een vol uur rond in huis. Dan was ze al gekleed voor kantoor; niet dat je dat eraan afzag (ze droeg nog steeds jeans, al was ze nu opgeklommen tot blazers en hoge hakken), maar ze leek zich niet te kunnen losscheuren van Susan. 'Wat denk jij?' vroeg ze Maryam dan. 'Komt er een nieuw tandje in, of niet? Er zit een wit streepje op haar tandvlees, zie je dat?' Of ze pakte haar tasje, trok haar mobieltje uit de oplader, maar dan: 'O, Maryam! Bijna vergeten! Moet je zien hoe ze kiekeboe heeft leren spelen!'

Dan kookte Maryam inwendig, verlangde ze het kind voor zichzelf te hebben. 'Ga! Ga!' had ze willen zeggen. Maar ze glimlachte en hield zich koest.

Dan, eindelijk, was Ziba vertrokken en kon Maryam Susan met een zwaai in haar armen nemen en naar de speelkamer dragen. 'Hélemaal van mij!' kraaide ze en Susan giechelde alsof ze het begreep. Alleen aan het hoofd was Maryam zekerder van zichzelf. Kinderen grootbrengen was zo veranderd sinds haar tijd – de ellenlange nieuwe lijstjes van verboden voedsel (pinda's een giftige stof, zou je denken), de verplichte autozitjes, het verbod op talkpoeder en babyolie en kussentjes en stootdempers in het bedje – dat Maryam zich in Ziba's aanwezigheid vaak onbekwaam voelde. Met Ziba in de buurt liep ze op haar tenen – zoals haar eigen moeder op haar tenen had gelopen, besefte ze, die ene keer dat ze op bezoek was geweest. Haar moeder was aan komen zetten met een heilige medaille om om Sami's hals te hangen, een stuivergrote gouden Allah die een kind van twee in een oogwenk zou hebben ingeslikt als Maryam er niet op had gestaan hem op te bergen voor later; en haar moeder had Sami verwend met kleverige witte rozenwaterzuurtjes die zijn tanden zouden hebben verpest en in zijn keel zouden zijn blijven steken, had Maryam de doos niet stevig dichtgedrukt en weggezet in de bijkeuken. Tegen het eind van haar bezoek had haar moeder haar heil gezocht bij het televisietoestel, ook al verstond ze geen woord van wat er werd gezegd. Nu herinnerde Maryam zich met een steek haar moeders stoïcijnse houding, haar handen in haar schoot gevouwen, haar ogen strak gericht op een reclamespot voor Kent-sigaretten. Ze knipperde het beeld weg. Ze zei: 'Bunny konijn, Susie-june! Kijk!' en hield een knuffelbeest omhoog dat rinkelde als ze ermee schudde.

Ook Susan droeg een spijkerbroek. (Wie wist dat er zulke kleine jeans werden gemaakt?) Ze droeg een rood en wit gestreept T-shirt met lange mouwen dat evengoed voor een jongen had kunnen zijn, en rode sokken met antislipzolen. De sokken waren er nieuw bij gekomen – tot het buiten koud werd was ze blootsvoets gebleven – en ze bevielen haar niks. Ze trok ze aldoor met een triomfantelijke krijs van haar voeten en dan hees Maryam haar op schoot en deed ze weer aan. 'Stoute meid!' knorde ze. Susan lachte. Zodra ze weer op het kleed was gezet stortte ze zich op haar liefste speelgoed: een xylofoon waar ze energiek op timmerde met wat er maar voorhanden was. Ze kroop nog niet – ze was een beetje achter met haar lichamelijke vaardigheden, wat Maryam weet aan het leven in het pleeggezin – maar ze werkte er duidelijk wel aan.

Als het aan haar was, zou Maryam dit kind anders hebben aangekleed. Dan had ze vrouwelijker kleertjes uitgezocht, witte maillots en A-lijntruitjes en blousejes met plooikraagjes. Dat hoorde toch bij de pret van een meisje hebben? (O, wat had ze vroeger op een meisje gehoopt na de geboorte van Sami!) Zijzelf kleedde zich met de grootst mogelijke zorg, ook al was het maar om op Susan te passen. Ze droeg een broek, jawel, maar een slank gesneden broek, met een aansluitende trui in een of andere edelsteenkleur en mooie schoenen. Ze liet regelmatig het grijs uit haar haar tinten, al wilde ze dat liever niet weten, en zette haar wrong vast met schildpadden kammen of hel gekleurde sjaals. Het was belangrijk goed voor de dag te komen. Daar geloofde ze in. Laat die Amerikanen maar rondlummelen in hun sweatsuits! Zij was niet Amerikaans.

'Niet Amerikaans! Kijk je paspoort maar na,' zei Sami altijd.

Ze zei: 'Je begrijpt wat ik bedoel.'

Ze was een gast, dat bedoelde ze. Nog steeds en voorgoed een gast, toonde ze zich van haar allerbeste kant.

Misschien dat ze, als ze in Iran woonde, slordiger zou zijn geweest. O, niet dat ze zich zou hebben verwaarloosd, niet zoiets extreems, maar ze had binnen een huisjurk kunnen dragen zoals haar moeder en tantes vroeger deden. Maar had ze dat gedaan? Ze kon zich nu zelfs niet indenken hoe haar leven zou zijn als ze niet naar Baltimore was verhuisd.

Susan was nu bezig haar ochtenddutje af te wennen. Soms kon ze in slaap vallen als ze werd neergelegd en soms niet; dus terwijl Maryam wachtte op wat het werd, las ze de krant of bladerde in een tijdschrift, iets wat geen aaneengesloten blok tijd vroeg. Als er een halfuur of zo verstreek en Susan nog steeds lag te tateren, haalde Maryam haar weer uit bed. Andermaal voerden ze hun herenigingsscène op – Susans 'Ah!' en Maryams 'Soe-soe-soe!' Dan deed Maryam haar een schone luier om en een trui aan en ging met haar in de buggy naar buiten.

Er waren hier geen trottoirs. Maryam vond dat onbegrijpelijk. Hoe konden ze een hele woonwijk hebben aangelegd – lange kronkelende wegen van gigantische, gloednieuwe huizen met boogramen over twee woonlagen, en dubbelbrede voordeuren en garages voor drie auto's – en niet beseft hebben dat mensen er misschien zouden willen rondwandelen? Er stonden ook geen bomen, tenzij je de twijgdunne stammetjes meetelde die in alle voortuinen aan een paal waren gebonden. (Tuintjés. De huizen hadden het grootste deel van de beschikbare ruimte opgeslokt.) De afgelopen weken, toen het nog warm was, had Maryam Susan vaak binnengehouden in het besef dat ze nergens een aasje schaduw zouden vinden en dat de bestrating zou stralen van de hitte. Maar nu het herfst was geworden, voelde de zon prettig. Ze zou hun wandelingetje rekken tot de lunch, en elke gladde, effen, griezelig uitgestorven straat in Foxfoot Acres aflopen en onderweg becommentariëren. 'Auto, Susan! Zie je de auto? Brievenbus! Zie je de brievenbus?'

In haar eigen buurt had je eekhoorns, en honden aan lijnen en andere kinderen in karretjes en wandelwagens. Daar had ze veel meer bezienswaardigheden gehad om aan te wijzen.

Lunch was gezeefd babyvoedsel voor Susan en een salade voor Maryam. Dan mocht Susan een tijdje spelen in de box in de huiskamer, die aan de keuken grensde, terwijl Maryam afwaste, en daarna een flesje en nog een dutje – ditmaal zo lang dat Maryam iets te eten kon klaarmaken voor Sami en Ziba. Niet dat ze dat verwachtten, maar zij had koken altijd met plezier gedaan en Ziba, zo bleek, niet. Aan zichzelf overgelaten aten ze meestal kant-en-klaar gezond uit de magnetron.

Terwijl de rijst opstond, maakte ze het huis aan kant. Ze borg Susans speelgoed op in de speelgoedkist en bracht een zak vol natte luiers naar de vuilnisbak buiten. Ze legde allerlei lectuur op gerechtkante stapels, maar gooide nog geen snippertje papier weg, nog geen contributiekaart of pizzaflyer, om maar niet over de schreef te gaan.

Weer kreeg ze een beeld van haar moeder, ditmaal pijnlijk bukkend om een kauwgumwikkel op te rapen en die zwijgend, haast eerbiedig, in een asbak op de salontafel te leggen.

Dit huis was even groot als de buurhuizen, met een kamer voor elk doel. Er was niet alleen een huiskamer, maar ook een gymkamer en een computerkamer, stuk voor stuk belegd met vast tapijt in effen gebroken wit. Nergens lag een Perzisch kleed, al zou je uit de huwelijkscadeaus in de eetkamerkast kunnen afleiden dat de bewoners Iraans waren – de Isfahani-koffieserviezen en de in zilver gekooide theeglazen. De speelkamer was volledig voorzien van speelgoed toen het bemiddelingsbureau de foto van Susan had opgestuurd. En de kinderkamer was lang daarvoor gereed, bedje en commode en luiertafel al aangeschaft toen Ziba nog probeerde zwanger te worden. (Maryams moeder zou gezegd hebben dat zó ver vooruit plannen hen had genekt. 'Had ik je niet gewaarschuwd?' zou ze hebben gezegd, elke maand wanneer Ziba meldde dat het alweer was mislukt.)

Maryam had Ziba gezegd op de macht van de tijd te vertrouwen. 'Je krijgt je baby! Je krijgt nog een huis vol baby's,' had ze gezegd. En ze had bekend hoe lang ze zelf had gewacht.

'Vijf jaar geprobeerd, voordat Sami werd geboren. Ik was radeloos.' Dit was een grote concessie van haar kant. Openlijk spreken over 'proberen' was zo indiscreet. (Ze had versteld gestaan toen Ziba erover begon. Helemaal geen prettige gedachte, dat je zoon een seksleven heeft, ook al nam Maryam natuurlijk aan dat hij dat had.) En buiten dat, ze had haar familie altijd voorgehouden dat die vijf jaar wachten opzet was. Op bezoek thuis, drie jaar na haar huwelijk, had ze hun olijke vragen gepareerd met pochen op haar onafhankelijkheid, de opluchting dat de last van kinderen nog niet op haar drukte. 'Ik volg colleges aan de universiteit, ik ben actief in de 'vrouwen van'-groep in het ziekenhuis...' Terwijl ze in werkelijkheid meteen al een kind had gewild – iets om haar te verankeren, had ze zich verbeeld, aan haar nieuwe land.

Ze zag zichzelf nu bij dat eerste bezoek aan thuis: haar kleren met zorg gekozen op hun westersheid, stijlvolle rechte jurkjes in elektrische prints, hardroze en lindegroen en paars; haar haar in een torenhoge suikerspin gelakt; haar voeten gestoken in puntneuzige, genaaldhakte pumps. Ze rilde.

Ze rilde ook bij de herinnering aan haar vanzelfsprekende aanname dat het uitblijven van Ziba's zwangerschap aan háár lag – aan Ziba zelf. Toen ze erachter kwamen dat het juist aan Sami lag, was dat voor Maryam een schok geweest. De bof misschien, hadden de dokters gezegd. De bof? Sami had nooit de bof gehad! Of wel? Dat had ze toch wel geweten? Had hij die gehad toen hij op de universiteit zat, en had hij zich te veel gegeneerd om zoiets bij een vrouw ter sprake te brengen?

Hij was veertien toen zijn vader stierf – net aan het begin van de puberteit, met een donzig donkere bovenlip en een gruizige stem. Ze had zich afgevraagd hoe ze hem in vredesnaam in haar eentje door deze fase moest loodsen. Ze wist zo weinig van het andere geslacht; ze was nog een kind toen ze haar vader verloor en ze was nooit erg intiem geweest met haar broers, die al bijna volwassen waren bij haar geboorte. Als Kiyan nog íets langer in leven had kunnen blijven, een jaar of vier, vijf maar, tot Sami een man was geworden!

Hoewel ze nu niet zo zeker wist of Kiyan er wel zoveel van af had geweten, van het wordingsproces van een Amerikaanse man.

En als Kiyan het grootouderschap met haar had kunnen delen! Dat was een groot verdriet, nu Susan er was. Ze verbeeldde zich hoe het zou zijn als zij tweeën samen kwamen babysitten. Ze zouden elkaar toelachen boven Susans hoofd, zich vergapen aan haar rimpelige fronsje en haar draaddunne wenkbrauwtjes en haar nauwgezette onderzoeken van een verdwaald pluisje op het kleed. Kiyan zou nu met pensioen zijn. (Hij was negen jaar ouder dan Maryam.) Ze zouden alle tijd van de wereld hebben gehad om van dit deel van hun leven te genieten.

Ze liep naar de keuken, nam de rijst van het fornuis en stortte die kordaat in een vergiet.

Wanneer Ziba thuiskwam van haar werk, zou Susan alweer wakker zijn en haar babybekertje na-haar-dutjeappelsap drinken, of al uit de speelgoedkist alles te voorschijn hebben gehaald wat Maryam had opgeborgen. Ziba zou haar oppakken nog voor ze haar blazer had uitgedaan. 'Heb je plezier gehad met je Mari-june, Soe-soe? Heb je je moesje gemist?' Ze zouden voorzichtig hun neuzen tegen elkaar leggen – Ziba's profiel hoekig en scherp, dat van Susan zo plat als een dubbeltje. 'Dacht je dat je moesje voorgoed weg zou blijven?' Ze sprak altijd Engels met Susan; ze wilde haar niet in de war brengen, zei ze. Maryam had verwacht dat ze nu en dan in het Farsi zou vervallen, maar Ziba sloeg zich heldhaftig door de moeilijkste woorden heen – 'think' met zijn kleverige 'th'-klank, en 'stay' dat eruit kwam als 'es-stay'. Tot haar eigen verwondering vond

Maryam Ziba's gebroken ritme veel makkelijker te verstaan dan Sami's effen, soepele woordenstroom.

Maryam spoorde haar handtas op en deed haar suède jasje aan. 'Ga nog niet!' zei Ziba dan. 'Waarom zo'n haast? Laat ik thee zetten.' De meeste dagen bedankte Maryam. Onder het doen van afscheidsmededelingen – instructies voor het opwarmen van het eten, boodschap van de tandartspraktijk – gaf ze Susan een kushandje en trok de voordeur achter zich dicht. Ze deed haar best om de ideale schoonmoeder te zijn. Ze wilde niet dat Ziba haar een lastpost vond.

Vaak, als ze thuiskwam, vegeteerde ze een poosje, onderuitgezakt in haar lievelingsfauteuil, eindelijk vrij om te ontspannen en zichzelf zichzelf te laten zijn.

Jin-Ho's moeder belde in oktober op om hen allen te eten te vragen. Dit gebeurde toen Maryam oppaste en dus was zij degene die opnam. 'Kom jij ook,' zei Bitsy. 'We zijn gewoon onder ons, onze twee gezinnen, omdat ik vind dat de meisjes elkaar moeten leren kennen, niet? Om hun cultureel erfgoed te onderhouden. Ik had jullie al eerder willen vragen, maar door allerlei dingen... Ik dacht vróeg vroeg te eten, zondagmiddag. We gaan eerst bladeren harken.'

Maryam zei: 'Harken?'

Ze vroeg zich af of dit weer zo'n idiomatische uitdrukking was die met het sociale verkeer te maken had. Het ijs breken, de strijdbijl begraven, een boom opzetten, bladeren harken... Maar Bitsy zei: 'Wij hebben nog iepen, geloof het of niet, en die verliezen altijd het eerst hun blad. Wij dachten een grote gezellige harkpartij te houden en de meisjes in de bladeren te laten rollen.'

'O. Goed. Aardig van jullie,' zei Maryam.

Ze mocht dat wel, zoals Bitsy de baby's 'de meisjes' noemde. Het riep een beeld in haar op van een toekomstige Susan, met kniekousen aan en een plooirok, en met haar arm door de arm van haar beste vriendinnetje.

Logisch gesproken hadden ze aparte auto's moeten nemen naar de bladerenharkpartij. De Donaldsons woonden in Mount Washington en Maryam op korte afstand ten zuiden daarvan, in Roland Park. (De zogenaamd 'verkeerde' kant van Roland Park, hoewel ook de verkeerde kant heel prettig was, de huizen net iets kleiner en dichter op elkaar.) Sami en Ziba, komend vanuit het noorden, zouden vlak langs de buurt van de Donaldsons moeten rijden om Maryams huis te bereiken, maar toch stonden ze erop haar te komen halen. Maryam vermoedde dat dat was omdat Ziba behoefte had aan morele steun. Ziba was voortdurend onderhevig aan aanvallen van onzekerheid. En ja hoor, toen ze bij Maryams huis kwamen – waarvoor Maryam al buiten stond te wachten om hen niet op te houden –, wipte Ziba uit de auto en zei dat ze nog eventjes binnenkwamen omdat ze bang was dat ze te vroeg waren. Maryam zei: 'Te vroeg?' Ze keek op haar horloge. Het was vijf voor vier. Ze hadden om vier uur afgesproken en de rit zou pakweg vijf minuten in beslag nemen. 'We zijn niet te vroeg!' zei ze. Maar Ziba peuterde Susan al uit haar autozitje. Sami kwam vanachter het stuur vandaan en zei: 'Ziba beweert dat vier uur in Baltimore tien over vier betekent.'

'Niet als er maar één stel gasten is uitgenodigd,' zei Maryam. (Ze had zelf die gebruiken vrij uitvoerig bestudeerd.) Maar Ziba had nu Susan al op haar arm en kwam het tuinpad op. Ze droeg het nonchalante soort kleren dat paste bij bladeren harken – jeans en een grote roze trui met rolkraag – maar had duidelijk nogal wat tijd besteed aan haar kapsel en haar make-up. Een reusachtige, horizontale paardenstaart stak uit vanachter op haar hoofd, zo kroezig dat hij de zwaartekracht tartte, en haar lippen hadden twee verschillende kleuren: glanzend roze met een contour van rood dat bijna zwart was. 'Je ziet er beeldig uit,' zei Maryam. Ze meende dit oprecht. Ziba was een opvallend mooie jonge vrouw. En Sami was zo knap! Hij had zijn vaders fijnbesneden mond en dikke wenkbrauwen. Zijn randloze oudemannetjesbril maakte hem op de een of andere manier jonger, en de kraag van zijn geruite hemd stond van achteren jongensachtig omhoog. 'Tien minuten te vroeg, tien minuten te laat, wat maakt het voor verschil?' vroeg hij zijn moeder. Hij zoende haar op beide wangen. 'Controleer jij Susans werkkloffie.'

Susan droeg een overalletje van blauw denim, op de knieën overtuigend verbleekt, en een batisten blouseje. Op een zak van haar jasje, eveneens van blauw denim, was een trekker geappliqueerd. 'Kant-en-klaar om ons te helpen harken!' zei Maryam en tilde haar uit Ziba's armen.

'Wij brengen een fles wijn mee,' zei Ziba. 'Wat denk jij? Is dat verkeerd? Ik weet dat het nog dag is, maar we blijven immers eten.'

'Wijn is perfect,' zei Maryam, Susan op haar heup wippend. 'We zouden zeker wijn moeten meebrengen. Ja toch, Susie-june?'

Susan gaf haar monkelende lachje.

'Zullen we binnen gaan zitten?' vroeg Ziba.

'Waarvoor? Dan moeten we alleen maar weer opstaan,' zei Sami. 'Ze doet of het ik weet niet wat is,' zei hij tot zijn moeder, en toen tegen Ziba: 'We gaan zo vaak bij mensen op bezoek. Waarin verschilt dit dan?'

'Maar deze mensen zijn ouder dan onze andere vrienden,' zei Ziba. 'Bitsy is veertig,' vertelde ze Maryam. 'Dat zei ze aan de telefoon. Ze is weefster en ze heeft vroeger yogales gegeven en ze schrijft gedichten en... O, waar moeten we over práten,' eindigde ze op een jammertoon.

'Baby's,' zei Maryam.

'Ah,' zei Ziba opklarend. 'Baby's.'

‘Waar praten we de laatste tijd anders over?’ vroeg Sami aan de hemel.

‘De baby van de Donaldsons houdt definitief haar Koreaanse naam,’ vertelde Ziba Maryam.

‘Jin-Ho Donaldson,’ probeerde Maryam. Het klonk eigenaardig. ‘Donaldson’ leek zo ultra-Amerikaans, of kwam dat omdat het haar herinnerde aan de McDonald’s-hamburgers?

‘Jin-Ho Dickinson-Donaldson, om precies te zijn,’ zei Ziba.

Maryams mond zakte open. Sami schoot in de lach. Toen zei hij: ‘Oké mensen, ’t is vier uur. Tijd om op te stappen.’

Ziba draaide zich om om hem naar de auto te volgen, maar ze leek wat te dralen, viel Maryam op.

Zoals altijd hadden de twee vrouwen hun ceremonieel geschil over wie waar moest zitten. ‘Toe,’ zei Ziba met een gebaar naar de voorbank, maar Maryam zei: ‘Ik zit juist gráág achterin. Dan zit ik naast Susan.’ Ze gaf Susan over aan Ziba, die haar vlugger in de riemen zou hebben, liep achter de auto om en schoof er aan de andere kant in. Sami had zijn stoel zo ver naar achteren gezet dat hij haar knieën raakte, maar niet hinderlijk. Ze had de waarheid gesproken toen ze zei dat ze daar liever zat. Wat pijnlijk als ze de ereplaats had ingenomen, zoals haar eigen schoonmoeder vroeger deed! Hoewel, ze had nu het rare gevoel dat ze weer een kind was, Susans zusje, toen ze alle twee heen en weer zwaaiden wanneer Sami een hoek om ging.

Het huis van de Donaldsons was een verweerd withouten ‘Colonial’ in een van de smallere straten in Mount Washington. De uitgestrekte, boomrijke tuin lag enkelhoog onder gele bladeren die ratelden toen de Yazdans het pad op waadden, en de veranda was bezaaid met fietsen en laarzen en tuingereedschap. Het was Brad die opendeed in een corduroy broek en een strak over zijn buik spannend wollen overhemd. ‘Zo, hé!’

zei hij. 'Welkom! Geweldig jullie te zien!' en hij streek Susan onder de kin. 'Deze peuter is heel wat molliger geworden. Ze zag nog wat smalletjes op het vliegveld.'

'Dertien pond, twee ons, bij haar laatste doktersbezoek,' vertelde Ziba.

'Dertien?' Hij betrok.

'En twee ons.'

'Ze wordt zeker een van die fijngebouwde poppetjes,' zei hij.

Jin-Ho zou een amazone worden, dacht Maryam toen ze haar zag, schrijlings om Bitsy's middel. Ze was stevig en blakend gezond, met dikke wangetjes en heldere, lachende ogen. Ze droeg nog het rechtkantige kapsel waarmee ze was aangekomen, uit één stuk als het ware, en hoewel ook zij een ribbroekje aanhad, droeg ze er een veelkleurig, gewatteerd gevalletje op met gestreepte mouwtjes en een zwartzijden sjerp – iets van het soort dat Maryam zich herinnerde uit de tijd dat Sami en Ziba nog onderzoek naar Korea deden. 'Is ze niet gegroeid?' vroeg Bitsy, Jin-Ho iets verzettend om iedereen goed te laten kijken. 'Die broek is maat achttien maanden! De tweede week dat ze hier was, moesten we al overstappen op een kinderbed.'

Bitsy zelf droeg een zwart-wit gestreepte trui, een zwarte broek en fluorescerende joggingschoenen. Er was iets agressiefs in haar lelijkheid, dacht Maryam – haar schreeuwend gebrek aan make-up, haar afgehakte haar en hoekige, schonkige figuur. Haast als een beginselverklaring. Naast haar leek Ziba heel glamoureus, maar ook wat opzichtig.

Eerst zaten ze een paar minuten in de woonkamer te wachten op Jin-Ho's grootouders. Beide paren zouden komen, zei Bitsy, maar geen van de tantes of ooms of neven en nichten, omdat voor de meisjes een al te grote groep te veel zou kunnen zijn. In werkelijkheid leken de meisjes er doof voor. Ze zaten op een kleedje van vlechtwerk, ieder in de weer met haar eigen bezigheden – Jin-Ho stapelde letterblokjes in een kiepauto, Susan probeerde een belletje uit een houten rammelaar te manoeuvreren. Susan was zo lief en ingespannen, en haar vingertjes gingen zo knap te werk, dat Maryam zich afvroeg of de Donaldsons zich niet wat afgunstig zouden voelen.

Bitsy en Ziba hadden het over lactose-intolerantie. Bitsy weet die aan botsende culturen. Het lag immers niet in de Aziatische traditie liters melk naar binnen te klokken. Geen wonder dat Jin-Ho last van haar buikje had! En Susan? Of... Bitsy raakte onverklaarbaar in verwarring. 'Of misschien drinken ze bij jullie ook geen melk,' zei ze.

'Nou, Susan wel,' zei Ziba, 'maar tot nu toe gaat het haar goed.'

'Misschien moet je haar sojamelk geven. Soja is cultureel gezien geschikter.'

'Och ja, misschien,' zei Ziba bereidwillig.

Hoewel Maryam in haar plaats had gevraagd waarom dan. Had Ziba niet net gezegd dat het goed ging met Susan?

De huiskamer van de Donaldsons was aantrekkelijk op een ongeforceerde manier. De zon scheen door de gordijnloze ramen en de meubels waren oud maar degelijk, misschien geërfd van vorige generaties. Brad hing in een leren fauteuil die kraakte telkens als hij bewoog. Sami zat zo'n vijftien centimeter lager op een antieke schommelstoel. Hij knikte bij Brads beschrijving van de vreugden van het vaderschap. 'Op zondagochtend gaan Jin-Ho en ik croissants en de *New York Times* halen,' zei Brad. 'Dat vind ik het fijnste van de hele week. Heerlijk! Gewoon ik met mijn hummeltje samen. Doe jij dat met Susan? In je eentje met haar de hort op?'

Tot nu toe miste Sami daar het zelfvertrouwen voor, wist Maryam. Maar dat gaf hij niet toe. Opkijkend naar Brad vanuit zijn verlaagde positie, waardoor hij aandoenlijk nederig leek, zei hij: 'Nou, ik dacht er al over een joggingbuggy te kopen.'

'Een joggingbuggy! Fantastische uitvinding. Een kerel verderop in de straat heeft er een. Ik vraag wel na wat voor merk. Ook goed voor je vrouw, goed voor Ziba. Komt ze de deur nog eens uit.'

'Zie-*buh*,' zei hij, bijna 'zebra', en hij wierp haar tersluiks een blik toe. Amerikaanse mannen vonden Ziba altijd fascinerend. Maryam zag geamuseerd dat Brad – al had hij zelf zo'n alledaagse vrouw uitgekozen – geen uitzondering was.

De twee stellen grootouders arriveerden vrijwel tegelijkertijd, eerst Bitsy's ouders en die van Brad er vlak achteraan. Bitsy's ouders waren groot en grijs en toeschietelijk, Dave in een overall als de eerste de beste tuinman en Connie in een sportbroek en met hetzelfde bandanaprintpetje dat ze op het vliegveld had gedragen. Brads ouders, met hun glinsterend blonde haar en bijpassende velours trainingspakken, leken iets gekleder. Pat en Lou heetten ze. De man was Pat en de vrouw was Lou, of was het andersom? Maryam wist dat ze daar moeite mee zou krijgen.

Een paar minuten deden ze gevieren hun grootouderdans om de baby's. Ze riepen 'oh' en 'ah' over Jin-Ho's gewatteerde jakje, dat Connie een uitheemse naam gaf, en maakten een aardige drukte over Susan. 'Is ze niet net een miniatúúrtje?' kweelde Brads moeder en Dave tilde haar meteen van de grond. Gelukkig nam Susan dat makkelijk op. Ze graaide naar een van zijn kroezige bakkebaarden en gaf er een ruk aan, diep ernstig, en fronste haar voorhoofd toen hij grinnikte.

'Moet je zien hoe gebruind Jin-Ho lijkt naast Susan,' merkte Ziba op. 'Volgens ons zou Susans vader blank kunnen zijn.'

'Ja, je bent gewoon een kleine blanke kraakamandel,' zei Dave tegen Susan, maar Bitsy kwam ertussen met: 'O! Nou! Maar dat is toch niet iets waar wij op létten!'

Het was even stil. Ziba keek met grote ogen naar Maryam – hoezó niet? – en Maryam haalde nauw merkbaar haar schouders op. Toen zei Brad: 'Nou, wat dan ook. Jongens, klaar om die bladeren te lijf te gaan?'

Afgaand op het aantal harken dat op de veranda klaar was gezet, raadde Maryam dat de Donaldsons deze bijeenkomsten eerder hadden gehouden. Zelf zou ze dat nooit hebben gedaan (zij ruimde zonder hulp haar eigen bladeren weg vanaf de dag dat ze begonnen te vallen), maar dat had je met Amerikanen. En het bleek ook echt een sociale gelegenheid. Om te beginnen werden ze allemaal te werk gesteld in hetzelfde deel van de tuin, zodat het gesprek kon vlotten. En je had niet het gevoel dat er druk werd uitgeoefend. Brads moeder deed niet eens alsóf ze harkte, maar wierp zich op als kinderoppas en bewaakte Jin-Ho en Susan waar ze zaten tussen de bladeren. Bitsy's moeder zonk onmiddellijk in een ligstoel die haar man van de veranda haalde, hief haar gezicht naar de zon en sloot haar ogen. Opeens werd dat petje begrijpelijk. Ze was ziek, besefte Maryam; ze moest haar haar zijn kwijtgeraakt. Ook al harkte Dave met de anderen mee, hij hield meer dan eens op om naar haar toe te lopen en te vragen of het ging. 'Ja, best,' zei Connie elke keer, en dan lachte ze, met een klapje op zijn hand. Bitsy had haar no-nonsense voorkomen duidelijk van haar, al leek Connie zachter dan Bitsy, en bescheidener.

Maryam zelf werkte vlijtig door. Ze koos positie tussen Bitsy en Lou in (het was Lou die de man van het stel was; ze meende dat ze dat nu goed had) en harkte met lange, gestage streken naar de berg die naast de oprit was begonnen te verrijzen. Zij en Bitsy raakten in een soort ritme, als revuemeisjes. Lou was te druk bezig met praten om ze bij te houden. Eerst praatte hij met Sami aan zijn andere kant – saaie mannenpraat over werk, gevolgd door de hoge huizenprijzen toen hij vernam dat Sami in vastgoed handelde. Toen was

Maryam aan de beurt: hoe lang was ze al in het land? En beviel het haar?

Maryam had een hekel aan dat soort vragen, deels omdat ze ze daarvoor al zo vaak had beantwoord, maar ook omdat ze zich graag inbeeldde (hoe onredelijk dat ook was) dat ze misschien niet altíjd ogenblikkelijk herkenbaar was als buitenlandse. 'Waar komt u vandaan?' kon iemand vragen, net wanneer ze met trots de weg had gevonden in een of ander fragmentje extra ingewikkeld en onlogisch Engels. Ze had o zo graag gezegd: 'Uit Baltimore. Hoezo?' maar had het lef niet. Nu sprak ze zo hoffelijk dat Lou geen flauw vermoeden kon hebben van wat zij ervan dacht. 'Ik woon hier nu negenendertig jaar,' zei ze, en: 'Ja, natuurlijk. Ik vind het heerlijk.'

Lou knikte tevreden en ging weer harken. Toen stootte Bitsy Maryam in de ribben met haar elleboog. 'Lou denkt dat het heelal precies ten oosten van Ocean City ophoudt,' zei ze, met haar ogen rollend. Maryam schoot in de lach. Bitsy deugde, was haar conclusie. En de kleurrijke rij werkers die zich uitstrekte over de tuin, een bedrijvig razen van bladeren schiep en de stoffige geur van de herfst opwekte, maakte dat ze zich blij en geaccepteerd voelde. Hoewel ze niet de geringste illusie had dat ze dit soort leven zelf zou kunnen leiden, deed het haar plezier er nu en dan een glimp van op te vangen.

Jin-Ho stortte zich naar voren om een hele armvol bladeren te omhelzen en haar gezicht erin te begraven. Eén opdwarrelend blaadje belandde op Susans jasje en Susan plukte het er kieskeurig af en hield het vorsend omhoog.

De voortuin was in iets meer dan een uur gedaan, een prachtige effen groene vlakte, en de mannen verplaatsten zich naar de achterkant. Maar toen begonnen de baby's te dreinen, dus brachten de vrouwen ze naar binnen. In de grote ouderwetse keuken van de Donaldsons zette Bitsy Jin-Ho in haar kinderstoel en sneed een banaan voor haar in plakjes terwijl

Ziba Susan een flesje gaf. Maryam genoot van de geluidjes die Susan maakte als ze slikte. 'Um, um,' deed ze, met haar ogen strak op Ziba's gezicht gericht en met haar hand ritmisch de mouw van Ziba's trui vastpakkend en loslatend. Brads moeder en Maryam zaten met een glas witte wijn aan de keukentafel, maar Bitsy's moeder ging naar boven om even te gaan liggen. Toen ze de deur uit was, zei Brads moeder: 'Bitsy, hoe gaat het nu écht met haar?'

Bitsy wachtte zo lang met antwoorden dat Brads moeder nog eens 'Bitsy?' zei. Maar toen zagen ze allen dat Bitsy's ogen zwommen in tranen. Ze boog zich dichter naar Jin-Ho's kinderstoel en legde nauwgezet een paar plakjes banaan op een rijtje voor ze met strakke stem zei: 'Niet zo best, denk ik.'

'O jee. O jee, o jeetje,' zei Pat. 'Nou, goddank heeft ze jou nog je baby zien krijgen. Dat betekent heel veel voor haar, dat weet ik.'

Bitsy knikte sprakeloos, en Maryam, in de hoop haar te hulp te komen, wendde zich tot Pat en vroeg: 'Heeft het nog lang geduurd voordat zij hun baby kregen?'

'Nou en of! Eindeloos duurde het! En toen was er nog dat gedoe vorig jaar, weet je nog; de Koreaanse functionarissen hadden het over minder kinderen het land uit laten.'

'Ja, dát was erg!' zei Ziba. 'Sami en ik waren zo bang! We dachten bijna dat we overnieuw moesten beginnen en dat we moesten adopteren uit China.'

Bitsy zei: 'Wij dachten hetzelfde,' op volstrekt normale toon, en over haar moeder werd niets meer gezegd.

Een grote gesloten pot stond te pruttelen op het fornuis, en toen Jin-Ho haar eten had gehad, ging Bitsy roeren en proeven, kruidde bij, draaide de vlam hoger onder een andere pot op een sudderpitje. Ze gaf Maryam twee avocado's te pellen en stuurde haar schoonmoeder naar de eetkamer met stapels borden. 'Ik hoop dat niemand bezwaar heeft tegen een vleesloze maaltijd,' zei ze. 'We zijn geen complete vegetariërs, maar we proberen wel rood vlees te vermijden.'

'Vleesloos is best. Heel gezond,' antwoordde Ziba. Ze had Susan op de grond gezet waar Jin-Ho al deksels tegen elkaar zat te slaan, en hield een wakend oog op allebei.

Bitsy zei: 'Wij houden bepaald van júllie keuken,' en begon Ziba te vertellen over iets wat ze in een restaurant had gegeten, een gerecht waarvan ze de naam was vergeten, maar niet het feit dat het verrukkelijk was geweest, terwijl Maryam een gepelde avocado in een kom aan plakken sneed. Toen wilde Pat weten of de Yazdans nog narigheid hadden ondervonden tijdens de Iraanse gijzelingscrisis, en Ziba zei: 'Tja, toen was ik hier nét; ik had er niet zo veel weet van. Maar Maryam, geloof ik, díe heeft wel last gehad...' en iedereen keek verwachtingsvol naar Maryam. Ze zei: 'O, een beetje misschien,' en sneed de tweede avocado aan. Pat en Bitsy klakten met hun tong en wachtten of er nog meer kwam, maar ze bleef zwijgen. Eerlijk gezegd was ze het onderwerp meer dan zat.

Brad stak zijn hoofd om de achterdeur en vroeg: 'Hoe staat het hier? Is er nog tijd om voor het eten de bladeren in de zakken te doen?'

'Nee,' zei Bitsy. 'Ik sta op het punt van opscheppen.'

'Oké, dan roep ik de anderen.' En hij deed de deur weer dicht.

De hoofdschotel was een gerecht van op rijst opgediende zwarte boontjes. Maryam hield wel degelijk van Amerikaanse rijst, mits ze die beschouwde als een totaal andere substantie. Ze hielp Bitsy het eten op tafel zetten terwijl Pat de waterglazen volschonk. Overal op tafel stonden kommen met gehakte groene uitjes en tomaten, geraspte kaas, de plakken avocado en een aantal andere dingen die je, zei Bitsy, eroverheen moest strooien. Ze wees Ziba en Maryam hun plaats en riep naar boven: 'Mam? Heb je zin om beneden te komen?'

'Ik ga haar wel halen,' zei haar vader. Hij gaf de geur van droge bladeren af toen hij door de eetkamer liep; zijn grote, ruighuidige gezicht was rozig van de buitenlucht. En Sami had zich in het zweet gewerkt. Hij depte zijn voorhoofd met zijn mouw en zakte naast Ziba op een stoel. 'Alles is geharkt, behalve één klein plekje naast de garage,' vertelde hij, en hij reikte naar Susan, die op Ziba's schoot zat. 'Heb je me gemist, Susie-june?'

'Aha. Hippievoer,' zei Brads vader, turend naar de boontjes.

Zijn vrouw gaf hem een pets op zijn pols. 'Ga zitten,' zei ze.

'Gegratineerde muesli.'

'Er is geen gréintje muesli in te zien. Zít!'

Hij ging zitten. Met een berustende blik op Brad plukte Bitsy Jin-Ho van de grond en zette haar in de stoel aan het hoofd van de tafel. 'Nou, tast toe iedereen,' zei ze. 'Wacht maar niet op pa en ma.'

Brad bood bier aan of rode wijn, wat iedereen het liefst had. 'Tegenwoordig is er zelfs geen borreluur meer bij,' zei hij terwijl hij de wijn ontkurkte. 'Als het tijd is voor een oorlam, zitten wij al aan tafel. Een kinderkamerrooster, daar houden wij ons aan. Bitsy gaat niet zoveel later naar bed dan Jin-Ho.'

'Ik ben altijd bekaf,' zei Bitsy tegen Ziba. 'Jij niet? Vroeger was ik zo'n nachtvogel! En nu kan ik haast niet wáchten tot ik erin lig.'

'O, ik ook,' zei Ziba. 'En Susan is zo vroeg op. Zeven uur al.'

'Zeven uur! Mag je van geluk spreken. Jin-Ho is al wakker om halfzes, zes uur. Maar weet je wat je moet doen, Ziba: een tukje. Een tukje doen tegelijk met je baby.'

'Tukje?'

'Ik zet wat klassieke muziek op, ik ga op de bank liggen, ik ben compleet van de wereld tot ze wakker wordt.'

'O! Als dát zou kunnen!' zei Ziba. Ze schepte rijst op haar bord. 'Maar ik werk twee dagen in de week en de andere dagen probeer ik bij te raken met de was en schoonmaken en zo.'

'Werk jij?' vroeg Bitsy.

'Ik ben binnenhuisarchitecte.'

'O, ik zou niet kúnnen werken! Hoe kun je je baby alleen laten?'

Ziba hield op met rijst scheppen en keek onzeker naar Maryam.

Het was Lou die de stilte verbrak. 'Och. Pat hier liet haar baby alleen vanaf dat-ie zes weken was, en kijk hoe goed hij terecht is gekomen.'

Brad maakte een diepe buiging voor hij het inschenken van de wijn hervatte.

'Maar het is de vórmendste fase van hun leven,' zei Bitsy. 'Die dagen krijg je nooit meer terug.'

Maryam zei: 'Het treft voor mij juist goed dat ze werkt. Ik heb Susan helemaal voor mezelf, dinsdags en donderdags. Het geeft ons de kans om...' Ze probeerde het woord te bedenken, het meest bijdetijdse en wetenschappelijke woord dat haar punt zou onderstrepen. 'Te hechten,' zei ze ten slotte. 'Zo kunnen we ons hechten.'

Bitsy zei: 'O, juist.' Maar ze leek niet overtuigd. Ze trok Jin-Ho dichter tegen zich aan en legde haar kin op het glanzende kopje van het kind. En Ziba had nog steeds die onzekere uitdrukking. Nu haar lippenstift was weggesleten, leek de zwarte contour toevallig, alsof ze vuil had gegeten.

Vanuit de deuropening zei Bitsy's moeder: 'Wat is dit heerlijk!' Ze kwam de kamer in, reikend naar de rugleuning van haar stoel. Haar man volgde een paar stappen achter haar. 'Ik kon die zalige kruidengeur helemaal boven ruiken,' zei ze terwijl ze ging zitten. Ze vouwde haar servet open en keek glimlachend de tafel rond. 'Is er een naam voor dit gerecht?'

'*Habichuelas negras*,' zei Bitsy. ''t Is Cubaans.'

'Cubaans! Wat opwindend.'

Bitsy ging wat rechter zitten alsof haar net iets te binnen was geschoten. 'Zie je dat ik zwart en wit draag,' zei ze tegen Ziba.

Ziba knikte, met grote ogen.

'Dat is omdat baby's geen kleuren zien. Alleen zwart en wit. Ik heb alleen maar zwart en wit gedragen, vanaf de dag dat Jin-Ho er was.'

'Echt!' zei Ziba en ze keek omlaag naar haar roze coltrui.

'Zou jíj ook moeten doen,' zei Bitsy.

'Och ja, misschien.'

Bitsy ontspande en legde haar kin weer op Jin-Ho's hoofd.

'Maar hoe komt het dan dat Susan haar blokken kan oppakken?' vroeg Maryam aan Bitsy.

'Haar blokken?'

'Haar roze en blauwe blokken op een geel boxkleed. Ik zeg: "Pak je blokken, Susan", en ze grijpt er meteen naar.'

'O ja?' vroeg Bitsy. Ze keek naar Susan. 'Ze pakt haar blokken op als jij dat zegt?'

'Van een gele ondergrond,' zei Maryam. Ze schepte voor zichzelf nog wat rijst op en wendde zich tot Connie. 'Mag ik je bedienen?' zei ze.

'O nee, dank je, nog even niet,' zei Connie, al was haar bord op een snee brood na leeg.

Bitsy had haar aandacht nog bij Susan. Even leek ze geen weerwoord meer te kunnen verzinnen, maar toen wendde ze zich tot Ziba. 'Stop jij je dochter in een bóx?' vroeg ze.

Ziba's onzekere uitdrukking keerde terug. Maar eer ze kon antwoorden, zei Maryam: 'En de boontjes en de rijst. Hoe zit dát dan?'

'Pardon?' zei Bitsy.

'De zwarte boontjes en de witte rijst. Zijn die ook terwille van het zicht van de baby's?'

Bitsy keek onthutst, maar toen haar schoonvader proestte, kon er toch, éven, bij haar een lachje af.

Daarna kwamen de twee gezinnen vrij regelmatig bij elkaar, hoewel Maryam beleefd bedankte wanneer ze ook werd gevraagd. Waarom zou ze deel willen hebben aan het sociale leven van een jong stel? Ze had haar eigen vriendinnen, voornamelijk vrouwen, en bijna altijd buitenlandse, zij het toevallig geen Iraanse. Ze gingen samen uit eten in een restaurant of bij elkaar thuis. Ze gingen naar de film of een concert. En dan had ze natuurlijk haar baan. Drie dagen in de week werkte ze op het kantoor van Sami's vroegere kleuterschool. Niemand kon zeggen dat ze met haar tijd geen raad wist.

Wel hoorde ze vrijwel dagelijks over de Donaldsons, via Ziba. Ze vernam dat Bitsy voor katoenen luiers was, dat Brad vreesde dat inentingen gevaarlijk waren, dat ze allebei Jin-Ho Koreaanse volkssprookjes voorlazen. Ziba schakelde ook over op katoenen luiers (al schakelde ze na een week of twee terug). Ze belde haar kinderarts over de inentingen. Zij ploegde braaf door *Het Alsemrijstkoekje* terwijl Susan, die nog geen benul van boeken had, haar uiterste best deed om de bladzijden te verfrommelen. En na het kerstfeest bij de Donaldsons kocht Ziba een veertigkops koffiemachine om ook warme cider te kunnen brouwen. 'Je doet kaneelstokjes en kruidnagelen in het mandje waar het koffiemaalsel in gaat. Is dat niet slim?' vroeg ze Maryam.

Ziba was een beetje verkikkerd op de Donaldsons, was Maryams indruk.

Maryam zelf zag hen pas weer in januari, toen ze op Susans eerste verjaarspartij kwamen. Ze brachten Jin-Ho mee in volledig Koreaans kostuum – een schitterend kimonoachtig geval, een punthoed met kinbandje en geborduurde stoffen schoentjes – en ze stonden wat te staan met een belangstellend gezicht, maar lichtelijk de kluts kwijt in de zee van Iraanse familie. Maryam kwam naar voren om ze onder haar hoede te nemen. Ze maakte een compliment over Jin-Ho's hoedje, wees ze waar ze hun jassen moesten laten en legde uit wie nu wie was. 'Dat zijn de ouders van Ziba; die wonen in Washington. En daar staat haar broer Hassan uit Los Angeles; haar broer Ali, ook uit Los Angeles... Ziba heeft zeven broers, kun je je dat voorstellen? En vier daarvan zijn vandaag hier.'

'En wie zijn er van jouw kant, Maryam?' vroeg Bitsy.

'O, eh, geen. Mijn familie zit voornamelijk nog in Teheran. Ze komen hier niet vaak.'

Ze schonk ieder een kop warme cider in en ging hun toen voor door de menigte, hier en daar stilstaand om hen voor te stellen. Zo mogelijk pikte ze de niet-Iraniërs eruit – een buurvrouw en een vrouw van Sami's bureau – omdat Brad Jin-Ho op zijn ene arm droeg en je nooit wist wat Ziba's verwanten in hun hoofd zouden halen te zeggen. ('In LA hebben we plastisch chirurgen die de ogen van Chinese mensen net zo goed kunnen maken als westerse,' had ze Ali's vrouw die ochtend tegen Ziba horen zeggen. 'Ik kan een paar namen voor je te pakken krijgen, als je wilt.')

Eerlijk gezegd waren de Hakimi's maar één generatie verwijderd van de bazaar. Thuis in Iran zou Maryams familie ze nooit van zijn leven hebben ontmoet.

Uiteindelijk was het het voedsel dat de Donaldsons op hun gemak stelde. Ze hapten naar adem toen ze de buffettafel zagen, met zijn veelsoortige hoofdschotels en zijn stoet van bijgerechten en salades. Ze wilden overal de naam van weten en toen Bitsy vernam dat Maryam dat allemaal had klaargemaakt, informeerde ze bijna bedeesd of ze een paar van de recepten mocht hebben. 'O, maar natuurlijk,' zei Maryam. 'Maar ze staan in elk Iraans kookboek.' Inmiddels was ze erachter dat Amerikanen dachten dat een recept een kwestie van creatieve vinding was. Ze konden een jaar lang elke dag een andere maaltijd opdissen zonder zich te herhalen – de ene dag Italiaans-Amerikaans, en Tex-Mex de volgende, en de dag daarna Aziatische fusion – en het verbaasde hun altijd dat andere landen er zo'n voorspelbare keuken op na hielden.

'Maryam,' zei Bitsy, 'was Ziba's familie heel erg ondersteboven toen ze hoorden dat zij en Sami gingen adopteren?'

'Nee hoor, waarom vraag je dat?' zei Maryam beslist. (Verbijsterend, wat de mensen vroegen!) 'Kijk. Dit is een gerecht dat normaal op een bruiloft wordt gepresenteerd,' zei ze. 'Kip met amandelen en sinaasappelschil. Moeten jullie echt proberen.'

Bitsy vulde een enkel bord met dubbele porties, omdat Brad Jin-Ho op zijn arm had. Ze nam een schep van het bruiloftsgerecht en zei: 'Brads ouders hadden er wat moeite mee. De mijne niet, de mijne waren er helemaal voor. Maar Brad was enig kind en zijn ouders waren meer... ik weet niet; misschien waren ze bezorgd om het doorgeven van de bloedlijn of zoiets.' Ze stopte zonder omhaal een stuk naanbrood in haar zak. (Ze droeg een soort handgeweven boerenkiel in tinten blauw. Geen zwart en wit meer, merkte Maryam op.) 'En nu zijn ze natuurlijk dol op Jin-Ho,' zei ze. 'Ze zijn zo lief als maar kan met haar.' Ze zweeg even en keek Maryam aan. 'En jij bent heel dik met Susan, dat weet ik van Ziba.'

'Ja,' was het enige wat Maryam zei, maar ze kon zich er niet van weerhouden Susan door de kamer een blik toe te werpen. Susan droeg een met rozenknopjes bedrukt jurkje dat haar andere grootmoeder in een babyboetiek in Georgetown had gekocht, en het zachte roze maakte haar zwarte haar en zwarte ogen nog verrassender mooi.

Alle Amerikaanse gasten gingen met hun bord naar de huiskamer, terwijl alle Iraanse gasten bij het buffet bleven staan. Elke keer dat ze dit zag, probeerde Maryam uit te maken: waren de Amerikanen gretiger om zich naar intieme hoekjes te reppen en zich begerig over hun voedsel te buigen, of waren de Iraniërs gretiger om al etend dicht bij de bron te blijven terwijl andere, nog niet bediende gasten zo goed mogelijk tussen hen door reikten? In elk geval wist ze genoeg om de Donaldsons naar de woonkamer te brengen. Ze zag erop toe dat ze rond de salontafel op de grond kwamen te zitten, aangezien alle stoelen al bezet waren, en ging toen naar de keuken om een slab te pakken voor Jin-Ho. Toen ze terugkwam, waren Brad en Bitsy in gesprek geraakt met de buurvrouw, die op de bank zat en haar baby de borst gaf. 'Je kunt niet vroeg genoeg beginnen,' hoorde ze Bitsy zeggen. 'Ik heb het over het oefenprogramma voor moeder en kind,' vertelde ze Maryam. 'Het is niet alleen goed voor hun spieren, maar ook voor de ontwikkeling van hun hersenen. Iets over de oog-handcoördinatie, geloof ik.'

Blijkbaar had ze haar draai gevonden. Maryam bond Jin-Ho de slab om en ging weg om te zien wie er nog bediend moest worden.

Het was een overmaat aan wellevendheid die Maryam ertoe bracht de Donaldsons dat voorjaar uit te nodigen voor een Iraans nieuwjaarsdiner. Eigenlijk was ze al min of meer opgehouden met Nieuwjaar vieren. Sami en Ziba gingen altijd naar Washington, waar Ziba's ouders een gigantisch feest gaven, bijgewoond door drommen met juwelen behangen en geparfumeerde gasten – mensen die veel later in het land waren aangekomen dan Maryam en eigenlijk haar soort niet waren. Dit jaar was geen uitzondering, maar Ziba zei tegen Maryam dat ze ergens ná het eigenlijke nieuwjaarsfeest heel graag de

Donaldsons een paar van de traditionele gerechten zou willen voorschotelen. 'Ze hebben zo genoten van wat ze op Susans verjaarspartij hebben gegeten,' zei ze. 'Ik dacht, we konden de ouders van Brad en Bitsy erbij vragen en mijn ouders als die vrij zijn. We zouden een haftsintafel kunnen opzetten en misschien een *morgh polo* maken... Nou ja, die zou jíj maken, maar ik zou zoveel mogelijk helpen. Zou jij daartoe bereid zijn?'

Normaal gesproken zou Maryam meer dan bereid zijn geweest, maar nu voelde ze een inwendige steek van verzet. Waarom moesten zij die etnische demonstraties opvoeren? Laat de Donaldsons daarvoor naar het Smithsonian gaan! dacht ze kregelig. Laat ze de *National Geographic* lezen! Maar tegen Ziba zei ze alleen: 'Wordt je dat niet wat te veel, boven op jullie weekend in Washington?'

'Te veel? Welnee,' zei Ziba. 'Of... bedoel je dat het jóu te veel wordt?'

'Welnee. Ik ben niet degene die naar Washington gaat! Maar die haftsintafel, bijvoorbeeld. Die moet van tevoren worden opgesteld en dan zijn jullie allebei van huis.'

Er was hoegenaamd geen reden waarom die tafel van tevoren moest worden opgesteld. En trouwens, het stond hun vrij dit af te spreken op elke datum die hun schikte. Ziba moest hebben beseft dat Maryam bezig was excuses te verzinnen, maar trok de verkeerde conclusie. Ze zei: 'O! Je geeft het diner liever bij jou thuis?'

'Bij mij thuis? Eh, maar...'

'Natuurlijk! Ik had het moeten bedenken! Het is alleen dat ons huis meer ruimte heeft. Maar als jij het liever bij jou doet...'

'Ja, mijn huis is er nogal klein voor,' zei Maryam.

'Maar jij bent degene die kookt. Jij moet kunnen kiezen.'

'Maar jij doet wel de rest – het versieren, het opruimen achteraf. Jouw huis is logischer.'

'Nee, dat geeft niks,' zei Ziba. 'We doen het bij jou. Dat is best.'

Dus noodde Maryam de Donaldsons bij zich thuis.

Tien dagen voor het feest bracht Sami haar met de auto naar Rockville voor een paar van de uitheemsere ingrediënten. (Het was een langere reis dan ze prettig vond om in haar eentje te rijden.) Het verkeer op de I-95 reed bumper aan bumper en Sami mopperde binnensmonds telkens wanneer de stroom rode achterlichten voor hen oplichtte. 'We moeten juist blij zijn dat die winkel zo dichtbij is,' zei Maryam tegen hem. 'Toen ik net in het land was, moest je grootmoeder de meeste van mijn specerijen opsturen uit Iran.'

Ze zag die pakketjes nog voor zich, in elkaar geflanste stoffen buideltjes, bol van sumak en blaadjes gedroogde fenegriek en zwartgeworden gedroogde limoentjes, de zelfgemaakte kartonnen adresetiketten, met de hand beschreven in haar moeders wankele Engels. 'Wat we niet opgestuurd konden krijgen, daar smokkelden we mee,' zei ze. 'We wisselden onze geheime trucs uit, de andere vrouwen en ik. Granaatappelsaus van bevroren grapefruitsap van Welch en pompoenvulling uit blik; dat weet ik nog. Dikke yoghurt van taptemelk met door de blender gedraaide geitenkaas.'

In die dagen waren al hun vrienden Iraans geweest, allen min of meer in dezelfde situatie als Maryam en Kiyan. (Op een van hun grote pokerpartijen kon iemands vrouw 'Agha dokter!' roepen, en dan antwoordde elke man in de kamer 'Ja?') Waar waren die mensen gebleven? Nu ja, er waren er natuurlijk heel veel teruggegaan. Maar sommigen, wist ze, waren nog steeds hier in Baltimore; zij had alleen het contact met hen verloren. De politiek bijvoorbeeld had de zaak steeds ingewikkelder gemaakt. Wie steunde de sjah? Wie niet? En na de revolutie kon je er donder op zeggen dat de meeste nieuwkomers de sjah hadden gesteund, wie weet zélf hoge posten hadden bekleed bij de geheime politie, en was het wel zo wijs ze maar helemaal te mijden. En daarbij, Kiyan was toen al dood en ze voelde zich in die sociale kring van twee-aan-twee niet prettig meer.

'Had je vader nog maar beleefd dat de sjah werd afgezet!' zei ze tot Sami. 'Wat zou hij blij zijn geweest.'

'Zo'n drieënhalve minuut,' zei Sami.

'Ehm, ja.'

'Hij zou het vreselijk vinden als hij hoorde wat daar nu gaande is.'

'Ja, dat zeker.'

Ze had op een dag onder het strijken naar muziek van thuis geluisterd op Kiyans oude kortegolfradio. Er waren al openbare betogingen geweest en geruchten over onrust, maar zelfs de deskundigen hadden de uitslag niet kunnen voorspellen. En toen, midden in een noot, had de muziek gezwegen en viel er een lange stilte, ten slotte verbroken door een man die rustig en effen aankondigde: 'Dit is de stem van de revolutie.' Een siddering was tegen haar ruggengraat op gekropen en tranen waren haar in de ogen gesprongen. Ze had de strijkbout neergezet en hardop gezegd: 'O, Kiyan! Hoor je dat?'

'Hij zou er kapot van zijn, van wat daar nu gebeurt,' zei ze tot Sami. 'Soms, weet je, denk ik dat de mensen die dood zijn geboft hebben.'

'Ho!' zei Sami. Maryam keek in een reflex naar het verkeer voor hen, in de verwachting van een of andere noodsituatie. Maar nee, dit leek een van die overdreven reacties te zijn die je bij jonge mensen zo vaak zag. 'Mooi niet, mam! Wacht effe!'

'O, ik bedoel het niet letterlijk. Maar wat zou hij zeggen, Sami? Hij híeld van zijn land! Hij heeft altijd gewild dat we op een dag ernaar terug zouden gaan.'

'Nee dus, goddank,' zei Sami, en hij knipte zijn richtingaanwijzer aan en zwenkte scherp naar de binnenste rijstrook, alsof de gedachte alléén al hem kwaad maakte.

Hijzelf was nooit in Iran geweest. Die ene keer dat Maryam sinds zijn geboorte was teruggegaan, was Sami al volwassen en getrouwd en werkte hij bij Peacock Homes, en had hij beweerd dat hij niet weg kon. Hij had geen interesse, dat was de ware reden. Ze wierp een bedroefde blik op zijn grote gebogen neus, die zo leek op die van Kiyan, en op dat charmante brilletje van hem. Nu zou hij waarschijnlijk nooit gaan en zeker niet met haar, omdat zij na dat laatste bezoek had besloten er niet meer te komen. Het lag niet zozeer aan de beperkingen – de naargeestige lange zwarte jas die ze had moeten dragen en die onflatteuze hoofddoek – maar aan de afwezigheid van zo veel mensen van wie ze had gehouden. Natuurlijk was ze op de hoogte gesteld van hun overlijden wanneer zich dat had voorgedaan (haar moeder, haar oudtantes en een paar ooms van haar, elk verlies een voor een meegedeeld in die omzichtige, tactvolle bewoordingen op dunne blauwe postbladen of, in later jaren, over de telefoon). Maar heimelijk, leek het, was het haar gelukt het niet volledig tot zich te laten doordringen tot ze daar was, op het familiegoed, en waar was haar moeder? Waar was haar troepje tantes, klokkend en scharrelend en kakelend als een toom grijze krielkippen? En toen was er bij haar vertrek op het vliegveld een probleem met haar uitreisvisum, een kleinigheid die vrij gemakkelijk werd opgelost door een neef met relaties, maar ze had een paniek gevoeld die haast verstikkend was geweest. Ze had zich een vogel gevoeld, klapwiekend in zijn kooi: *Laat me eruit, laat me eruit, laat me eruit!* En ze was nooit meer teruggegaan.

In de supermarkt, waar zij en Sami zich door een menigte moesten worstelen van andere Iraniërs die boodschappen deden voor hun nieuwjaarsfeestjes, kon ze niet nalaten te vragen: ‘Wat zíjn dat voor mensen?’ De kinderen gebruikten het gemeenzame 'jij' als ze tot hun ouders spraken, ze waren lawaaiig en lastig en respectloos. De tienermeisjes lieten hun blote middenrif zien. De klanten het dichtst bij de toonbank duwden en stompten. 'Dit is gewoon... bedróevend!' zei ze tegen Sami, maar die verraste haar door te snauwen: 'O, mam, niet zo hoog van de toren, ja!'

'Pardon?' zei ze, waarachtig niet wetend of ze het goed gehoord had.

'Waarom zouden ze zich beter gedragen dan Amerikanen?' vroeg hij. 'Ze gedragen zich net als iedereen, mam; hou toch op met óórdelen.'

Haar eerste impuls was terugsnauwen. Was het zo verkeerd te verwachten van haar landgenoten dat ze het goede voorbeeld gaven? Maar ze telde tot tien voor ze sprak (een tactiek die ze zich had aangeleerd tijdens zijn puberteit), en besloot toen maar haar mond te houden. Dus ging ze zwijgend voort door het gangpad, legde pakjes kruiden in cellofaan en gedroogde vruchten in de mand die hij voor haar droeg. Ze bleef staan voor een bak tarwekiemen, en Sami zei: 'Is er nog tijd genoeg om ze te laten uitlopen?' Er was tijd zat, zoals hij best wist. Hij vroeg het zeker om het goed te maken. Dus zei ze: 'Och, dat dénk ik wel. Wat vind jij?' en daarna was het weer in orde tussen hen.

Ja, ze oordeelde. Dat wist ze. In de loop der jaren was ze steeds kritischer geworden, misschien omdat ze al zo lang alleen woonde. Daar moest ze mee oppassen. Ze lachte expres tegen de eerstvolgende persoon die voordrong, een vrouw met kort, in de kleur van een koperen steelpan geverfd haar, en toen de vrouw teruglachte bleek dat ze één diepe groef had aan de buitenhoek van elk oog, precies als die van tante Minou, en Maryam voelde genegenheid voor haar opwellen.

De Donaldsons waren voor de lunch uitgenodigd op een zondag die een volle acht dagen viel na het feest bij de ouders van Ziba, dus was er voor Maryam minder reden dan ooit om de ontvangst te haren huize te houden. Intussen had ze zich erbij neergelegd. Ze kookte de hele week ervoor, een of twee gerechten per dag. Ze stelde de haftsintafel op in de woonkamer – de zeven traditionele voorwerpen, waaronder een hardgroen minispeelveldje van opgeschoten tarwekiemen, kunstig geschikt op haar mooiste geborduurde kleed. En op zondagmorgen stond ze voor dag en dauw op om de laatste voorbereidingen te treffen. De enige andere verlichte ramen waren van huizen waar kleine kinderen woonden. De enige geluiden waren van de vogels, een gekwetter van nieuwe en andere liedjes nu het lente was geworden. Ze slofte op blote voeten door de keuken in een mousselinen broek en een langpandig hemd dat van Sami was geweest. Haar thee werd koud op het aanrecht terwijl ze de rijst waste en in de week zette, en op een kruk klom om haar dienbladen te pakken en de stelen afsneed van de gele tulpen die 's nachts in emmers op de achterveranda hadden staan wachten. Inmiddels kwam de zon al op en hoorde ze door het open raam de piepende remmen van het busje van de krantenbezorger en daarna de klap van de *Baltimore Sun* op haar stoep. Ze haalde de krant naar de keuken om hem te lezen bij haar tweede kopje thee. Vanwaar ze zat kon ze in de eetkamer kijken, waar het zilver blonk op de tafel en het glaswerk fonkelde en de tulpen door het midden marcheerden in een rij ranke glazen vazen. Ze hield van dit moment vóór een feestje, als de servetten nog niet waren verkreukeld of de rust was verstoord.

Om halfeen, fris gebaad en gekleed in een strakke zwarte broek en een witzijden tuniek, stond ze bij haar voordeur om Sami en Ziba te verwelkomen. Ze kwamen wat vroeger om te helpen met de laatste voorbereidingen maar, zoals Sami opmerkte, ze had voor hen niets te doen overgelaten. 'Nee, maar zo krijg ik een privé-bezoekje van Susan,' zei ze. Susan kon nu heel bekwaam lopen en zodra Sami haar neerzette, stoof ze regelrecht naar de mand waar Maryam haar speeltjes in bewaarde. Haar haar was zo lang geworden dat het in haar ogen viel als ze het niet opbonden in een soort verticaal pluimpje boven op haar hoofd. Het vlokte om haar kleine oorschelpjes en sliertte in ijle piekjes langs haar bloemstengelnekje. 'Susiejune,' zei Ziba, 'zeg eens: "Dag Mari-june!" Zeg eens: "Hallo Mari-june!"'

'Mari-june,' zei Susan gewillig, alleen klonk het meer als 'Mudzj'. Ze gaf Maryam een van haar verstolen lachjes, alsof ze precies wist hoe knap ze was geweest.

Ziba had het op haar zenuwen – 'Is er iets wat we kunnen doen? Moet Sami de wijn al opentrekken? Welk tafelkleed wou je gebruiken?' – maar Maryam zei dat alles al geregeld was. 'Ga toch zitten,' zei ze. 'Zeg maar wat je wilt drinken.'

Ziba gaf geen antwoord, omdat ze kussens aan het opkloppen was, en ze duwde zelfs Sami opzij zodat ze bij dat ene kussen kon waar hij tegenaan zat. Ze was nerveus, veronderstelde Maryam. Ze had zich wat te veel opgedoft voor overdag, in hetzelfde glimmende turquoise mini-jurkje dat ze naar het feest bij haar ouders had gedragen, en twee rondjes rouge op haar wangen gaven haar iets koortsachtigs. Waarschijnlijk vergeleek ze Maryams huis met het hare – Maryams te kleine woonkamer en traditionele, nogal duffe meubels, bedekt met paisleysjaals en Iraanse snuisterijtjes – en vond ze het beneden peil. 'Susan, leg dat terug!' zei ze toen Susan een pluchen hondje te voorschijn sjorde. 'We kunnen niet overal speelgoed op de grond hebben als er gasten komen!'

'O, waarom niet? Jin-Ho zal toch ook willen spelen,' zei Maryam; en Sami, lui draaiend met een strengetje bidkralen van klei dat hij van de salontafel had gepakt, zei: 'Rustig maar, Zi. Ga lekker zitten.'

Ze maakte een boos, blazend geluidje en liet zich in een stoel vallen.

Het maakte het er niet beter op dat de eerstvolgenden die arriveerden Ziba's ouders waren. Ze waren iets te vroeg, omdat ze zich verkeken hadden op de reistijd vanuit Washington, en toen mevrouw Hakimi zich bij Maryam verontschuldigde in het Farsi ('Het spijt mij zeer, ik vraag u vergeving, ik zei tegen Mustafa dat we eerst een eindje moesten rondrijden maar hij zei...'), riep Ziba: 'Mam, alstublieft; u had beloofd dat u hier Engels zou spreken!'

Mevrouw Hakimi wierp Maryam een treurige blik toe. Ze was een prettig ogende vrouw met een rond, vermoeid gezicht en ze liet haar gezin finaal over zich lopen, was Maryam opgevallen – vooral haar man, die de stramme houding van een militair handhaafde, hoewel hij zijn geld in zaken had verdiend. Hij importeerde dingen. (Maryam wist niet precies wat.) Hij had een kaal geel hoofd en een enorme buik die het vest van zijn pak van grijze *sharkskin* deed spannen. 'Susie-june!' bulderde hij en hij stortte zich op Susan, die bedeesd lachte maar zich opkrulde tot ze haast zo krom als een garnaal was, en geen wonder; meneer Hakimi was een wangenknijper. Knijp-knijp! met zijn grote gele vingers terwijl Susan spartelde en om zich heen naar Ziba zocht.

'Ik begrijp dat uw feest vorige week een groot succes was,' zei Maryam tot mevrouw Hakimi.

'O nee, dat was niets. Een heel eenvoudig avondje,' zei mevrouw Hakimi en ze week plots weer uit naar het Farsi. 'Ik ben ervan overtuigd dat uw diner vandaag veel eleganter zal zijn, aangezien u degene was die het heeft bereid en niemand anders die ik ken maakt zulke heerlijke...' Haar woorden kwamen allemaal met een vaartje, alsof ze hoopte zoveel mogelijk gezegd te krijgen eer ze werd gesnapt; maar Ziba zei 'Mamma!' en mevrouw Hakimi brak af en keek Maryam hulpeloos aan.

In Maryams ervaring waren het destijds de vrouwen die zich vlugger aanpasten. Haast van de ene dag op de andere hadden ze de inheemse gebruiken ontcijferd, zich de finesses eigengemaakt van supermarkten en carpools, waren ze zelfverzekerd en assertief geworden terwijl hun mannen, begraven in hun werk, hun nieuwe Engels beperkten tot medische termen of het vocabulaire van collegezalen. De mannen hadden zich toen op de vrouwen verlaten om de praktische wereld voor hen hanteerbaar te maken, maar in het geval van de Hakimi's leek de situatie net andersom te zijn. Toen Brads ouders arriveerden in hun paaseikleurige lenteplunje en opgewekt hun namen bekendmaakten eer Maryam ze had kunnen voorstellen, glimlachte mevrouw Hakimi slechts tegen haar schoot en kromp dieper weg in haar stoel. Het was meneer Hakimi die de leiding van het gesprek op zich nam. 'Dus jullie zijn de grootouders van vaderszijde! Mag ik u zeggen hoezeer het ons een genoegen is jullie te ontmoeten! En, wat doe jij voor de kost, Lou?'

'O. Nou, ik ben advocaat, met pensioen!' zei Lou, meneer Hakimi's hartelijke toon bijna evenarend. 'De vrouw en ik leiden een lui leventje nu. We maken nogal veel cruises en golfreisjes; je hebt vast weleens gehoord van trips voor senioren...'

Maryam excuseerde zich en ging naar het eten kijken. Ze draaide de ene vlam lager, een andere hoger, en permitteerde zich toen een korte poos staren uit het keukenraam, tot het geluid van de bel haar eruit trok. Toen ze weer in de woonkamer was, kwamen Brad en Bitsy net binnen, Brad met Jin-Ho op zijn arm, en in zijn kielzog Bitsy's ouders, op enige afstand. Connie had wat moeite met de stoep. Dave hield een hand onder haar elleboog terwijl zij zich inspande om de ene voet naast de andere te tillen. 'O, dat spijt me,' zei Maryam, de veranda overstekend om haar te begroeten. 'Ik had jullie moeten zeggen achterom te komen.'

Maar Connie zei: 'Onzin, ik heb beweging nodig,' en ze

drukte allebei Maryams handen in de hare. 'Ik kan je niet zeggen hoe ik me hierop heb verheugd,' zei ze. Ten langen leste had ze afgezien van haar honkbalpetje. Haar hoofdhuid was dun bedonsd met een laagje grijs haar, heel fijn en zacht om te zien, en ze droeg een donkerblauwe katoenen jurk die haar te groot leek. Toen ze bij de deur was bleef ze staan en haalde diep adem alsof ze zich schrap zette. Toen stortte ze zich in de woonkamer. 'Jullie zijn zeker Ziba's ouders!' riep ze. 'Hallo! Ik ben Connie Dickinson, en dit is mijn man, Dave! Ha Pat! Ha Lou!'

Er was een werveling van begroetingen en complimenten (de nieuwe kleur van Pats haar, Bitsy's harembroek), en toen vroeg Dave naar de haftsintafel, wat meneer Hakimi de kans gaf een college te geven. 'Haftsin betekent zeven s'en,' begon hij op een officieel klinkende toon. 'We hebben hier zeven voorwerpen die beginnen met de letter s.' Dave en Connie knikten ernstig terwijl Bitsy voorkwam dat Jin-Ho het geborduurde kleed van tafel griste.

'Nou, wacht effe!' zei Lou. 'Die hyacinten beginnen niet met een s!'

Brad zei: 'Pa...'

'Dat bordje gras begint niet met een s!'

'Een s in ónze taal,' legde meneer Hakimi uit.

'O. Aha. Heel interessant.'

'Je huis is beeldig, Maryam,' zei Bitsy. 'Ik vind die mengeling van stoffen zo mooi. Ik ben weefster, hè, dus ik heb natuurlijk oog voor die dingen.' Ze greep weer naar Jin-Ho, pakte haar ditmaal op. 'Heb jij al die kleden meegebracht toen je hierheen kwam?'

'Nee hoor,' zei Maryam. Ze schoot in de lach. 'Toen ik hier aankwam had ik maar één reistas.'

'Maar een Pérzische reistas toch zeker, met een of ander fascinerend patroon.'

'Eh, ja, dat wel...'

De reistas had ze een maand na haar aankomst weggegeven, uit gêne dat het geen Samsonite was. O, in die dagen zou ze geen tapijtjes van thuis hebben meegebracht, al had ze de ruimte gehád. Ze had alles glad en modern willen hebben, effen van kleur, bij voorkeur beige – Amerikaans-Amerikaans, zoals Kiyan altijd zei. Allebei waren ze zo gecharmeerd geweest van de westerse stijl van woninginrichten. Pas later had ze begrepen dat ze het slechtste van die stijl hadden omarmd – het goedkope eetgerei van beige plastic, de troosteloze vlakte van fletsbeige vloerbedekking, de stoelen bekleed met beige kunststoffen, doorweven met metaaldraad.

Nu was het Dave die een soort 'en wat doe jij'-gesprek voerde. Hij had net meneer Hakimi meegedeeld dat hij leraar natuurkunde was, en terwijl Maryam de kamer rondging met frisdrank en wijn en (voor meneer Hakimi) whisky met ijs, vernam ze dat Connie Engels gaf op de *highschool* en Brad biologie. Dus misschien was het niet meer dan natuurlijk dat dit gezin zich gerechtigd voelde anderen te vertellen hoe het moest. Konden genen zelfs je beroepskeuze bepalen? vroeg ze zich af toen ze weer naar de keuken ging.

De rijst begon nu zijn geur van bruine boter en popcorn af te geven. Ze bracht de pot over naar de spoelbak en draaide de pit uit. Uit de woonkamer hoorde ze meneer Hakimi het volgende onderwerp aansnijden: politiek, en in het bijzonder de Iraanse politiek – de lange, nobele geschiedenis van Iran en zijn bittere einde in de revolutie. Maar goed ook dat zij uit het zicht was; discussies met alle verwanten van Ziba over deze zaken ging ze uit de weg. Ze liet koud water in de spoelbak lopen en wachtte tot de pot niet meer dampte, hoewel ze hem makkelijk zonder toezicht had kunnen laten staan. Toen ze kleine, ongelijke voetstapjes achter zich hoorde, was ze opgetogen. 'Susie-june!' riep ze omkijkend, en Susan lachte en stak beide armpjes in de lucht en zei: 'Op?' Haar uitspraak was heel nauwkeurig, alsof ze besefte dat ze een nieuwe taal aan het leren was. Maryam pakte haar op en legde haar gezicht tegen Susans zachte wangetje. Toen dribbelde Jin-Ho binnen met een speelgoedtruck tegen haar borst en zei: 'Kaak? Kaak?' en Maryam waagde een gok en ging naar de kast om biscuits te pakken. 'Cracker,' zei ze en gaf elk kind er een. 'Dank je wel, Mari-june!' en ze zette Susan op de grond. Susan en Jin-Ho begonnen de truck tussen zich in heen en weer te rollen, elk met een biscuitje in één hand geklemd en hurkend op die lenige manier zoals alleen kleine kinderen dat kunnen, met de voeten plat op de grond en wijd uit elkaar en de bipsen twee centimeter boven de vloer. Maryam had er wel de hele middag kunnen staan om de aanblik in te drinken.

Zoals bleek was dat het hoogtepunt van het feest. Toen de gasten eindelijk aan tafel zaten, waren beide meisjes al over hun middagslaapje heen. Susan werd blèrend afgevoerd naar het ledikantje dat Maryam boven voor haar had staan, terwijl Jin-Ho het uitzat op haar moeders schoot, steeds nukkiger en spartelender en heftiger haar gezicht wegdraaiend van de hapjes die Bitsy haar voorhield.

Het waren niet alleen de kinderen die moeilijk deden. Eerst bestond Pat het te opperen dat Connie misschien zou willen proberen haar hoofd in een mooi zijden sjaaltje te hullen (voelden zelfs de schoonouders van dit gezin zich vrij elkaar van advies te dienen?) en Connie kreeg een kleur en keek ongelukkig, en Dave zei: 'Dank je, Pat, maar ik vind Connie prachtig gewoon zoals ze is,' en Pat zei: 'O! Jeetje! Natuurlijk! Ik bedoelde niet...!' Toen zei Bitsy, kennelijk in de hoop een en ander glad te strijken: 'Over kapsels gesproken, Ziba, wat staat dat kuifje van Susan haar schattig,' en Ziba zei: 'Ja, ik probeer het haar uit haar ogen te houden,' en Bitsy zei: 'Ach ja, Jin-Ho heeft dat probleem niet, want wij houden de dracht aan waarmee ze is gekomen. We vinden niet dat we haar moeten amerikaniseren.'

'Amerikaniseren!' zei Ziba. 'We zijn helemaal niet aan het amerikaniseren!' (Alsof iets werkelijk iemand kon amerikaniseren, dacht Maryam, die te veel buitenlanders had gezien die een natuurlijke indruk probeerden te maken in een spijkerbroek.) Het moest zijn dat Ziba zich nog zo onzeker voelde bij de Donaldsons, omdat ze anders nooit zo stekelig zou zijn geweest.

En toen ook meneer Hakimi de vrede probeerde te bewaren, maakte hij het alleen maar erger. 'Maar! We verwaarlozen onze gastvrouw!' baste hij. 'Dit is zulk voortreffelijk voedsel, lieve mevrouw, en u was ook nog zo vriendelijk Ziba te ontheffen van de last van dit onthaal!'

Ziba zei: 'Dat was geen last! Waar hebt u het over? We hadden het bij ons kunnen doen! Ik had het dolgraag bij ons thuis gehad!'

Maryam zei: 'Echt waar?'

'Wij hebben thuis meer ruimte! Dat zei ik toch! Dan hadden we niet zo krap om de tafel hoeven zitten, op bureaustoelen en balkonstoelen en keukenstoelen!'

Maryam zei: 'Maar ik dacht dat jij zei...'

Nu kon ze zich niet meer herinneren wat ze allebei hadden gezegd. Ze had moeite met het reconstrueren van het hele gesprek. Het enige wat ze wist was dat ze allebei, alweer, te beleefd moesten zijn geweest, te alsjeblieft-ik-sta-erop en wat-jij-het-liefst-hebt. 'Nou,' zei ze ten slotte, 'had ik dat geweten.'

Connie legde haar vork neer en boog over tafel om Maryams hand aan te raken. 'Het is in elk geval een heerlijke partij,' zei ze.

'Dank je,' antwoordde Maryam.

'En bovendien,' viel Bitsy in, 'zo krijgen wij je huis te zien, met al die prachtige spullen van je! Vertel 'ns, Maryam, wat ik zo graag wil weten: wat zat er nu in die ene reistas waar je mee kwam? Wat kiest iemand uit om mee te nemen wanneer ze voorgoed haar land verlaat?'

Dankbaar richtte Maryam haar gedachten op de reistas. Een zijden peignoirset, herinnerde ze zich. En twee stel kanten lingerie, met de hand gemaakt door de naaister van tante Eshi... Ze glimlachte en schudde haar hoofd. 'Het was niet zoals jij je voorstelt,' zei ze tegen Bitsy. 'Ik was een kersverse bruid. Ik dacht alleen maar aan hoe ík eruitzag, niet mijn huis.'

'Een bruid! Je kwam hier als bruid?'

'Ik was net één dag getrouwd toen ik op het vliegtuig stapte,' zei Maryam.

'Dus de reis naar Amerika was je huwelijksreis! Wat romantisch!'

Vanaf zijn plaats aan het hoofd van de tafel zei Sami: 'Nou mam. Vertel nu het hele verhaal.'

'O, vertel!' zei Bitsy en Lou tikte met zijn mes tegen zijn waterglas. Jin-Ho, die net indommelde, schrok even op en legde toen haar hoofd tegen haar moeders schouder.

Maryam zei: 'Er is geen verhaal.'

'Jazeker wel,' zei Sami. Hij wendde zich tot de anderen. 'Die zogenaamde huwelijksreis heeft ze alleen gemaakt,' zei hij. 'Mijn pa was hier al. Ze is in haar eentje met de handschoen getrouwd, en heeft zich daarna pas bij hem gevoegd.'

'Is dat zo?' vroeg Pat. 'Je had een bruiloft zonder bruidegom? Maar hoe ging dat dan?'

'Laat ze die foto maar zien,' zei Sami tegen Maryam.

'O, Sami, die foto willen ze helemaal niet zien,' zei ze, en ze negeerde hun protesten ('Jawel! Laat zien, Maryam!') en stond op met de schaal gevulde druivenbladeren. 'Heeft iemand nog graag een tweede portie?' zei ze.

'Een foto van ma in haar bruidsjapon,' zei Sami, 'alleen

naast een lange tafel die je amper ziet onder alle cadeaus. Net alsof ze met de cadeaus trouwt.'

Maryam zei: 'Nou, ik zou niet zeggen...' Er was iets in zijn toon dat haar bezeerde. Iets lacherigs; dat was het. En misschien voelde meneer Hakimi dat ook, want hij schraapte zijn keel en zei: 'Maar juist in die tijd zijn er heel veel meisjes zo getrouwd. Al die jongemannen die naar Amerika gingen, weet u wel, of naar Duitsland of Frankrijk... Natuurlijk zochten die een vrouw, op den duur. Het was een redelijke oplossing.'

'Maar hoe had je dan verkering over zo'n grote afstand?' vroeg Pat aan Maryam.

'Verkering!' zei Sami. Hij lachte. 'Die hadden ze niet. Het was een gearrangeerd huwelijk.'

Maryam bespeurde een nieuwe alertheid rond de tafel, maar ze keek niet op van de schaal die ze met beide handen vasthield. Niemand had zich een tweede keer bediend. Misschien waren de druivenbladeren hun niet bevallen. Misschien was het hele diner hun niet bevallen.

'Dus je ziet,' zei Sami tot Bitsy, 'het was niet zo romantisch als jij denkt.'

Maryam zei: 'O, Sami.' Ze sprak ingehouden, om de gekrenktheid in haar stem te verbergen. 'Je kunt er niet alles van weten,' zei ze. En toen wendde ze zich af, zo waardig als ze kon, en bracht de druivenbladeren de kamer uit en sloot de zwaaideur achter zich.

In de keuken liet ze de ketel vollopen met water voor de thee. Natuurlijk had ze de tafel moeten afruimen voor ze het gebak en het fruit opdiende, maar ze was nog niet helemaal klaar om terug te gaan en de anderen onder ogen te komen. Ze stak het vuur aan onder de ketel en bleef bij het fornuis staan met haar armen stijf over haar borst geslagen, haar ogen brandend van de tranen.

Toen Kiyan bijvoorbeeld had gezegd dat haar haar rook naar een Armeense kerk; wat kon Sami daarvan weten?

De zwaaideur ging langzaam open en Connie kwam binnen met twee borden. Maryam zei: 'Toe, dat hoeft niet,' en nam de borden van haar over. 'Je maakt je te moe,' zei ze.

Connie zei: ''t Is oké, ik wou even mijn benen strekken.' Maar in plaats van terug naar de eetkamer te gaan, ging ze zitten op een kruk en keek naar Maryam die de borden afkrabde. 'Zijn familiebijeenkomsten niet vermoeiend?' zei ze. 'Al die mensen die je o zo goed kennen, ze denken dat ze alles maar kunnen zeggen.'

'Ja, dat is waar,' zei Maryam. Ze begon te scharrelen met de stapels vuil keukengerei waarmee haar ene aanrechtje vol stond. Terwijl ze van Connie afgewend was, veegde ze haastig de punt van haar neus af. 'En eigenlijk kennen ze je juist níet zo goed,' zei ze.

'Precies. Ze weten er de helft niet van,' beaamde Connie. Ze keek om naar de zwaaideur, waar haar man net binnenkwam met nog twee borden. 'We beklagen ons bij elkaar over familiebijeenkomsten,' zei ze tegen hem.

'O ja, ellendig gedoe,' zei Dave, en hij liep met een zekere vertrouwdheid rechtdoor naar de vuilnisbak en begon de borden af te schrapen. Maryam kon nooit wennen aan mannen die meehielpen in de keuken. Waar was Ziba? Had Ziba dat niet moeten doen? 'Families in het algemeen,' zei Dave nu. 'Zwáár overschat.'

Connie klakte met haar tong en gaf hem een goedmoedige pets.

'En dit diner hier bij mij thuis,' vervolgde Maryam (eraan herinnerd door gedachten aan Ziba), 'daar heb ik helemaal nooit om gevraagd! Ik bedoel... vergeef me, natuurlijk vind ik het fijn jullie hier te hebben, maar...'

'Wij begrijpen het,' zei Dave. Vermoedelijk begreep hij het

niet, maar was hij aardig genoeg om meelevend met zijn wollige grijze hoofd te knikken, en Connie knikte ook en zei: 'Gek, zoals we in die dingen gemanoeuvreerd raken.'

'We zijn te voorzichtig met elkaar, Ziba en ik,' zei Maryam. Ze keek naar het fornuis en nam het deksel van de ketel om te zien of het water al kookte. 'Bij ons in de familie zijn we niet zo goed in zeggen wat we willen. Soms doen we uiteindelijk wat géén van ons wil, vermoed ik zo. Alleen omdat we denken dat de ánderen dan tevreden zijn.'

'Wees onbehouwen, net als wij,' opperde Dave, en hij legde een arm om Connies schouders en gaf Maryam een knipoog. Ze moest toch lachen.

Toen gingen Connie en Dave weer naar de eetkamer om meer borden te halen en schepte Maryam theeblaadjes in haar mooiste porseleinen pot. Ze voelde zich nu beter. Er was iets troostends aan die twee. Ze goot kokend water in de theepot, deed het deksel erop en zette toen de pot stevig boven op de ketel.

Misschien dat het het sissen van het pruttelende water was dat plotseling een tafereel terugbracht uit de eerste dagen van haar huwelijk. Wanneer ze zich wel heel eenzaam had gevoeld, herinnerde ze zich, had ze een glas spuitwater op haar nachtkastje gezet. Dan legde ze zich te slapen, al luisterend naar de tegen het glas stuiterende belletjes, met een flauw, gestaag, vredig lispelend geluidje dat haar had herinnerd aan de fontein op de binnenplaats van haar ouderlijk huis.

3

Het was Bitsy die op het idee kwam van een Aankomstfeest. Zo noemde ze het, direct al, zodat Brad moest vragen: 'Een wát, schatje? Wat zei je?'

'Een feestje om de dag te herdenken dat de meisjes zijn aangekomen,' antwoordde ze. 'Over twee weken is het een jaar geleden, is het niet ongelooflijk? Zaterdag 15 augustus. We zouden de gebeurtenis moeten vieren.'

'Kun je dat wel aan, met je moeder?'

Bitsy's moeder had een inzinking gehad – een heel nieuwe tumor, die ditmaal haar lever betrof. Ze hadden een paar zware maanden achter de rug. Maar Bitsy zei: 'Het zou me goeddoen. Het zou ons allemaal goeddoen! Onze gedachten afleiden van onze zorgen. En we zouden het beperken tot de twee families: geen niet-verwanten. Er een soort verjaarspartij van maken. En dan overdag, meteen na het middagslaapje van de meisjes, als ze op hun best zijn, en ik zou geen compleet menu geven, alleen iets als dessert.'

'Misschien een Koreaans dessert!' zei Brad.

'O. Nu ja.'

'Zou dat niet gaaf zijn?'

'Ik heb op internet Koreaanse nagerechten gezocht,' antwoordde Bitsy. 'Spinaziekoekjes, gebakken kleefrijst...'

Brad begon bedenkelijk te kijken.

Ze zei: 'Ik dacht misschien een plaatcake, geglazuurd als een Amerikaanse vlag.'

'Geweldig idee!'

'Met kaarsjes? Of één kaarsje, voor één jaar. Maar beslist

geen cadeautjes; help me herinneren dat ik de Yazdans dat zeg. Die komen altijd met cadeautjes. En we zouden samen iets als een liedje kunnen zingen. Er moet een geschikt liedje zijn over het wachten op iemands komst.'

'Je hebt "She'll Be Coming Round the Mountain",' zei Brad.

'Nou... en de meisjes kunnen op z'n Koreaans gekleed gaan. Zullen we aanbieden Susan een *sagusam* te lenen? Reken maar dat ze die niet heeft.'

'Dat zou goed zijn.'

'En we kunnen iets als een plechtigheid houden. De meisjes in een andere kamer; wij steken de kaarsjes aan en beginnen te zingen, en zij komen hand in hand door de deur... Net alsof ze helemaal opnieuw aankomen. Vind je niet?'

'O, en hé!' zei Brad. 'We kunnen de video draaien!'

'Perfect! De video,' zei Bitsy.

Haar broer Mac had alle verschillende vliegveldvideo's meegenomen om tot één band te monteren. Sindsdien had de band op de plank gelegen – er leek nooit meer tijd te zijn om zelfs maar het journaal te zien – maar dit was hun kans om hem te bekijken. 'Misschien aan het slot van het feest, bij wijze van afronding,' zei Bitsy. 'Of wordt het te kitscherig, denk je?'

'Welnee.'

'Weet je dat zeker? Je zou het zeggen als het zo was?'

'Jij zou niet kitscherig kunnen wezen, al wou je,' zei Brad.

Het aardige was dat hij het meende. Dat wist ze. Hij had dat idee dat zij niets fout kon doen. Het was 'Bitsy zegt dit' en 'Bitsy zegt dat' en 'We vragen het Bitsy, ja?' Ze legde haar handen om zijn gezicht en boog voorover om hem een kus te geven.

Bitsy zag het liever niet verder verteld, maar Brad was niet haar eerste man. Haar eerste man was Stephen Bartholomew geweest, de enige zoon van de oudste vrienden van haar ouders. Bitsy's ouders en Stephens ouders waren hun hele studietijd op Swarthmore gevieren uitgegaan en hadden daarna altijd innig contact met elkaar gehouden, ook al woonden de Bartholomews aan gene zijde van het land in Portland, Oregon. Bitsy had Stephen precies twee keer in haar leven gezien – beide keren toen ze nog te jong was om het zich te herinneren – voordat ze zelf aankwamen op Swarthmore, maar het idee was: ze konden niet anders dan ogenblikkelijk hartsvrienden worden. De eerste brief die haar moeder haar schreef, de eerste week van Bitsy's eerste jaar, begon met: 'Ben je Stephen al tegengekomen?' en ongetwijfeld vroeg Stephens moeder hem precies hetzelfde.

Natuurlijk kwamen ze elkaar alras tegen, en tot niemands verbazing werden ze prompt verliefd op elkaar. Hij was een etherisch mooie jongen met een smal, kalm gezicht en zeegrijze ogen. Zij was lelijker maar een geboren leider, de ster van de campus, bezield en met het hart op de tong. Ze brachten vier jaar universiteit door als een gevestigd, erkend stel, hoewel ze dermate verschillende interesses hadden (hij in scheikunde en zij in Engels, nog gezwegen van haar diverse politieke activiteiten) dat het een toer was de tijd te vinden om bij elkaar te zijn. Met Kerstmis in hun vierde jaar verloofden ze zich en ze trouwden de volgende juni, op de dag na hun afstuderen, en verhuisden naar Baltimore, waar Stephen een aanstelling bij Hopkins had en Bitsy op College Park verder ging leren voor haar lesbevoegdheid.

Toen maakte ze kennis met Brad.

Of nee, eerst kreeg ze oog voor Stephens minpunten. Ja, wat kwam er eigenlijk eerst? Nu kon ze dat niet meer zeggen. Maar ze herinnerde zich dat ze op een dag besefte dat Stephens duurzaamste gemoedsbeweging misprijzen was. O, dat smalle gezicht van hem was veelzeggender dan ze had vermoed! Dit was een man die zich wezenloos kon ergeren aan de zinsnede 'al te simplistisch', Here God; een man die weigerde geroerd te worden door een onvergetelijke vertolking van 'I Wonder as I Wander', omdat hij zich stoorde aan de ongrammaticale constructie van 'mensen zoals jij en mij'. 'Ik bedoel, waar houdt dat óp?' was zijn favoriete vraag, en hij leek die steeds meer te betrekken op Bitsy zelf – haar neiging dingen op de lange baan te schuiven, haar sloffige hand van huishouden, haar steeds laksere houding tegenover haar studie. Hij zag de rest van de wereld als een schuivende berg van steeds verder afglijdende normen, en dat bracht hem tot afkeurend fronsen en wiebelen, en het schrapen van zijn keel op een nerveuze, gewichtige manier waar ze stapelgek van werd.

Nu ja, iemand kon heus ergere fouten hebben dan deze. Het was niet genoeg om een scheiding te rechtvaardigen. Maar het zat zo, ze waren getrouwd zonder veel meer dan een voorafgaande kennismaking. Dat zag ze pas achteraf in. Ze waren gegrepen geweest door het loutere idee van elkaar – twee gehoorzame kinderen die zich te veel uitsloofden om hun ouders te plezieren – en hadden zich vier jaar lang in tegenoverliggende zijden van de campus opgehouden, enkel om niet te hoeven ontdekken hoe slecht ze bij elkaar pasten. (Was hun huwelijk eigenlijk niet óók gearrangeerd? Was het wel zo anders dan dat van Maryam Yazdan? Dat van Maryam had zelfs gelukkiger kunnen zijn geweest. Bitsy had haar er dolgraag naar gevraagd.)

Enfin, hoe dan ook, daar kwam de gezellige, tevreden, gemoedelijke Brad met zijn kroezige haar en zijn onwijze grijns en zijn absolute overtuiging dat zij de geweldigste persoon van de hele wereld was. Ze ontmoetten elkaar op een campusbijeenkomst voor John Anderson; Bitsy was hartstikke voor Anderson, maar Brad dacht bij Carter te blijven. Hij wist het gewoon niet. Zij redetwistte met hem en ging later met hem koffiedrinken om verder te redetwisten. Hij hing aan haar lippen. Ze verzonnen nog meer smoesjes om met elkaar af te spreken. (Zou Independent stemmen niet betekenen dat hij zijn stem bij het vuilnis zette? Nou? Wat was haar eerlijke mening?) Ze had nog nooit zo'n trouwhartig iemand ontmoet. Zelfs dingen waarop anderen zouden neerkijken – zijn asjemenou-manier van praten, zijn beginnende bierbuikje –, vond zij hartverwarmend.

Elke keer dat ze in het openbaar verschenen, vreesde ze dat hij een andere vrouw aantrekkelijker zou vinden. Hoe kon hij anders? Ze wist dat ze geen schoonheid was. Neem nu dat meisje achter de toonbank in hun geliefde koffiehuis: ze had zoveel meer buste dan Bitsy, maar het was niet alleen dat; ze was zoveel záchter, op de een of andere manier meegaander. En ook nog ongetrouwd! Toen zei het meisje, hun kopjes bijschenkend: 'Ik ben compleet totaal bekaf,' en voelde Bitsy een kwaadaardige huiver omdat dat zo'n tautologische, onwetend klinkende zinsnede was – 'compleet totaal', hemeltjelief – tot ze besefte dat Brad het niet eens had opgemerkt. Dat zóu hij ook niet opmerken; hij miste die kritische instelling. Maar wat gaf het: hij keek toch alleen maar naar Bitsy. Zijn ogen hadden dezelfde tint blauw als van een baby z'n omslagdekentje, precies dat pure en zachte.

Ze zei dat haar huwelijk al maanden voorbij was, en dat hij er geen acht op moest slaan. Ze was schaamteloos, meedogenloos, doelgericht, zonder een greintje geweten. Ze bracht de nacht door in zijn naar zweetsokken stinkende vrijgezellenflat en deed niet eens moeite om voor Stephen een excuus te verzinnen. En toen Brad een onderwijsbaan in Baltimore aanvaardde, liet ze haar vervolgopleiding glad schieten en zette nooit meer een voet in College Park.

Natuurlijk waren haar ouders en die van Stephen ontzet

toen ze het bericht kregen. Stephen zelf niet zozeer; die leek eerder opgelucht dan iets anders. Maar hun ouders konden niet geloven dat zo'n ideale combinatie niet was uitgekomen. Ze schreven het toe aan 'aanpassingsproblemen' (een vol jaar na de bruiloft). Haar moeder vroeg in vertrouwen of ze wel had nagedacht over het o zo grote belang van intellectuele harmonie in een huwelijk. En Brads ouders, nu ja. Hoe minder daarover, hoe beter. Je zag zo dat ze dachten dat hun zoon zijn verstand verloren had. Zo'n slungelig, charmeloos meisje, nog daargelaten dat ze al getrouwd was en een jaar ouder dan hij, én politiek ridicuul! De Donaldsons stemden Republikeins. Ze woonden in Guilford. Als ze samen met Bitsy's ouders kwamen, zelfs nu nog, zag je ze hun mond opendoen en adem happen en dan geen enkel onderwerp vinden dat ze zich konden voorstellen met dat soort mensen te bespreken.

Bitsy was ervan uitgegaan dat het beter zou vlotten zodra Brads ouders grootouders werden. Maar toen werden ze geen grootouders. (Nóg een punt tegen Bitsy.) Vijftien jaar lang probeerde ze zwanger te worden terwijl andere vrouwen, achteloos fortuinlijke vrouwen, in de supermarkt onbekommerd langs haar heen stevenden met winkelwagentjes vol kinderen. Ze doorstond alle mogelijke testen en slopende medische procedures, en meer dan eens lag het haar op de lippen haar artsen te vragen: 'Kan dit ook aan míj liggen? Ik bedoel niet alleen aan mijn lichaam; ik bedoel, ligt het in mijn aard? Ben ik niet zacht genoeg, niet ontvankelijk genoeg – een vrouw die haar eerste man zonder een aasje wroeging de bons heeft gegeven?'

Absurd, natuurlijk. En zie hoe goed alles was uitgepakt! Ze hadden hun allerliefste Jin-Ho, het volmaaktst denkbare dochtertje. En daarbij, een kind in nood – een kans om iets goeds te doen in deze wereld.

Als Bitsy terugkeek op Jin-Ho's komst, leek het niet op een eerste ontmoeting. Het leek erop dat Jin-Ho al die tijd al op weg naar hen toe was geweest en dat Bitsy's onvruchtbaarheid deel van het plan was, voorbeschikt opdat zij hun ware dochter konden krijgen. O, jíj bent het! Welkom thuis! had Bitsy gedacht toen ze dat robuuste gezichtje zag, en ze had haar armen uitgestrekt.

Maar ze dacht niet dat iemand het zou begrijpen als ze dit een herenigingsfeestje zou noemen.

Bitsy's twee broers waren jonger dan zij, maar hun kinderen waren al halfvolwassen. (Vroeger knaagde dat wel íets.) Mac en Laura hadden een tienerzoon – een erkend genie, asociaal en een beetje vreemd – en een blonde, verontrustend sexy dochter van tien. Abe en Jeannine hadden drie meisjes van acht, negen en elf, maar qua uiterlijk en temperament zo eender dat ze drielingen hadden kunnen zijn. Die arme Brad haalde voortdurend hun namen door elkaar.

Op de middag van het feest arriveerden deze twee gezinnen vroeger dan alle anderen, zelfs een dik halfuur vóór de afgesproken tijd, toen de een na de ander voor het huis stopte alsof ze samen hadden gereden, hoewel ze in tegenovergestelde richtingen woonden. Eerst was Bitsy kwaad; ze was nog bezig Jin-Ho in haar kostuumpje te hijsen en de koffiemachine was niet opgestart noch de taart op tafel gezet. Toen vroeg ze zich af of ze waren gekomen met een of andere agenda in hun hoofd. De vrouwen leken atypisch verlangend de kinderen naar de tv-kamer te loodsen, en toen de volwassenen goed en wel in de woonkamer zaten, bleef Abe (de jongste) verwachtingsvol naar Mac kijken. Om de een of andere reden had Bitsy geen bijzondere behoefte ze te hulp te komen. Ja, op hetzelfde moment dat Mac zei: 'Zo! Nou, eh. Nu we hier allemaal zitten...' werd ze gegrepen door de drang hem de pas af te snijden. Ze zei: 'Weet je wat ik vanmorgen heb gedaan?'

Iedereen keek naar haar.

'Ik heb de band afgeluisterd die we die avond op het vliegveld hebben gemaakt. Jeetje, wat lijkt dát lang geleden! Ik praat in de microfoon; ik zeg: "Ze zijn er allemaal, allemaal hebben ze cadeautjes meegebracht. Mac en Laura zijn er en Abe en Jeannine."' Hoewel ze ze in werkelijkheid niet bij name had genoemd. Ze probeerde het alleen maar interessanter te maken. 'Ik klonk zo beverig en bang! Nou ja, laten we wel wezen: ik wás ook als de dood. Ik dacht: stel dat ik niet warm kan lopen voor dit kind? Stel dat – nu ja, we hadden dat ene fotootje gezien en wisten al dat ze mooi was, maar als ze nu in vóórkomen op de een of andere manier tegenvalt of onaantrekkelijk is? Die dingen gebeuren, hoor! Hoewel niemand dat graag wil toegeven. Kijk maar naar Susan. Tuurlijk is het een schatje, maar ik heb me altijd afgevraagd, waren de Yazdans niet een íetsje teleurgesteld toen ze zagen hoe lelijk ze was? Met die gelige huid en dat kale voorhoofd? En pas láter van haar gaan houden; ik bedoel niet dat we niet van haar hadden gehouden, maar toch... O, ik was óp van de zenuwen die dag. En dat hoor je aan mijn stem. Dan zeg ik: "O, ze is er! O, ze is beeldig!" en dan is er een kletterend geluid; dat ben ik die de bandrecorder loslaat...'

'Zeg, misschien kunnen we die band vandaag draaien op het feest!' zei Brad.

'Och, dat weet ik niet. Ik denk dat ik me nogal stom zou voelen als anderen het hoorden.'

'Welnee schat, dat is niet stom. Het zou enig zijn.'

'Bitsy,' zei Laura op stellige toon. (Ze was hoofd van een basisschool, ze was gewend de leiding te nemen.) 'We moeten praten over je ouders.'

'Mijn ouders?'

Laura keek naar Mac. Die ging rechtop zitten en zei: 'Ja. Ma en pa. We hoeven je zeker niet te vertellen dat ma hard achteruit lijkt te gaan.'

'Nee, dát hoef je me niet te vertellen!'

Haar broers en hun vrouwen waren niet zo attent geweest als ze hadden kunnen zijn, vond Bitsy. Ze richtte een extra boze blik op Jeannine, die een keer had geweigerd Connie naar een chemoafspraak te rijden omdat haar jongste ergens zou gaan spelen.

'En je kunt zien dat het vreet aan pa,' ging Mac verder. 'Deze zomer was al erg genoeg, maar nu de school weer begint in september, nou, ik weet niet hoe hij dat gaat redden. Hij praat over vervroegd pensioen. Maar je weet hoeveel hij van het onderwijs houdt. Ik zou het ellendig vinden hem dat te zien opgeven, net wanneer... net wanneer hij iets nodig zal hebben om zijn dagen mee te vullen, snap je? Wij vinden dat wij een soort verpleeghulp moeten huren voor ma.'

'O,' zei Bitsy. Ze was opgelucht. Ze was bang geweest dat ze háár zouden vragen als verzorgster, of zelfs om haar moeder in huis te nemen.

'Maar ze gaan gegarandeerd allebei tegensputteren. Pa zal zeggen dat hij alleen voor ma wil zorgen. Ma zal zeggen dat ze geen verzorging nodig heeft.'

'Ze is ook zo halsstárrig!' barstte Laura uit. 'Snapt ze niet hoe moeilijk ze het maakt? Mensen die weigeren hun beperkingen te aanvaarden: o, da's allemaal reuze bewonderenswaardig, reuze dapper en heldhaftig, maar in de praktijk is het om woest van te worden! Ze werkt zich in nesten waar ze niet uitkomt, weigert een stok of een looprek, wil per se ergens heen waar de wc op honderd kilometer is en drie trappen naar boven...'

Bitsy wist precies wat ze bedoelde, maar dat te horen van maar een schoonzuster – iemand die niet eens familie is, zo efficient en professioneel met haar vlinderbril en vierkant gesneden broekpak – leek een belediging. Ze zei: 'O, Laura, wie weet wat we zelf in haar plaats zouden doen?'

'We zouden ons met gratie voegen naar de situatie, mag ik hopen,' snauwde Laura. Haar man wierp haar een waarschuwende blik toe en Abe begon zorgelijk te kijken, maar ze negeerde hen beiden. 'Nou,' zei ze tot Bitsy. 'Zijn we het eens? Bieden we betaalde thuishulp aan?'

'Zorg,' zei Bitsy automatisch.

'Pardon?'

'Thuiszórg. Zo heet dat tegenwoordig.'

'En de klok rond, vind je ook niet? Dat je pa niet 's nachts uit bed hoeft.'

'Wat zou dat precies kosten?' vroeg Brad. 'Ik bedoel, natuurlijk zijn we het eens – ja toch, Bitsy? – maar zou dat geen vermogen kosten?'

'Niet als we allemaal meedoen,' zei Laura.

Iedereen keek naar Bitsy.

Die zei: 'Nou, ja natuurlijk zouden wij meedoen. Maar ik denk niet dat ze het aanpakken. En geld is sowieso het probleem niet. Volgens mij verdient pa geld genoeg.'

'Ja, maar aanbieden de kosten te dragen is een manier om het onderwerp aan te kaarten,' antwoordde Laura. 'Kijk, wat je doet is dit: je zegt dat het voor jou is. Dat jij er wakker van ligt en dat je je beter zou voelen als jij en je broers mochten betalen voor wat hulp.'

'Ik?' vroeg Bitsy. 'Moet ík dat zeggen? En jullie dan?'

'Nou, we zouden je natuurlijk steunen...'

'Míj steunen?'

Maar toen ging de bel en ze sprong overeind, blij met de onderbreking. Dit was bedoeld als partijtje! Een huldiging van Jin-Ho! (Die was met de allergeringste begroeting afgevoerd naar de tv-kamer, opdat de grote mensen de koppen bij elkaar konden steken.)

Op de veranda trof ze Ziba's ouders – meneer en mevrouw Hakimi, glunderend, in stijve, donkere kledij. Mevrouw Hakimi stak haar sprakeloos een enorm, buitensporig ingepakt cadeau toe, tegen alle instructies in, terwijl meneer Hakimi riep: 'Gelukwensen, mevrouw Donaldson!' Ze waren zo exotisch, zo zalig ver van de kissebissige irritatie van de scène daarnet in haar huiskamer. Bitsy zei: 'O, wat een genoegen u te zien!' en toen zei ze: 'Alstublieft, zegt u Bitsy,' en nam het cadeau van mevrouw Hakimi over en kuste haar op haar wang. De wang van mevrouw Hakimi was zo zacht als een tasje van oud fluweel. Het perkamentkleurige hoofd van meneer Hakimi leek wel een antieke globe. Ze betraden het huis aarzelend en eerbiedig, ook al was de gang bezaaid met speelgoed en stond de waszak van de luierservice nog bij de paraplubak.

'Wat een evenement! Wat een vreugdevol evenement!' verklaarde meneer Hakimi in de deuropening van de woonkamer. Het was als een regieaanwijzing. De mannen stonden onmiddellijk op en trokken welkomstgezichten, de schoonzusters begonnen zich te roeren en druk te maken en de kinderen stroomden binnen uit de tv-kamer en schreeuwden om iets te eten. De bel ging weer en weer en nóg een keer – de Yazdans met Maryam, toen de ouders van Brad, en ten langen leste Bitsy's ouders, haar moeder heel levendig vandaag en vast op haar voeten – en het begon nu echt te voelen als een vreugdevolle gelegenheid.

Hoe kwam het dat Bitsy zo dol was op Sami en Ziba? De twee stellen hadden weinig anders gemeen dan hun dochters. En de Yazdans waren zoveel jonger. Te veel jonger, leek het nu en dan. Sami had die heel jonge gewoonte zichzelf te serieus te nemen, hoewel dat enkel aan zijn doorschemerende vreemdheid kon liggen. (Ook al was zijn accent wasecht Baltimore's, zijn manier van doen had iets opzettelijk, geforceerd nonchalants dat hem kenmerkte als niet-Amerikaans.) En Ziba, met haar opvallend gemanicuurde, donkerrode nagels en haar hennageverfde haar en *two-tone* lippenstift; nou, daar had Bitsy zelf zich in geen jaren om bekommerd! Of ooit, trouwens.

Zelfs kwesties aangaande hun dochter werden door de Yazdans totaal verschillend benaderd. Dat je toch die allerliefste naam, Sooki, deel van haar natuurlijk erfgoed, verandert in doodgewoon Susan! 'Su-zun Yaz-dun': het klonk zelfs verkeerd. ('Yaz-dán,' had Ziba haar verbeterd, toen Bitsy zich eens hardop afvroeg of het wel goed bekte. Oké, maar dan nog...) Nog gezwegen van de kledij die Susan vandaag droeg, een feestjurkje uit een van die grootmoederwinkels ginds in D.C. De sagusam die Bitsy haar had geleend lag nu op de bank, afgeschud zodra iedereen de kans had gehad om hem te bewonderen. En hun kinderpedagogische filosofie in het algemeen: de werkende moeder, de gereglementeerde bedtijd, dat eentonig zangerige, koerende babytaaltje – 'Su-su-su! Susie-june!' alsof Susan tot een totaal andere, minder bevattelijke soort behoorde.

Toch waren zij de eersten aan wie Bitsy dacht als ze in de stemming voor gezelschap was. 'Laten we de Yazdans bellen! Kijken wat die uitspoken.' En Brad leek van hetzelfde gevoelen. Misschien had het te maken met de gemoedelijkheid van de Yazdans. Ze waren zo soepel en inschikkelijk; ze misten scherpe kantjes. (Bitsy rekende Maryam daar niet bij; Maryam kon soms erg hooghartig doen.) En ook met... nu ja, het wás toch zo dat die vrouwen die zelf gebaard hadden een soort zelfvoldane zusterclub vormden, met hun gepraat over echo's en weeën en borstvoeding? Het toeval wilde dat geen van Bitsy's andere vriendinnen had geadopteerd. Ze waren wel bemoedigend en zo, heel diplomatiek, maar ze zag best dat ze heimelijk vonden dat adopteren betekende dat je genoegen nam met surrogaat. O, er gingen zo veel verborgen kwetsuren en kneuzingen schuil achter dit Aankomstfeest! En Sami en Ziba moesten die ook hebben opgelopen.

Ziba had haar eens verteld dat haar ouders geloofden dat mensen die geen kinderen konden krijgen ook geen kinderen móesten krijgen; het was zo niet bepaald. 'Bestemming!' had Ziba lachend gezegd, maar Bitsy had niet meegelachen. Ze had haar hand uitgestoken en op die van Ziba gelegd en Ziba's ogen waren plots vol tranen geschoten.

Nu rolden de twee kleine meisjes giechelend over het vloerkleed in de eetkamer. De laatste tijd waren ze meer notitie van elkaar gaan nemen. Ze begonnen nu samen te spelen in plaats van rug aan rug. Sami vroeg Brad hoe zijn nieuwe Honda Civic hem beviel, en Ziba hielp Bitsy met het klaarzetten van de verversingen. Het was de gewoonte geworden dat Ziba de thee zette wanneer ze op bezoek kwam. De Yazdans zouden toch niet wérkelijk het papier van een theezakje kunnen proeven, maar Ziba beweerde van wel en dus had Bitsy een pakje losse thee in de kast (een pakje dat ze regelmatig moest weggooien, want iets anders wat de Yazdans konden proeven was óude thee, theoretisch) en Ziba zette die zelf, in een ingewikkeld proces waarmee een wankele toren van theepot op ketel was gemoeid en een periodiek snuffelen naar de juiste 'smeltende geur' van de bladeren. Jeannine en Laura waren hevig geboeid. Ze hingen rond bij het fornuis, liepen iedereen in de weg en stelden vragen. 'Zou er geen makkelijker methode moeten zijn? Dit lijkt een beetje... behelpen.' 'Waarom zou je de bladeren niet gewoon direct in de ketel mikken? De hele operatie stroomlijnen?' Ziba glimlachte alleen maar. Bitsy was heimelijk trots, alsof iets van het mysterie van de Yazdans op haar was overgegaan.

Het ene neefje, Linwood, werd verzocht het kaarsje op

de taart aan te steken. Zo zou hij zich meer betrokken voelen, had Bitsy gedacht. Hij was zo'n onhandig joch, een en al adamsappel en knobbelige gewrichten, met dikke smoezelige brillenglazen en te kort haar. Maar alleen al naar de tafel lopen bezorgde hem een kleur als een boei, en toen hij eindelijk een lucifer had weten te ontsteken, slaagde hij er toch nog in hem te laten vallen toen hij op de taart af wankelde. Bitsy's vader, die het dichtstbij stond, doofde hem zonder moeite met één hand en zei: 'Niks gebeurd,' wat niet helemaal klopte omdat er een schroeiplekje op het tafellaken te zien was. Niet dat Bitsy om die dingen gaf, maar Abes drie dochters krijsten alsof hij het huis in brand gestoken had. 'God, Linwood, wat ben je toch een lul,' zei zijn zusje, haar volwassen uitziende blonde manen naar achteren gooiend, en Laura zei: 'Da's meer dan genoeg van jou, jongedame!' en Linwood zwenkte blindelings om en probeerde te ontsnappen uit de kring van verwanten, zijn gebogen hoofd voorop. Het duurde even voor hij zich had laten overreden het nog eens te proberen.

Intussen zat Brad in de keuken met Jin-Ho en Susan, zijn oren gespitst op het wachtwoord voor hun entree, maar het was duidelijk dat geen van beide kinderen de situatie begreep. Bitsy hoorde Susan 'Mamma? Mamma?' vragen. 'Linwood, steek dat rotding nu gewoon áán,' zei Mac en Laura zei: 'Mac!' en Linwood streek nog een lucifer af en stak het kaarsje bij zijn eerste poging aan. Het trof gelukkig dat er maar één kaarsje was. Bitsy berekende al dat volgend jaar, als er twee zouden zijn, de meisjes misschien oud genoeg waren om het zelf te doen – onder het juiste toezicht uiteraard.

'Nou goed, iedereen,' zei Bitsy en ze begon te zingen: '*They'll be coming round the mountain when they come...*' Ze had tot het allerlaatst naar een passender keuze gezocht. Er moest toch een lied zijn in de grand opéra over een langverwachte komst. Of bijna zeker in de *Messiah*, als dat geen heiligschennis was. Maar er was haar niets ingevallen, en dit was tenminste een liedje dat de kinderen kenden. Iedereen behalve de Hakimi's (die dapper glimlachten) viel halverwege de eerste regel in – zelfs Linwood op een gedempte mummeltoon – terwijl Brad de keukendeur openzwaaide en riep: 'Ta-da! Hier zijn ze!' De twee meisjes – Jin-Ho luisterrijk in rood en blauw satijn, Susan in roze organdie – hingen aan zijn broekspijpen en keken verbijsterd.

'*Oh, we'll all go out to meet them when they come,*' zong Bitsy. 'Kom maar, liefje,' riep ze tegen Jin-Ho. 'Kom maar, Susan! Kijk naar jullie taart!'

Het was een prachtige taart – een gigantische *stars-and-stripes*. 'De mevrouw van de bakkerij vond ons wel héél erg laat voor de *Fourth of July*,' zei Brad tegen Sami. Ze waren nu allebei bezig hun twee dochters in hun armen op te hijsen zodat ze zicht op de tafel konden krijgen. Abe stapte naar voren om zijn fototoestel op hen te richten. 'Ga jij erbij staan,' zei hij tegen Bitsy. 'En jij ook, Ziba, kom in beeld. Oké, nu allemaal samen! Lachen!'

Iedereen lachte (nu ja, behalve de meisjes, die nog steeds beduusd leken) en het fototoestel flitste.

'We zullen de neef en de nichtjes het kaarsje laten uitblazen,' zei Bitsy. 'Ik weet niet of de meisjes daar al aan toe zijn. En Jeannine, als jij de thee wilt inschenken, en Laura de koffie, en dan wou ik jou vragen de taart aan te snijden, Pat...' Voor deze keer weigerde ze alles alleen te doen. Ze vierde de belangrijkste verjaardag van haar leven (ja, belangrijker nog dan haar trouwdag) en ze was vast van plan ervan te genieten.

Het was voorspelbaar dat Linwood zich onthield van het kaarsje-uitblazen, maar de vier nichtjes schikten zich naar de geest van het moment, elkaar verdringend en proestend van het lachen tot het kaarsje min of meer bij toeval vanzelf uitging. Toen sneed Brads moeder nauwkeurige vierkantjes taart en diende Bitsy's vader ze rond. Hij begon bij Bitsy's moeder, vermoedelijk uit bezorgdheid, maar ze had de laatste tijd maar weinig kunnen eten en ze wuifde het bordje opzij. Ze zat aan tafel op een rechte stoel met ladderrug. De anderen bleven staan, hielden het bij de groepjes waarin ze zich het prettigst voelden, maar Maryam schoof een stoel uit naast Connie en ging ook zitten. 'Thee zou je nu goed bekomen, denk ik zo,' hoorde Bitsy haar zeggen, en Connie zei: 'O, weet je, dat zou best kunnen.' Maryam zette haar eigen kopje voor Connie neer en vroeg Jeannine om een ander, en Bitsy glimlachte haar dankbaar toe – ook al merkte Maryam dat niet op. Maryam was gekleed in zo'n superchique combinatie die haar voorkeur had – een potloodrechte witte broek en een zwart topje met een boothals dat haar gebruinde armen flatteerde – maar ze leek plotseling veel sympathieker dan anders.

De nichtjes sleepten om het hardst met de kleintjes door de kamer, wankelend alsof Jin-Ho en Susan reuzegrote poppen waren. De mannen hadden het over honkbal, en Pat en de twee schoonzusters maakten meer werk van het bedienen dan strikt nodig leek. Alleen Ziba en haar ouders, een ietsje terzijde, leken even niets omhanden te hebben. Bitsy liep op hen toe. 'Heeft u al thee gehad?' vroeg ze de Hakimi's, hoewel beiden een kop-en-schotel vasthielden. 'Wilt u geen taart?'

Mevrouw Hakimi glimlachte nog breder en meneer Hakimi zei: 'Heel vriendelijk van u, mevrouw Donaldson...'

'Toe, zegt u toch Bitsy,' zei ze voor de tiende keer. Daarbij had ze haar meisjesnaam gehouden, maar het leek zinloos daar nu op in te gaan.

'Mevrouw Hakimi en ik moeten onze taille bewaken,' zei hij. Hij klopte op zijn buik, die zeker wat waakzaamheid had kunnen gebruiken, hoewel zijn vrouw het gezellige figuurtje had waarvoor calorieën tellen niet ter zake leek te doen.

Ziba zei: 'Maar hij ziet er zalig uit. Heb je die zelf gebakken, Bitsy?'

'O hemel, nee! Ik ben nooit goed in bakken geweest.'

'Ik ook niet,' zei Ziba. 'Mijn moeder is de gebakspecialiste. Ze maakt verrukkelijke baklava.'

'Is dat zo!' Bitsy wendde zich tot mevrouw Hakimi. Ze wist dat het een lachwekkende gedachte was dat stemverheffing haar makkelijker verstaanbaar zou maken, maar op de een of andere manier kon ze zichzelf niet tegenhouden. 'Is dat niet geweldig! Baklava!' zei ze met meer geestdrift dan ze sinds de highschool had getoond.

Mevrouw Hakimi zei: 'Ik koop niet ooit de...' en keek toen hulpeloos naar Ziba en verloor zich in een stroom van Farsi.

'Ze koopt het bladerdeeg niet. Ze maakt het deeg helemaal zelf,' zei Ziba. 'Ze rolt het ook zelf, zo dun dat je het licht erdoorheen ziet.'

'Is dat niet geweldig!' zei Bitsy weer.

'Mijn vrouw is een zeer begaafd iemand,' verklaarde meneer Hakimi.

Mevrouw Hakimi maakte een 'ts'-geluidje en keek naar haar theekopje.

'Nou, we gaan nu een videoband laten zien,' zei Bitsy. Ze dacht zo dat het iets zou helpen als ze de Hakimi's aankeek terwijl ze sprak, ook al waren haar woorden voor Ziba bedoeld. 'Mijn broers en een oom van Brad en... o, bendes mensen, ook vrienden van ons, kwamen met videocamera's naar het vliegveld toen we Jin-Ho gingen afhalen. En nu gaan we de band afdraaien, maar ik wou nu alvast excuus vragen voor het feit dat het allemaal Jin-Ho is en geen Susan. We wisten toen niet dat Susan er zou zijn! Anders hadden we haar ook gefilmd.'

'O, dat geeft niks,' zei Ziba. 'Ik heb de herinnering in mijn hoofd.'

'O ja?' vroeg Bitsy. 'Gek is dat, die hele avond is zo'n waas voor mij. Ik herinner me dat ik Jin-Ho's gezichtje zag; ik herinner me dat ik mijn handen naar haar uitstak. Maar daarna? Hoe reageerde ze? Het lijkt allemaal een droom nu!'

Mevrouw Hakimi gaf Ziba's arm een por. 'Vertel van Susan,' commandeerde ze.

'Wat dan, mammie?'

'Van de eerste keer dat we haar zagen.'

'O,' zei Ziba. Ze wendde zich tot Bitsy. 'Mijn ouders waren niet op het vliegveld, weet je nog. Ze hadden een eerdere afspraak.' Ze liet haar slepende wimpers een fractie van een centimeter zakken. (Een eerdere afspraak. Juist.) 'Ze kwamen later die week op bezoek, en toen ze binnenkwamen zat Susan in haar kinderstoel en trok haar wenkbrauwen tegen hen op en zei: "Ho?" Het was maar gebrabbel, snap je. Ze bedoelde er niets mee. Maar het klonk als een Farsi woord: *chob*. Het woord voor "nou". "Nou?" zei ze. "Kan ik ermee door, of niet?"'

Mevrouw Hakimi zei 'chob?' en sloeg dubbel van het lachen, met haar ene hand voor haar mond. Haar man zei: 'Ha. Ha.' Hij keek naar Susan. 'Een kind met pit,' zei hij. 'Wij Hakimi's staan bekend om onze pit. We hebben, hoe zegt u dat, we hebben ruggengraat.'

Bitsy glimlachte en volgde zijn blik. Het was waar dat Susan in het algemeen een zekere onvervaardheid aan de dag legde, hoe nietig ze ook was. Op dit moment leek ze te hebben beslist dat er nu lang genoeg met haar was rondgesjouwd, en had ze zich op Jin-Ho's kindgrote schommelstoel geplant en greep ze zich zo stevig aan de leuningen vast dat toen een van de nichtjes probeerde haar eruit te tillen, de schommelstoel met haar mee kwam.

Mevrouw Hakimi zei almaar nog 'chob' en lachte achter haar holle hand, en Ziba nam haar vertederd op. 'Nu zijn ze gek met haar,' zei ze tegen Bitsy. 'Ze is hun liefste kleinkind.'

Meneer Hakimi zei: 'Néé, nee nee nee nee. Geen lievelingetjes,' en schudde met een dikke wijsvinger tegen zijn dochter, maar leek het niet werkelijk te menen.

'Nou, als we dan nu die video gingen bekijken,' zei Bitsy. 'Allemaal!' riep ze, in haar handen klappend. 'Zullen we naar de tv-kamer verkassen voor de video?'

Ze baande zich een weg door de menigte, dreef degenen bijeen die achterbleven om hun gesprek voort te zetten. 'Brad, kom je? Laura? Jeannine? Laat iemand de meisjes meebrengen, die hebben dit ook niet gezien.'

Ze had eerder die ochtend de tv-kamer opgeruimd, maar de kinderen hadden er alweer een puinhoop van weten te maken. Het kleed was met diverse kussens bezaaid en er lag een nummer van *Teen People* op de zitting van de leunstoel. (Van Stefanie natuurlijk – die van tien, al bijna twintig.) Bitsy plukte het er tussen duim en wijsvinger vanaf en liet het op de vensterbank vallen. 'Ga jij hier zitten,' zei ze tot haar moeder. 'Is dit prettig zo? Wil iemand me een kussen aangeven voor mamma?'

Brad rommelde intussen door de stapels videobanden op de tv. 'Jullie koters hebben mijn band uit het apparaat gehaald,' klaagde hij. 'Ik had hem al klaar voor de start! Nou, waar...? Ha. Hebbes.'

Sommigen van de oudere mensen persten zich op een rij op de bank – de Hakimi's en Brads ouders. Dave ging zitten op een leuning van Connies stoel en verder zat iedereen op de grond – zelfs Maryam, bijna in een lotushouding met haar rug heel recht. Abe bood aan een stoel voor haar uit de eetkamer te halen, maar ze zei: 'Ik zit liever zo, dank je.' Ze trok Susan op haar schoot en sloeg haar armen om haar heen.

Een poosje geleden waren Sami en Ziba een weekend weggegaan en hadden Susan bij Maryam achtergelaten. Bitsy was perplex toen ze ervan hoorde. Tijdens haar eigen kortstondige afwezigheden – nooit langer dan een paar uur en alleen om onvermijdelijke redenen als een afspraak met de dokter – maakte ze gebruik van iemand van de oppascentrale, een gediplomeerd babyverzorgster. Hoe dan ook, haar moeder was te zwak om op te passen en haar schoonfamilie had duidelijk gemaakt dat ze ieder hun eigen drukke leven hadden. Maar in geen geval had ze overwogen Jin-Ho een nacht alleen te laten. Ze zou panisch van de zenuwen zijn geweest! Kinderen waren zo kwetsbaar. Dat besefte ze nu pas. Als je dacht aan alles wat er kon gebeuren, aan de stopcontacten en de rolgordijnkoorden en de salmonellakip en de toxische meubelwas en de luchtpijpgrote voedselbrokjes en de doploze medicijnflesjes en de dodelijke vijf centimeter badkuipwater, leek het een godswonder dát een kind de volwassenheid bereikte.

Ze greep naar Jin-Ho en trok haar dichterbij, ook al betekende het dat ze haar nichtje Polly meetrok.

Brad zei: 'Daar gaan we!' en stapte weg van de tv. Op een gedateerd uitziende achtergrond van lichtblauw moiré vormden schoonschriftletters de titel *De Aankomst van Jin-Ho.* 'Artistiek,' bromde iemand en Mac riep: 'Dit was een bedrijf dat ik in de Gouden Gids heb gevonden. Heel schappelijke...'

'Sst!' zei iedereen, omdat er nu een stem te horen was uit het tv-toestel – Macs eigen stem, maar algemener van toon. 'Oké, mensen, we zijn hier op de luchthaven van Baltimore-Washington. Vrijdagavond, vijftien augustus, negentienzevenennegentig. Het is zeven uur negenendertig 's avonds. Het weer is warm en vochtig. Het toestel moet landen om... laat eens zien...'

Brad sloot de gordijnen, waardoor het moiré dieper blauw werd, en zette zich op de grond naast Bitsy. 'Kijk, poesje,' zei hij tegen Jin-Ho. Die zoog op haar duim en haar ogen hingen halfstok. (Ze had 's middags niet kunnen slapen, misschien de opwinding aangevoeld.)

Er kwam een wirwar van gedaanten in beeld: Dickinsons en Donaldsons dooreen, in zomerkleren. Je zag dat het heel warm moest zijn geweest, omdat de mensen afgepeigerd en bezweet leken, zelfs de aantrekkelijksten onder hen niet bepaald op hun best. Nu ja, behalve Pat en Lou, zo koel en krijtachtig als twee porseleinen poppetjes. (Hoewel je Pat kon horen zeggen vanaf haar plaats op de bank: 'Hemeltje! Wat ben ik oud!') Een nichtje schoot over het scherm, in een groengeruite blouse met wapperende slippen. 'Dat ben ik! Da's mijn oude blouse!' riep de kleine Deirdre en Jeannine zei: 'Sst.'

'Ik was gék op die blouse!'

'Recht vooruit ziet u de trotse ouders,' meldde Macs videostem. 'Brad en Bitsy, allebei heel blij. Bitsy is vanmorgen om vijf uur opgestaan. Dit is een bijzonder belangrijke dag in hun leven.'

Hem die woorden alleen al horen zeggen, maakte Bitsy een beetje jankerig. Maar in haar eigen ogen leek ze niet zozeer blij als wel doodsbenauwd. En zo ongevormd! Zo aarzelend en schuchter, alsof er moederschap voor nodig zou zijn om een volwassen mens van haar te maken. Ze omklemde haar bandrecorder en sprak er onhoorbaar in, haar kin onflatteus ingetrokken. Naast haar hield Brad met beide armen een autozitje vast, alsof hij verwachtte dat hun dochter er vanuit de hemel in zou vallen.

De scène brak af en toen, verwarrend, verscheen Mac zelf, gefilmd door iemand anders. Hij tuurde in zijn videocamera, en vlak achter hem tuurde oom Oswald in zíjn camera. Bitsy dacht aan de Kerstmis in haar jeugd toen zij en allebei haar broers kodakjes hadden gekregen, en op elke foto van die dag stonden geen gezichten, maar frontaal gerichte camera's, loerend naar wie er toevallig de foto nam.

De videostem – nu die van Abe – zei: 'Ik was aan het optellen wie er waren en raakte de tel kwijt bij vierendertig. Dus

Jin-Ho, schatje, als je ergens in de toekomst hiernaar kijkt, kun je zien hoe graag je nieuwe familie kennis met je kwam maken.'

Iedereen keek naar Jin-Ho, maar die was diep in slaap.

Connie kwam in beeld, gezonder dan ze er in maanden had uitgezien, en Dave naast haar en toen Linwood, die tegen een muur leunde en ingespannen op een gameboy drukte. Abe stelde mensen al filmend voor. 'Kijk, hier is je tante Jeannine. En dit is Bridget, je nicht, en dit is je nichtje Polly.' De camera zwiepte langs twee onbekende mensen, bleef even hangen bij Laura en zwaaide terug naar Linwood. Je kon wagenziek worden als je hiernaar keek. Bitsy sloot even haar ogen, en toen ze ze opende, merkte ze dat wie er ook de banden had gemonteerd dat ook moest hebben gedacht, want nu was het niet langer Abe die sprak, maar andermaal Mac. 'Oké, mensen, het is nu een heel tijdje later. Beetje vertraging geweest. Maar het toestel is geland, eindelijk, en hier zien we de eerste passagiers van de aviobrug komen. Groot moment! Groot, groot moment.'

Bitsy zag een heel lange jongeman en besefte dat ze die eerder had gezien. Ze zag twee zakenmannen, een jongen met een rugzak, een vrouw die haar aktetas liet vallen om twee kinderen in pyjama te omhelzen. Wat gek: die mensen waren zo bekend, en toch had ze sinds die avond geen moment meer aan ze gedacht en was ze zich er zeker niet van bewust geweest dat ze in haar hersenen waren opgeslagen. Een beetje als het herlezen van een boek en stuiten op een passage waarvan je je elk woord te binnen kunt brengen, een fractie van een seconde voor je hem ziet, ook al zou je hem uit jezelf niet kunnen oproepen.

Die vrouw van het bemiddelingsbureau, bijvoorbeeld. Die Koreaanse in het donkerblauwe mantelpakje dat leek op het uniform van een luchtvaartmaatschappij, met haar brede jukbeenderen en haar strenge, officiële manier van doen. Bitsy had haar mentaal afgeschreven zodra zij en Brad hun dochter in bezit namen – haar uitgebannen, kon je haast zeggen –, en toch waren de twee fijne plooitjes naast de ogen van de vrouw haar nu zo goed bekend dat ze zich afvroeg of ze dit afgelopen jaar élke nacht van haar had gedroomd. En die luiertas! O, kijk. Roze vinyl, goedkoop en armoeiig gemaakt, al schilferend aan de randen van de riem. Ze hadden hem onmiddellijk weggedaan ten gunste van degene die Bitsy van haar eigen handgeweven stof had genaaid, maar hier was hij weer, als de lijkkist van een staatsman die op het avondjournaal verschijnt nadat je de hele dag naar zijn begrafenis hebt zitten kijken.

En Jin-Ho. Ah, daar: de camera zoomde in op haar gezichtje en bleef daar. Ze was zoveel kleiner! Haar trekken stonden zoveel dichter bij elkaar! 'Kijk naar jezelf, Jin-Ho,' prevelde Brad, maar het was tegen Bitsy; het slapende kind op Polly's schoot had nagenoeg niets uitstaande met de baby op het scherm. De plotselinge pijn die ze voelde leek sterk op rouw, alsof die eerste Jin-Ho op de een of andere manier uit het bestaan was verdwenen.

De vrouw van het bureau overhandigde de baby aan Bitsy. Bitsy drukte de baby dicht tegen zich aan en haar familieleden lachten en veegden hun ogen af met tissues. Iedereen, in en buiten beeld, maakte zachte koerende geluidjes als een schuur vol tortelduiven.

O, was adopteren niet béter dan bevallen? Dramatischer, betekenisvoller. Bitsy had te doen met die arme vrouwen die alleen maar hadden gebaard.

Blijkbaar was er nu iemand anders aan het filmen, omdat je Mac verkikkerde oogjes kon zien opzetten tegen de kleine Jin-Ho. Misschien was dat oom Oswald die een laatste maal met zijn camera langs de verzameling zwiepte en toen uitzoomde, terug naar de deur van de aviobrug en het laatste stroompje passagiers, de man met de stok en het grijze echtpaar en – o!

Daar was Susan.

'We hadden haar wel! We hadden haar toch!' riep Bitsy. 'Daar is ze in haar mandje!'

En daar waren ook Sami en Ziba. Daar was Maryam in hun kielzog, met haar onberispelijke houding en haar gebiedende, klaroenklare 'Hier zijn we. Yazdan'. Alle drie waren ze opmerkelijk vrij van aanhangsels. Geen fototoestellen, videocamera's of bandrecorder te bekennen. Ze reisden licht, deze mensen. ('Ik heb de herinnering in mijn hoofd' – zo had Ziba het toch gesteld? Opeens voelde Bitsy zich afgunstig.) De fotograaf volgde hen op hun tocht naar de aviobrug en richtte zich toen weer op Susan, of het weinige dat er van haar te zien was, voornamelijk een roze T-shirtje en een iel plukje zwart haar. Bitsy leunde voor Brad langs om Ziba te zoeken tussen de kijkers. Ze vond haar op de grond naast Sami bij de boekenkast. 'Brengt dit het niet hélemaal terug?' riep ze, en Ziba zei: 'Maar ze is zo klein!' zonder haar ogen van het scherm te halen. 'Ze lijkt wel een heel ander iemand!' zei ze.

'Vind ik ook.'

'Ik word er droevig van.'

'O, ik óók!' riep Bitsy en als ze dichter bij Ziba was geweest had ze haar omhelsd, en ook Sami omhelsd met zijn lieve brilletje, glinsterend als tranen in het licht van de tv.

Toen keek ze weer naar de film en zag dat die was afgelopen zonder haar. Titels gleden over het moiré. 'Met bijzondere dank aan het Loving Hearts Koreaans-Amerikaanse adoptiecentrum.' Brad klikte met de afstandsbediening en stond op om de gordijnen open te doen, en het licht stroomde de kamer in. Mensen knipperden met hun ogen en rekten zich uit. Jin-Ho sliep nog, haar hoofd hing slap tegen Polly's borst, maar dat hinderde niet; ze zou in de komende jaren nog vele malen de kans krijgen om deze film te bekijken. Bitsy tikte op Jin-Ho's in satijn gehulde beentje, wurmde zich overeind en baande zich een weg naar Sami en Ziba. Sami hield een klaarwakkere, spartelende Susan vast en luisterde naar Macs advies over het beste merk videocamera, maar Ziba wendde zich tot Bitsy en sloeg haar armen om haar heen. 'Waarom ben ik nu zo bedróefd?' vroeg ze Bitsy. 'Is dat niet stom?' Ze beheerste zich en veegde haar ogen af. Ze had een vochtige plek op Bitsy's schouder achtergelaten. 'Het was de gelukkigste dag van mijn leven! Een dag die ik nooit zal vergeten.'

'Ik óok niet, maar zou jij het willen overdoen?' vroeg Bitsy.

'Nooit!'

Ze schoten beiden in de lach.

'Kom je helpen nog een pot thee te zetten?' zei Bitsy.

Ze zochten een weg door de menigte, wat niet meeviel. Ook andere mensen hadden natte ogen, ook andere mensen wilden hen omhelzen. Bitsy's moeder zei: 'Het sneed me door het hart, onze Jin-Ho zo helemaal alleen te zien aankomen,' en Bitsy's vader zei: 'Alleen? Ze had die aardige Koreaanse toch?'

'Jawel, maar je weet wat ik bedoel.'

'Misschien zijn we daarom bedroefd,' zei Bitsy tegen Ziba toen ze in de keuken waren. 'We zijn er nu zo aan gewend de meisjes hier te hebben; we vergeten dat ze niet altijd bij ons zijn geweest. We zien ze uit het vliegtuig komen en we zeggen: O nee, ze hebben die lange reis gemaakt zonder ons! Waar waren wíj?'

'En ze hebben die eerste maanden van hun leven zonder ons geleefd,' zei Ziba. 'Helemaal alleen! Zichzelf moeten redden!'

Alweer vielen ze elkaar in de armen, huilend en lachend tegelijk.

'O, Ziba, wie anders snapt hoe het voelt?' vroeg Bitsy, terwijl ze tegen het aanrecht leunde en in haar zak naar een tissue viste. 'Ik wou dat je dichterbij woonde. Ik vind het vreselijk dat ik in de auto moet stappen om je op te zoeken. Ik had je zo graag hiernaast gehad. Wij zouden naar elkaar kunnen roepen over de schutting en de meisjes zouden samen kunnen spelen wanneer ze maar wilden zonder al die officiële afspraken.'

Ze zag het al helemaal voor zich: het ongedwongen in- en uitlopen, de dichtslaande hordeuren wanneer de meisjes naar buiten renden om elkaar meteen na het ontbijt te ontmoeten. Misschien konden de Sansoms van 2410 hun huis aan de Yazdans verkopen. Die werden immers al een jaartje ouder, en hun puntgevelhuisje was veel en veel mooier dan welke kapitale villa ook, daarginds in Hunt Valley. Ze snoot haar neus en zei: 'We zouden voor elkaar kunnen oppassen. De meisjes zouden algauw amper merken dat een van ons er niet was.'

'En als ze ouder werden, konden ze nachtjes logeren,' zei Ziba.

Maryam was erbij gekomen. Ze zette Bitsy met zachte hand opzij om de ketel te kunnen vullen. 'Als ze zoveel samen waren,' zei Bitsy, 'zouden ze denken dat adopteren iets natuurlijks was. Ik bedoel, ze zouden weten dat het dat was. Ze zouden niet aan zichzelf twijfelen en zich niet minderwaardig voelen.'

'Moet je dit fornuis aansteken met een lucifer?' vroeg Maryam.

'O, sorry! Nee, alleen die ene pit; de andere doen het prima,' antwoordde Bitsy. 'Weet je,' zei ze weer tegen Ziba, 'toen ik in die poëzieclub zat, las ik over twee dichteressen die zoveel met elkaar te delen hadden dat ze een aparte telefoonlijn installeerden en de hele tijd de hoorn van de haak lieten om voortdurend contact te blijven houden. Niet dat ik dat zelf zou willen, maar kun jij je niet verplaatsen in zo'n drang?'

'Lieten ze de hoorn dag en nacht van de haak?' vroeg Ziba. 'Zou de telefoonmaatschappij dan niet zo'n pieptoon uitzenden?'

'Eh, ik weet niet... Misschien heb ik iets van de details verkeerd begrepen,' zei Bitsy. 'Ik spreek hier maar in theorie. Ik vroeg me wel af hoe ze konden verwachten daadwerkelijk elk woord op te vangen. Want stel dat een van de twee toevallig sprak terwijl de ander in een andere kamer was? Ze hadden het toch niet van overál in huis kunnen horen?'

Van bij het fornuis zei Maryam: 'Wat interessant dat dat jouw zorg zou zijn.'

'Pardon?' zei Bitsy.

'Waarom zou het je zorg niet zijn dat er te véél te horen zou zijn, in plaats van te weinig? Privézaken, die gezinnen apart horen te houden.'

'O,' zei Bitsy. 'Eh ja, natuurlijk.' Ze wierp Ziba een blik toe. 'Natuurlijk, dat zou... Nu ja, misschien hadden ze niet élk ogenblik de telefoon van de haak.'

'Ah,' zei Maryam. 'Ja, in dat geval.'

'Ik bedoel, het is niet wat ik zelf zou willen. Dat zéi ik ook. Ik zei dat het alleen de drang in het algemeen was die ik begreep.'

Maryam zei niets terug. Ze had een verontrustende manier om een gesprek af te kappen, had Bitsy opgemerkt. Het enige wat ze deed was thee in de pot scheppen. Het was Ziba die zich het eerst liet horen. 'Nóg zoiets over die video,' zei ze. 'Ik dacht aldoor dat ik de geuren kon ruiken. Ik herinnerde me hoe Susan rook toen ik haar voor het eerst aanpakte, als een kruidiger soort vanille. Dacht jij ook aan de geuren?'

'Eh, nee... maar ik snap wat je bedoelt,' zei Bitsy. Maar het kwam niet uit haar hart. Een soort matheid overviel haar en ze voelde zich opeens te veel in haar eigen keuken. Ze stond hier in de weg. Ze had niets omhanden. In zekere zin had ze niets te doen met haar léven, als je Jin-Ho niet meetelde. Ze had nooit haar leraarsopleiding afgemaakt, nooit een volledige baan gehad. Ze had zich beziggehouden met ditjes en datjes als yogales geven en poëziecolleges volgen en pottenbakken en weven – verzonnen activiteitjes zonder vast salaris of uitkering bij ziekte. Brad zei dat haar weefsels prachtig waren, maar dat zou hij allicht altíjd zeggen. In werkelijkheid had ze in geen maanden aan haar weefgetouw gezeten en vorige week, toen ze een van haar oude creaties droeg, had ze zichzelf toevallig opgemerkt in de lange spiegel boven en ineens gezien dat ze net zo goed een vloerkleed had kunnen dragen. De stof was zo grof en zo fors gestreept, een plankstijve rechthoek waaruit haar blote armen en benen staken, schraal en pezig.

'O,' zei ze, 'ik moet even iets...' en ze draaide zich om en verliet de keuken. Ze slenterde door de eetkamer, waar Laura en haar sexy dochter tegen elkaar sisten boven de koffiekan. Bij de deur passeerde ze Linwood, die slungelig op een duimnagel knaagde, en Bridget, die Susan naar de minischommelstoel sleepte. In de hoekstoel in de woonkamer zag ze haar moeder – degene die ze had gezocht, besefte ze nu. Ze schoof langs meneer en mevrouw Hakimi, die blijkbaar niemand hadden om mee te praten, maar wat ging haar dat aan? Ze ging zitten op de arm van haar moeders stoel. 'Ha, fijn,' zei haar moeder ogenblikkelijk, en Bitsy ontleende troost aan de gedachte dat ten minste één iemand in deze kamer blij was haar te zien. Maar toen zei haar moeder: 'Hier,' en gaf haar een strookje papier.

'Wat is dit?' vroeg Bitsy.

'De naam van een vrouw.'

Bertha MacRae, las Bitsy, en een telefoonnummer, in een verzorgd, rond handschrift.

'Een vrouw die aan huis komt,' zei haar moeder.

'Aan huis komt?'

Haar moeder keek naar haar op, zonder knipperen. De laatste tijd waren haar ogen van vorm veranderd. De onderste oogleden waren gezakt en omwald, wat haar op de een of andere manier een verwijtende uitdrukking gaf, hoewel ze niet het soort vrouw was dat ooit iemand verwijten zou maken. Ze zei: 'Ik geloof niet dat ze precies verpleegkundige is. Ze moet een soort hulp zijn, maar ze heeft een diploma. Ze is ervoor opgeleid. En ze heeft een paar zusters die de andere beurten kunnen overnemen. Blijkbaar zijn de vierentwintig uur in drie diensten opgedeeld.'

'Hoe kom je hieraan?' vroeg Bitsy.

'Van Maryam gekregen. Deze vrouw heeft Maryams man verpleegd toen hij op sterven lag.'

Het woord 'sterven' had een scherpe, schokkende klank, maar Connie leek het niet te merken. Ze vervolgde effen: 'Maryam zegt dat die vrouw nog steeds werkt. Ze hebben nog contact. Ze is niet zeker van de zusters, maar als die niet beschikbaar zijn, denkt Maryam dat die vrouw andere mensen zou kennen die wel kunnen.'

Ze pakte Bitsy's hand. Connies huid was tegenwoordig zo droog dat haar vingertoppen rimpelig aanvoelden, alsof ze net uit bad kwam. 'Wil jij me helpen met je vader?' vroeg ze.

'Helpen? Hoe dan, mam?'

'Je weet dat hij gaat tegensputteren. Hij zal zeggen dat hij zelf voor me kan zorgen. Maar Bitsy, hij kan niet alles alleen doen. Niet 's morgens en 's middags en 's avonds. En ik wil om dingen kunnen vragen. Ik wil vragen en niet bang zijn dat ik te veel vraag.'

Bitsy zei: 'O, mam,' en bukte om haar wang op haar moeders kruin te leggen. Connies arme haar was zo dun dat het warm aanvoelde. 'Tuurlijk zal ik helpen,' zei ze.

Bitsy wist dat ze Maryam dankbaar moest zijn, maar in plaats daarvan rees er een muur van wrok in haar op. Het was of haar een beloning was afgepakt. Of een of ander plan van haar was gefnuikt; dat zou preciezer zijn geweest. Hoewel ze in feite geen plan had gehad en het een enorme opluchting had moeten zijn dat iemand ermee was gekomen.

De kinderen lachten en stoeiden, de mannen wisselden technische specificaties uit en meneer Hakimi vertelde mevrouw Hakimi kennelijk iets leerzaams, hoewel hij Farsi sprak en Bitsy zijn woorden niet kon verstaan. Ze moest zijn bedoeling maar opmaken uit zijn toon, alsof zij een vreemdelinge was in een onbekend land.

4

Sami had een soort toneelstukje dat hij graag voor de familie opvoerde. Hij stond erom bekend. Dan zaten ze in de huiskamer met hun middagthee – een paar broers en schoonzusters van Ziba, op bezoek uit LA, of anders enkele tantes of de neven die zich in Texas hadden gevestigd – en zei een van hen, bijna olijk: 'Die Amerikanen, snap jij daar nu iets van?' Dan gaf die persoon een of andere anekdote ten beste om de bal aan het rollen te brengen. Bijvoorbeeld: 'Onze gastvrouw vroeg waar we vandaan kwamen en ik zei: Iran. "O!" zegt ze. "Perzië!" "Nee," zeg ik, "Iran. Perzië is maar een Brits verzinsel. Vanaf het begin is het altijd Iran geweest." "Nou, ik heb Perzië liever," zegt ze. "Perzië klinkt véél mooier." '

Dan klakten de mensen met hun tong en knikten – dergelijke gesprekken waren hun vele malen zelf overkomen – en keken verwachtingsvol naar Sami. Sami rolde met zijn ogen. 'Ach ja,' zei hij dan, 'de Perzië Passie. Ik weet er alles van.' Soms was dat al genoeg om ze aan het grijnzen te krijgen; ze zaten al klaar voor wat er daarna kwam.

'Wat je had moeten zeggen is: "O, dan! In dat geval! Alstublieft, laat een geschiedenis van amper een jaar of vijfentwintighonderd u vooral niet in de weg staan, madame." (Het 'madame' kwam nergens vandaan. Bij deze gelegenheden wilde hij weleens vervallen in een duffe, stijf-deftige spreektrant.) 'Reken maar dat ze gaat tegenspreken. "Nee nee," zal ze aanhouden, "Irán is een nieuwbakken naam. Pas in de jaren dertig hebben ze de verandering afgekondigd." "In de jaren dertig hebben ze afgekondigd wat hun échte naam was," zeg jij terug, en dan zal zij zeggen: "Nu ja, hoe dan ook. Ikzelf denk dat ik het maar Perzië blijf noemen."'

Of hij raakte op dreef over het fanatieke geloof van Amerikanen in logica. 'Logica is de reden waarom ze elkaar aldoor voor de rechter slepen. Ze denken dat er voor alles wat er gebeurt een oorzaak moet zijn. Iémand moet toch zeker schuld treffen! zeggen ze. Op straat gestruikeld omdat je niet uitkeek en je been gebroken? Klaag de stad aan. Klaag de winkel aan waar je je bril hebt gekocht en de arts die hem heeft voorgeschreven! Van de trap gevallen, je hoofd gestoten tegen een kast, uitgegleden op de badkamertegels? Dien een eis in tegen je huisbaas! En niet alleen voor vergoeding van medische kosten, maar voor pijn, psychisch trauma, publieke vernedering, gekrenkt zelfrespect!'

'Oei, gekrenkt zelfrespect,' kon een familielid prevelen en dan schoot iedereen in de lach.

'Ze voelen zich door pech persoonlijk geschoffeerd,' ging Sami dan verder. 'Het heeft ze hun hele leven meegezeten en ze kunnen zich niet voorstellen dat wat voor tegenvaller ook het recht heeft hun te overkomen. Het moet een vergissing zijn, zeggen ze. Ze zijn altijd zó voorzichtig geweest! Ze hebben de grootst mogelijke aandacht geschonken aan elke veiligheidsinstructie – het GEVAAR-etiket op de haardroger waarop staat: "Na gebruik uit het contact nemen", en de opdruk op de plastic zak waarop staat: "Dit is geen speelgoed." En de kringloopbrochure die zegt: "Pas op: voordat u op een melkfles stapt om hem plat te maken, grijp u svp goed vast aan een betrouwbare bron van ondersteuning."'

Of hij zette een riffje in over de door de Amerikanen zo gekoesterde waan dat ze adembenemend interessant waren voor ieder ander ter wereld. 'Denk je dit in: een vriend van mijn vader, een beroemd dichter, was hier uitgenodigd met een of ander stipendium. Ze hebben hem naar elke staat in de unie begeleid en gedemonstreerd hoe ze hun vee voerden. 'Zie hier, meneer, we gebruiken de modernste methoden van vruchtwisseling om een adequaat aanbod te garanderen van...' Een lyrisch dichter! Een stadsmens, geboren en getogen in Teheran!'

Of hij nam hun zogenaamde openheid onder de loep. 'Zo onmiddellijk amicaal zijn ze, zo van 'hallo ik mag jou', zo van 'hoe gaat het, zal ik je mijn huwelijksproblemen vertellen', en toch, heeft een van hen je ooit echt, oprecht tot zijn leven toegelaten? Denk erover. Denk na!'

Of hun claim dat ze zo tolerant waren. 'Ze zéggen dat ze een cultuur zonder restricties hebben. Een onbekrompen cultuur, een cultuur van laisser faire, een doe-je-eigen-ding soort van cultuur. Maar dat betekent alleen maar dit: ze houden hun restricties geheim. Ze wachten tot je er een overtreedt en dan worden ze helemaal afstandelijk en kil en onleesbaar, en jij hebt geen notie waarom. Mijn neef Davoud? Neef van mijn moeder? Die heeft hier zes maanden gewoond en is toen naar Japan verhuisd. Hij zei: in Japan vertellen ze je tenminste wat de regels zijn. Ze erkennen tenminste dat ze regels hébben. Hij voelt zich daar veel prettiger, zei hij.'

En dan vielen de anderen in met hun eigen verhalen – de onverklaarbaar beëindigde vriendschappen, het verblufte zwijgen na onschuldige vragen. 'Je mag niet informeren hoeveel iemands jurk heeft gekost. Je mag niet vragen wat ze voor hun huis hebben betaald. Je weet niet wat je wél mag vragen!'

Deze gesprekken werden in het Engels gevoerd, omdat Sami geen Farsi wilde spreken. Hij had het vierkant geweigerd vanaf de dag waarop hij op de kleuterschool merkte dat geen van zijn klasgenootjes het sprak. En daar lag de ironie, volgens zijn moeder. 'Jij met je Baltimore-accent,' zei ze. 'In Amerika geboren en getogen, nooit ergens anders geweest: hoe kun jij die dingen zeggen? Je bent zelf Amerikaans! Je drijft de spot met je eigen volk!'

'O, ma, 't is toch goed gemeend,' zei hij.

'Mij klinkt het niet zo goed gemeend in de oren. En waar zou jij zijn zonder dit land? Nu vraag ik je! Jij weet niet beter, daar zit het hem in. Je hebt geen idee hoe het voelt om op al je woorden te moeten letten, en elke mening voor je te moeten houden en over je schouder te kijken en je intussen af te vragen wie er misschien meeluistert. O, ik had nooit gedacht dat je zo zou praten! Toen je opgroeide was je Amerikaanser dan de Amerikanen.'

'Precies, dat is het,' antwoordde hij. 'Hoor je wat je net zei? "Amerikaanser dan de Amerikanen." Heb je je nooit afgevraagd waarom?'

'Op school ging je alleen maar uit met blonde meisjes. Ik had me al neergelegd bij Sissy Parker als schoondochter.'

'Ik kwam niet eens in de búúrt van trouwen met Sissy!'

'Nou, maar ik had zeker nooit verwacht dat je een Iraans meisje zou uitkiezen.'

'Ik zou niet weten waarom niet,' zei hij.

Dit was niet helemaal oprecht, omdat ook hij in zijn hart altijd had gedacht dat zijn vrouw een Amerikaanse zou zijn. Als kind had hij verlangd naar een *Brady Bunch*-gezin – een gemoedelijke, jongens-onder-elkaarvader in een geruit overhemd, een moeder die eerder sportief dan exotisch was. Hij had aangenomen dat zijn schoolmakkers genoten van een eindeloze ronde van hotdogs en balletje trappen in achtertuinen en partijtjes met koekhappen, en zijn fantasie was dat zijn vrouw hem in net zo'n leven zou betrekken. Maar in zijn vierde jaar op de universiteit had hij Ziba ontmoet.

Anders dan de dochters van de oude vrienden van zijn ouders, had Ziba een nonchalante, flanerende stijl om zich heen hangen. Ze was zelfverzekerd en vrijmoedig. Ze kwam direct naar hem toe na hun eerste college samen ('De industriële revolutie', voorjaarssemester) en zei: 'Iraans, ja?' 'Ja,' zei hij. Hij zette zich al schrap voor het gebruikelijke babbeltje over uit-welk-deel, welk-jaar, wie-ken-je, en dat alles uitgedrukt in die combinatie van koketterie en weeïg ontzag die Iraanse vrouwen aannamen ten overstaan van het andere geslacht. Maar nee, ze zei: 'Ik ook. Ziba Hakimi,' trillerde jolig met haar vingers naar hem en vertrok om zich bij haar vrienden te voegen – Amerikaanse vrienden, mannen en vrouwen dooreen. Ze droeg jeans en een Tears for Fears-T-shirt, en haar haar was in die dagen zo kort dat ze er met gel en pieken iets punkachtigs van kon maken.

Maar toen hij haar leerde kennen (en hun gesprekken met de dag iets langer werden en ze in de gewoonte vervielen samen de klas uit te lopen), trof het hem hoeveel ze zonder discussie van elkaar begrepen. Een mantel van gemeenschappelijke achtergrond omhulde hen onzichtbaar. Half maart vroeg ze of hij van plan was volgend weekend naar huis te gaan, en ze hoefde niet uit te leggen dat ze bedoelde: voor dat van Nieuwjaar. Hij passeerde haar op het bordes van de bibliotheek waar ze met een vriendin iets zat te eten, en wat ze at was niet chips of koekjes of twinky's, maar een peer, die ze in parten sneed met een klein zilveren mesje zoals zijn moeder dat na elke maaltijd bij de fruitschaal legde.

Die zomer, na zijn afstuderen, reed hij vaak naar Washington om met haar uit eten of naar de film te gaan, en maakte hij kennis met een hele rits van haar familieleden. Voor hem waren de Hakimi's zowel vertrouwd als vreemd. Hij herkende de taal die ze spraken, de gerechten die ze opdienden, de muziek waar ze naar luisterden, maar had moeite met hun overdadige feesten en hun verzamelaarsijver voor de duurste, de protserigste merknamen – Rolex en Prada en Ferragamo. Hij zou zeker nog meer moeite hebben gehad met hun politiek, als hij niet zo wijs was geweest het onderwerp te vermijden. (Ziba's ouders deden haast een knieval wanneer de sjah ter sprake kwam.)

Wat zou zijn moeder van deze mensen denken? Hij wist al wat ze zou denken. Hij nam Ziba mee naar huis om kennis met haar te maken, maar liet Ziba's familieleden erbuiten. En zijn moeder, hoewel ze Ziba hoffelijk welkom heette, stelde nooit een ontmoeting tussen de twee families voor. Maar dat had ze waarschijnlijk toch niet gedaan. Ze kon bar ontoeschietelijk zijn.

In de herfst gingen Sami en Ziba terug naar de universiteit – Sami om aan zijn proefschrift over Europese geschiedenis te werken en Ziba om aan haar laatste jaar te beginnen. Inmiddels waren ze ernstig verliefd geworden. Sami had een kaal flatje buiten de campus en Ziba bracht elke nacht bij hem door, hoewel ze al haar kleren op haar studentenkamer bleef bewaren, zodat haar familie geen argwaan zou krijgen. Haar familie kwam constant op bezoek. Elk weekend verschenen ze met in folie gewikkelde schalen aubergine en potten zelfgemaakte yoghurt. Ze drukten Sami aan hun borst en zoenden hem op beide wangen en informeerden naar zijn studie. Naar de mening van meneer Hakimi was Europese geschiedenis als onderzoeksgebied niet de beste keuze. 'Je denkt wat hiermee te doen? College geven,' zei hij. 'Je wordt professor, geeft les aan studenten die op hun beurt professor zullen worden en college geven aan andere studenten die ook weer professor worden. Het doet mij denken aan die insecten die maar een paar dagen leven, uitsluitend voor de voortplanting van hun soort. Is dit een praktisch plan? Dat zou ik niet denken!'

Sami zag af van discussie. Hij grinnikte wat en zei: 'Och, nou ja, ieder zijn meug.' Toch, op de een of andere manier had hij – hoe was dat zo gekomen? –, toen hij en Ziba eenmaal waren getrouwd, eind juni het jaar daarop, erin toegestemd te gaan werken voor de projectmaatschappij van haar oom. Peacock Homes bouwde en verkocht huizen in de betere regio's – Noord-Virginia en Montgomery County – en was aan het uitbreiden naar Baltimore County. In het begin was Sami's baan een tijdelijke. Probeer het gewoon, zei iedereen, en ga in het najaar terug naar school als het niet bevalt. Maar het beviel hem wel. Hij kreeg plezier in de wensvervullende aspecten ervan – de stellen die hem hun gekoesterde, aandoenlijk specifieke dromen toevertrouwden. ('Met een oven op ooghoogte. En een bureauhoekje naast de koelkast waar de vrouw de weekmenu's kan plannen.') Hij studeerde voor zijn makelaarsexamen en slaagde. Hij en Ziba verhuisden naar het nieuwste project van het bedrijf en Ziba vond werk bij haar neef Sirous in Sirous Design ('Serieus Design' wilden de klanten het weleens noemen), met het inrichten van de huizen die Peacock Homes verkocht.

Als Maryam al teleurgesteld was omdat Sami zijn studie eraan gegeven had, dan zweeg ze daarover. Nu ja, natuurlijk was ze teleurgesteld. Maar tegen hem zei ze dat het zíjn besluit was. Ze toonde zich hartelijk jegens de Hakimi's en was lief tegen Ziba; hij wist dat ze Ziba graag mocht en dacht niet dat het alleen was omdat Ziba Iraanse was. Voor hun verloving had ze hun een ring aangeboden die hij nog nooit had gezien, een antieke ring met een diamant waar zelfs de Hakimi's content mee waren. Of misschien niet. Het was geen jóekel. Maar ze hadden zich althans content verklaard. O, aan beide kanten had iedereen zich buitengewoon keurig gedragen.

Sami ontzag de Donaldsons niet in zijn tirades over Amerikanen. Zo mogelijk pakte hij hen zelfs harder aan. Ze waren immers zo'n makkelijk doelwit – vooral Bitsy, met haar jurken van zakkengoed en haar vrome, o zo organisch verantwoorde air en haar trendy manier van uitdrukken. 'Ze noemde de uitvaart van haar moeder een viering,' vertelde hij de familie. 'Ze zei: "jullie komen hoop ik toch naar de viering voor mijn moeder".'

'Versprak ze zich misschien, van verdriet?' vroeg Ziba's vader.

'Nee, want ze herhaalde het. Ze zei: "En willen jullie Maryam ook vertellen van de viering."'

In dit geval was het Ziba die protesteerde. 'Wat is daar mis mee?' vroeg ze Sami. 'De mensen zeggen zo vaak dat ze bijeenkomen om een leven te vieren. 't Is een heel populaire uitdrukking.'

'Daarom juist,' antwoordde hij. 'Het is een automatische, modieuze, gewild bon-ton uitdrukking.'

'Schaam je, Sami! De Donaldsons zijn onze beste vrienden. Ze zijn fantastisch voor ons geweest!'

Het was waar dat ze fantastisch waren geweest. Ze waren zo welgezind, zo warm, zo gastvrij. Maar beste vrienden? Daar had Sami zijn bedenkingen. Niet dat hij betere vrienden kon aandragen, maar van Bitsy kreeg hij soms de kriebels. En hij kon niet nalaten de draak met haar te steken. Ze vroeg er gewoon om! 'Moet je horen,' zei hij tegen Ziba's schoonzusters. 'Een paar weken terug beslist Bitsy dat het tijd is om haar dochter zindelijk te maken. Dat gaat ze bewerkstelligen door "positieve bevestiging". Bitsy gelooft heilig in positieve bevestiging. Dus wat doet ze? Ze geeft een potjespartijtje. Ze doet Jin-Ho een Wonder Woman-onderbroekje aan en stuurt uitnodigingen aan vier andere kinderen van dezelfde leeftijd, onder wie Susan. Ik geloof dat het voorgestelde galatenue ook voor de gasten een onderbroekje was, maar ze maakte er geen punt van, wat ons goed uitkwam, want Susan heeft nog geen benul. Wij komen met Susan in haar luier. Maar Jin-Ho had wél een onderbroekje aan – ze tilde almaar haar jurk op om het ons te laten zien – en twee van de andere kinderen ook. En iemand – ik noem maar geen namen – moet een ongelukje hebben gehad, want van lieverlee beginnen alle ouders een beetje raar te kijken en te snuiven en elkaar van die zijdelingse blikken toe te werpen, en ten slotte zegt er een: "Eh, denk jij ook niet...?" Maar toen was het al te laat. Véél te laat, want kennelijk was dat ongelukje al gebeurd in de tuin, waar alle kleintjes aan het spelen waren, en ze moeten er wel tien keer doorheen zijn gelopen voor ze binnenkwamen voor de versnaperingen en over de vloerkleden sjokten en op de stoelen klommen...' Hij lachte zo hard dat hij moest ophouden om adem te scheppen en de familie schudde het hoofd en probeerde niet ook te lachen. 'Ik bedoel maar!' zei hij. 'Over themafeestjes gesproken!'

Ziba zei: 'O, Sami, toon een beetje clementie.'

'En nu we het toch over partijtjes hebben,' zei hij, 'treft het jullie niet als door en door Amerikaans dat de Donaldsons de dag dat hun dochter in het land kwam belangrijker vinden dan de dag waarop ze is geboren? Voor haar verjaardag krijgt ze een paar cadeautjes, maar voor de dag dat ze naar Amerika kwam is het een grootscheeps Aankomstfestijn, een spektakel van belang met beide uitgebreide families en een ceremonie met zang en een videopresentatie. Ziedaar! Gij bevindt u in het Beloofde Land! Het toppunt aller heerlijkheden!'

'Gewoon negeren,' zei Ziba tegen haar verwanten.

Haar familieleden waren immers opgetogen dat ze zelf in Amerika waren beland, maar konden desondanks een glimlach niet bedwingen. Sami hield hun voor: 'Júllie snappen het. En raad eens: deze tweede keer zijn wíj degenen die het feest moeten geven.'

'We hóeven het niet te geven; ik heb het aangeboden,' zei Ziba. ''t Is onze beurt,' vertelde ze de familie. 'Zij hebben vorig jaar het feest gegeven. Alleen hadden zij enkel taart en thee en koffie, en ik vind het altijd netter om mensen een heel diner aan te bieden.'

'Ja! Een Iraans diner!' zei een van haar schoonzusters.

'Met kebabs,' zei een andere, 'en *morgh polo* en *sabzi polo* en misschien een mooie *shirin polo...*'

Sami zei: 'Hé ho,' maar werd overstemd door Ziba's tante Azra. 'Ik heb net een geheim recept gekregen voor echt rozenwaterijs,' zei ze, en toen boog ze naar voren en hield haar hand om haar mond, alsof ze bang was voor spionnen, en fluisterde: 'Je neemt een liter halvamel...'

'Jullie snappen er niets van!' zei Sami.

Maar zijn publiek was hij kwijt, zag hij.

Toevallig waren er zeven familieleden op bezoek ten tijde van het Aankomstfeest: twee broers van Ziba en hun vrouwen, twee jonge nichtjes en tante Azra. En natuurlijk moesten Ziba's ouders overkomen uit Washington om in de feestvreugde te delen; dus betekende dit dat er negen mensen extra in huis rondliepen om het festijn voor te bereiden. Ze waren er een week mee bezig. Of de vrouwen waren er een week mee bezig. De mannen hielden zich verre van alles. Ze zaten in de huiskamer naast de keuken, uit de weg, maar slechts gescheiden door een aanrecht en daardoor dicht genoeg in de buurt om het gesprek van de vrouwen af te luisteren, en dronken hun glaasjes thee en duimden met hun snoeren dikke barnsteenkralen en lieten een zacht geamuseerd geknor horen als ze iets kostelijks opvingen.

Tante Azra ging haar man verlaten, bijvoorbeeld. Ze was alleen uit Teheran gereisd om hun kinderen in Texas op te zoeken en had besloten definitief te blijven. Ze wist nu zeker dat ze geen zin meer had in seks. (De mannen trokken hun wenkbrauwen op tegen elkaar.) Het was te veel gedoe en moeite, zei ze, en ze klapte een deksel op een pan met rijst. De vrouwen wilden weten hoe haar man had gereageerd toen ze het hem vertelde. 'Nou,' zei ze, 'ik heb opgebeld op een vrijdagochtend vroeg. Vrijdagochtend was de beste tijd, want dan is het thuis middag en ik wist dat hij later bij zijn broer zou gaan pokeren. Dan had hij daar mensen om hem te troosten. Speciaal de vrouw van zijn broer – Ashraf. Herinneren jullie je Ashraf? Helaas wat groenig van teint maar heel lief, heel opbeurend. Die keer dat ik een miskraam had, kwam ze naar mijn huis en zei: "Ik zal een beetje halva voor je maken om je kracht op te bouwen, Azi-june." Ik zeg: "O, ik heb nergens trek in," maar ze zegt: "Laat maar aan mij over." En toen ging ze naar de keuken en stuurde Akbar weg – dat was toen de mensen nog personeel hadden; herinneren jullie je Akbar? Hij en zijn tweelingbroer kwamen bij ons uit een of ander dorp vandaan, amper oud genoeg om te praten en allebei in vodden. Die broer liep mank, maar hij was ontzettend sterk, en hij ontfermde zich over onze tuin en kweekte de prachtigste rozen. Ervoor noch erna hebben onze rozen ooit zó mooi gebloeid. Ja, mijn buurvrouw, mevrouw Massoud, heeft eens gezegd – dat is die mevrouw Massoud wier zoon verliefd werd op een Baha'i-meisje...'

'Maar je man?' brulde Ziba's vader over het aanrecht heen. 'Wat zei je mán?'

De vrouwen wisselden blikken en Azra kwam dichter bij hen staan en dempte haar stem.

'Ze zou er slecht op staan, nadat ze ons eerst verveelt met al die kletspraat, als we vernamen dat haar man zich doodgeschoten heeft,' zei meneer Hakimi tot de andere mannen.

Hij sprak Farsi. Ze spraken allemaal Farsi, tenzij ze zich richtten tot Sami of Susan. Telkens als Sami binnenliep bij deze onderonsjes (híj moest althans elke dag de deur uit naar zijn werk), begroette iedereen hem in het Engels, en dan vroeg zijn schoonvader in het Engels: 'En, hoeveel huizen heb je vandaag verkocht? Hè?' Maar eer Sami kon antwoorden, verviel meneer Hakimi alweer in het Farsi om zijn zoons te vertellen: 'Mamal zegt dat de vastgoedmarkt de laatste maanden uitstekend is geweest.' En meteen was het Engels weer verlaten. Wat Sami allang best vond. Zo bleef hij buiten schot. Het onthief hem van de last zijn partijtje mee te moeten blazen. Hij tilde Susan op zijn schoot en ging er op zijn gemak bij zitten om te luisteren.

Gelijk op met deze mannen het gebabbel van de vrouwen volgend – afhánkelijk van hun gebabbel, erop steunend om voeling te houden –, dobberde Sami mee op de zachte stroom van het Farsi van de verwanten, waarvan hij zo'n negentig procent verstond en de andere tien aan zich voorbij liet kabbelen. De mannen hadden het over het beleggingsvoorstel van een neef; de vrouwen delibereerden over het toevoegen van een extra snufje saffraan; de nichtjes kibbelden over een walkman. Als Sami zich lang genoeg koest hield, konden de mensen hem zo totaal vergeten dat ze dingen zeiden die hij niet mocht horen – dat ze gewaagden van oom Achmads nieuwe opzet om de belasting te ontduiken, of zich een pinnige opmerking over Maryam lieten ontvallen. ('Nou, Chanom zou zeggen dat het smokkelen was, aardappelen op de bodem van de rijstpan leggen' – het 'Chanom' benadrukt op een zure en satirische toon.) Hun houding jegens zijn moeder krenkte hem minder dan had gekund, omdat hij vond dat ze het verdiende. Na al die tijd bijvoorbeeld noemde ze Ziba's moeder nog steeds 'mevrouw Hakimi' en niet 'Gita-june'. Hij wist dat dat geen vergissing was.

'Waar is de kaneel? Wie heeft 'm?' vroeg Ziba. Haar Farsi was nasaler dan dat van zijn moeder, net apart genoeg om haar een glans van toegevoegde charme te verlenen. 'Ik vroeg wanneer hij wegging,' vertelde de ene schoonzuster aan de andere, 'en hij zei, dat stond nog niet vast; óf voor de bruiloft en anders erna. "En wanneer is de bruiloft dan?" vroeg ik, en hij zei dat hij dat niet wist, want hij had nog niemand gevonden om mee te trouwen.' Ziba's moeder, gehuld in een verkeerslichtoranje schort met OPGEPAST! MAN BIJ DE GRILL, tilde met een ademstootje een braadpan op het aanrecht. Iraanse vrouwen waren zo bedrijvig, viel Sami altijd op. Ze bereidden van die arbeidsintensieve gerechten – honderden met de hand gerolde gevulde druivenbladeren, tientallen met boter bestreken vellen bladerdeeg – en zoveel ervan voor elke maaltijd. Tante Azra vormde een paar pond lamsgehakt tot één enorme bal door hem rondom efficiënte klapjes te geven. De mannen hesen zich uit hun stoelen en verhuisden naar de tuin om te roken. Meneer Hakimi hield van dikke zwarte sigaren die naar brandende autobanden stonken, en Ziba's beide broers (middelbaar en even kaal als hun vader) hadden nicotinebruine vingers van hun gewone twee pakjes sigaretten per dag. Ze vonden het onredelijk dat ze niet binnenshuis mochten roken. 'Tweedehands roken!' smaalde een van hen, de frase in het Engels uitspugend waarna hij weer in het Farsi verviel. 'Ik heb hun hele leven in de buurt van mijn dochters gerookt en moet je ze nu zien! Ze zijn veel gezonder dan Susan.'

Allemaal vonden ze Susan te klein voor haar leeftijd en te bleek. Ook vonden ze dat ze er te Chinees uitzag, maar enkele confrontaties met Ziba hadden hun afgeleerd dat nog ter sprake te brengen.

'Wat zou jouw familie vinden van een kind dat Aziatisch was?' had Sami aan Ziba gevraagd toen zij over adoptie was begonnen. Ziba's ogenblikkelijke antwoord was geweest: 'Het gaat me niet om wat mijn familie ervan vindt. Het gaat me om het krijgen van een baby.' En omdat het aan Sami lag dat ze er zelf geen kon krijgen, had hij zich gedwongen gevoeld met haar plan mee te gaan. Zijn onzekerheden had hij voor iedereen verborgen gehouden, behalve voor zijn moeder; bij haar had hij ze uitgestort, bij haar had hij een paar maal in de week thuis aangeklopt, zo steels als was ze de Andere Vrouw, en in haar keuken gezeten, zijn thee koud laten worden en met zijn handen ineengeklemd tussen zijn knieën gepraat en gepraat, terwijl Maryam luisterde zonder commentaar te geven. 'Ik weet dat Ziba gelooft dat we er iemand mee redden,' zei hij. 'Een kind dat nooit een uitzicht heeft gehad, een of ander kansarm weesje. Maar het is niet zo eenvoudig als zij denkt, een leven een betere keer geven! Het is zo makkelijk in deze wereld kwaad aan te richten en zo moeilijk goed te doen, lijkt mij. Makkelijk een gebouw aan gruzelementen te bombarderen, maar moeilijk er een op te trekken; makkelijk een kind te beschadigen, maar moeilijk er een te helpen dat problemen heeft. Ik denk niet dat Ziba dat weet. Volgens mij verbeeldt ze zich gewoon dat we ons op een of ander geluksvogeltje storten en dat een ideaal leven bezorgen.'

Hij wachtte tot zijn moeder hem tegensprak (hij wílde dat ze hem tegensprak), maar dat deed ze niet. Ze nam een slokje thee en zette haar kopje neer. Hij zei: 'En kinderen krijg je ook niet inclusief garantie. Je kunt ze niet zomaar retour sturen als ze niet bevallen.'

'Dat kun je ook niet met een eigen kind,' zei zijn moeder.

'Maar het is minder waarschijnlijk dat je dat zou willen. Een eigen kind is een bloedverwant; je herkent bepaalde trekken en dus kun je ze beter verdragen.'

'Of slechter,' zei zijn moeder. 'Trekken in jezelf waar je altijd de pest aan hebt gehad. Dat komt ook voor, bij gelegenheid.'

O ja? Hij besloot hier niet op in te gaan. Hij stond op en liep een rondje door de keuken, vuisten diep in zijn zakken gestoken, en toen zijn rug naar haar toe was, zei hij: 'En bovendien, eh, ben ik bang dat dit kind zich misplaatst zal voelen. Hij of zij zal altijd zo onmiskenbaar vreemd zijn voor andere mensen, zo Koreaans of Chinees. Snap je?'

Hij draaide zich om en zag zich door zijn moeder bekeken met een blik die op geamuseerdheid leek te duiden, maar ze zei niets.

'Ik weet dat het heel oppervlakkig klinkt,' zei hij.

Ze maakte een nonchalant gebaartje met haar hand en nam nog een slokje thee.

'En dan,' zei hij. 'Wat dat betreft. Het zou zo zichtbaar zijn dat wij niet de echte ouders waren. Er zou zelfs geen mogelijkheid zijn van enigerlei fysieke gelijkenis.'

Zijn moeder zei: 'Och, ja. Als je kinderen op je lijken, ben je geneigd te vergeten dat ze níet jou zijn. 't Is veel beter eraan te worden herinnerd dat dat niet zo is, telkens als je naar ze kijkt.'

'Ik denk niet dat ik eraan herinnerd zou hoeven worden,' zei hij.

'Het doet me denken aan een keer toen je nog op school zat. Ik hoorde je een meisje opbellen en je zei: "Met Sami Yazdun." Dat was me een schok: mijn o zo Amerikaanse zoon. Deels was ik er blij om en deels triest.'

'Maar ik wou er ook bij horen!' zei hij. 'Ik wás niet zo Amerikaans! Althans niet voor hen. Niet voor de kinderen op school.'

Ze maakte weer een wuifgebaartje. Ze zei: 'In elk geval. Jij denkt dat je misschien niet van dat kind gaat houden. Maar dat ga je wel. Ik zweer het je.'

Hij wist niet welke bewering arroganter was: dat ze wist wat hij dacht of dat ze kon voorspellen wat hij zou voelen.

Maar ze kreeg gelijk natuurlijk, op beide punten. De laatste paar weken voor Susans komst droomde hij bijna nachtelijks dat hun baby een soort monstertje was, één keer iets hagedisachtigs en één keer een normaal mensje, maar met enge verticale pupillen als van een geit; en dat Ziba niets vermoedde en zich boos van hem afkeerde toen hij haar poogde te waarschuwen. Toen, zodra hij Susans tere haartjes zag en haar smalle, benauwde gezichtje, helemaal niet mooi in weerwil van wat Ziba geloofde, had hij iets als een zwichten en een golf van heftige ontferming ervaren; en als dat geen liefde was, dan werd het algauw liefde. Susan was de grootste vreugde van zijn leven. Ze was eindeloos schattig en grappig en fascinerend en jawel, op den duur ook mooi, wat hem in sommige opzichten speet omdat haar lelijkheid zo tot zijn hart had gesproken. Haar wangetjes werden rond, maar haar mondje behield zijn getuite vorm, alsof ze voortdurend inwendig iets overwoog, en haar haar werd lang genoeg om het op te binden in twee penseeldunne staartjes, een boven elk oor. Als hij met haar tussen de verwanten ging zitten, nestelde ze zich vol vertrouwen tegen hem aan en klopte nu en dan op zijn pols of wrong zich achterstevoren om naar hem op te kijken, en haar adem rook zoet naar de goedkope druivengazeuse die ze lekker vond.

De vrouwen waren nu begonnen tante Azra's vooruitzichten op immigratie te bespreken – had ze enige hoop op een *green card*? – en Sami moest hier en daar raden naar het ambtelijk jargon. 'Ali zei dat ik een...' iets, iets, iets 'zou moeten hebben.' Toen kwamen de mannen binnen uit de tuin, gehuld in een schier zichtbaar floers van tabak en as, en onderbraken de vrouwen zichzelf om een tekort aan tomatenpuree te melden. Dat maakte de mannen dolgelukkig. 'Ik ga wel! Ik ga wel!' zeiden ze alle drie. Ze waren gek op Amerikaanse supermarkten. 'Sami, ga je mee?' – het laatste in het Engels. Hij vond dat hij ja hoorde te zeggen, hoewel het hem speet het vrouwengesprek te verlaten, dat, toen de autosleuteltjes eindelijk waren gevonden, was beland bij Ziba's overtuiging dat Bitsy Maryams huis liever had dan dit. Atusa, haar oudste schoonzuster, antwoordde dat ze zich dat maar verbeeldde. 'Chanoms kleine, stijlloze huisje boven dit grote, luxueuze, mooie, moderne? Je bent gewoon nerveus, Ziba-june. Je maakt je gewoon te druk over je partijtje.'

Met tegenzin zette Sami Susan naast haar nichtjes op de grond en vertrok om zich bij de mannen te voegen.

'Gelukkige Aankomstdag!' jubelde Bitsy. 'Is het niet het ideale weer ervoor? We hebben de videoband meegebracht. En we hebben een propaan-aansteker voor de kaarsjes: veel veiliger voor de meisjes dan lucifers. En we hebben de foto's van vorig jaar bij ons, dus we kunnen een uitstalling inrichten.'

Ze zoende Sami vluchtig op zijn wang en kwam verder om Ziba te omhelzen, op enige afstand gevolgd door Brad met een uitpuilende boodschappentas. Achteraan kwam Jin-Ho langzaam het pad op wandelen, een en al bewondering voor haar eigen sandalen, die de te grote, te stijve aanblik hadden van pas gekochte schoenen. (Zo: dus geen Koreaans kostuum dit jaar.) Het zat Sami altijd een beetje dwars dat Jin-Ho langer was dan Susan en zwaarder ook. Hij voelde een rivaliserend onbehagen elke keer dat hij haar zag.

'Nou, ik heb nog wat nagedacht over het lied,' hoorde hij Bitsy tegen Ziba zeggen. 'Ik ben nooit zo gelukkig geweest met "She'll be Coming Round the Mountain".'

Intussen zwaaide het rechterachterportier van de auto van de Donaldsons open en hees Bitsy's vader zich langzaam naar buiten, voortschuivend als een tot op het bot vermoeide man. Er moest op hem zijn ingepraat om te komen. Sinds Connies dood had Bitsy hem meegesleept naar alle mogelijke sociale gelegenheden. Maar hij had niet meer zoveel te zeggen en zijn grote grijze hoofd was gaan hangen.

'Ha, hallo Dave!' riep Sami. Dave hief een arm, liet hem

slap vallen en zette verbeten koers naar het pad.

'Ken jij "Waiting for a Girl Like You?"' vroeg Bitsy nu. 'Dat is een mogelijkheid. Tenzij het te moeilijk is om te zingen: wat denk jij? En anders is er de Beatles: "I Saw Her Standing There"; herinner jij je dat? Het valt me in dat als we van tevoren repeteren met de kinderen – o hallo, mevrouw Hakimi! Gelukkige Aankomstdag!'

Mevrouw Hakimi was in gebloemde zwarte zijde en haar man in een pak, maar de verwanten die hen volgden uit het huis waren informeler gekleed – vooral tante Azra, die wel op weg leek naar een aerobicsles, in haar tanktop en strakke tricot capribroek die elke bolling en ribbel onthulde. 'Hoe maakt u het? Hoe maakt u het?' murmelden ze allen, behalve dat het meer klonk als 'hoe... hoe...' Ze schikten zich per twee en drie achter elkaar op de stoep, zodat er, toen het tijd werd om naar binnen te gaan, wat gedrang was bij het passeren van de deuren. Terwijl iedereen dat nog onderging, stopte er een andere auto – Abe en Jeannine met hun drie meisjes. Vlak erachter kwam Maryam en toen zij een reusachtige taartdoos van haar achterbank uitlaadde, schoof een andere auto achter de hare aan met een verontrustend raspen van zijvlak tegen stoeprand. 'Jezus Christus!' hoorden ze allemaal Mac zeggen. Hij zat voorin op de passagiersplaats en Linwood zat achter het stuur. Blijkbaar had Linwood zijn L-bewijs gehaald sinds Sami hem het laatst had gezien. Laura, die achterin zat, klom naar buiten en kwam zonder omkijken het pad op, terwijl Mac aan een lange preek begon over de prijzen van nieuwe banden tegenwoordig.

'Waar is Stefanie?' riep Bitsy.

Laura trok een gezicht en zei: 'Majorettekamp.'

Sami wachtte op Bitsy's reactie. De week ervoor had ze aan de telefoon haar gal gespuid omdat Brads ouders op cruise waren gegaan, hoewel ze heel goed wisten dat ze 'Aankomstdag' zouden missen. 'Ik bedoel maar! Een cruise!' had ze tegen Ziba gezegd. 'Terwijl hun énige kleinkind haar tweede jaar in dit land viert!' Maar alles wat ze nu zei was: 'O, wat jammer,' op een nonchalante, klankloze toon. Misschien was ze wel opgelucht. De laatste keer dat ze allemaal samen waren geweest, had Stefanie de teennagels van de kleintjes spookachtig elektrisch blauw gelakt.

Abes drie meisjes stortten zich regelrecht op Jin-Ho en Susan, en dat gaf Ziba's nichtjes de vrijheid om de volwassenen te verlaten en zich bij hen aan te sluiten. Ze togen naar de tuin, waar Sami een gymtoestel had opgesteld. Inmiddels hadden Bitsy's broers op de oprit Sami's nieuwe auto in het oog gekregen. 'Hé!' zei Abe. 'Een Honda Civic!' Alle mannen schaarden zich eromheen om hem in ogenschouw te nemen, ook de Hakimi-mannen die hem natuurlijk al hadden gezien. Ook Dave toonde enige belangstelling. Algauw maakte hij bezwaar tegen Linwoods bewering dat airbags meer kwaad dan goed deden. Intussen liepen de vrouwen het huis in, en toen ook de mannen binnenkwamen, was Maryam al bezig Bitsy en haar twee schoonzusters pistachenootjes te presenteren. Ze waren de enigen in de woonkamer. Alle Hakimi-vrouwen verdrongen zich in de keuken, waar ze bleven, rammelend met potdeksels en rinkelend met schalen, tot het tijd was om iedereen aan tafel te roepen.

Er was een diepgravende hoeveelheid discussie gaan zitten in de wijze van opdienen. Sami had gepleit voor een buffet. 'Ik zie geen andere keus,' had hij tegen Ziba gezegd. 'Er komen meer dan twintig mensen. Zoveel kunnen er niet aan onze tafel zitten.'

'Maar een buffet is minder intiem,' zei Ziba. 'Ik wil dat dit intiem aandoet.'

'Nou, hoe wou je dat voor elkaar krijgen, Zi, met meer dan twintig man?'

'Ik zet de kinderen apart, met de ouderen om op de jongeren te letten. Dat is, even kijken... twee, vier, zeven... En als ik dan een paar kaarttafeltjes plaats aan het eind van de grotemensentafel...'

Zij won haar zaak, uiteindelijk. De kinderen schikten zich in de ontbijthoek in de keuken, terwijl in de eetkamer de volwassenen mannetje aan mannetje aan de immense, met paisley gedekte vlakte zaten die bijna van de ene muur tot aan de andere reikte. Je had heel goed moeten kijken om de overgang te zien waar de kaarttafels begonnen. De hoofdgerechten waren uitgestald op het buffet – enorme aarden potten en schotels en schalen – en bijgerechtjes vulden een viertal dienbladen op een hoek. Bitsy's familie kon er niet over uit. 'Ik heb mijn hele leven nog nooit zó veel voedsel gezien!' zei Jeannine. 'Dit is een banket!' Maar Ziba zei: 'Nee hoor, niets bijzonders.'

'Meer kebabs in aantocht,' waarschuwde Sami. 'Maak op wat hier is, iedereen.' Hij ging op weg naar de keuken, voorzichtig om Bitsy heen, die probeerde een zangrepetitie te leiden. Hij kon niet zeggen van welk lied, want er leek een muiterij ophanden. Verscheidene van de kinderen overstemden haar met 'She'll Be Coming Round the Mountain'. '*And she'll be wearing red pajamas!*' zongen Bridget en de andere kinderen, zelfs Ziba's twee nichtjes schreeuwden 'Scratch! Scratch!' en beukten met hun bestek op tafel. Bitsy zei: 'Kinderen! Toe nou!' Sami grinnikte en tilde een schaal aan pennen geregen vlees van het aanrecht. Toen hij de achterdeur uit stapte, kwam de stilte als een schok. Zijn oren tuitten licht en hij nam ruim de tijd om het vlees op de grill te leggen, alleen om zichzelf even respijt te gunnen.

Het was toen ze de tweede porties doorgaven, dat Ziba over de peuterschool begon. 'Had ik dat verteld?' hoorde Sami haar aan Bitsy vragen. 'Susan begint in het najaar op Julia Jessup.'

Bitsy schepte voor zichzelf juist nog een gegrilde tomaat op. Ze stokte en keek Ziba aan. 'Wat is Julia Jessup?' vroeg ze.

'Het peuterschooltje waar Sami ook is geweest. De school waar Maryam nu werkt.'

'Begint ze daar dít najaar?' vroeg Bitsy.

Ziba knikte glunderend.

'Maar ze is pas twee!' zei Bitsy.

'Tweeënhalf,' herinnerde Ziba haar. 'Julia Jessup neemt ze vanaf twee jaar.'

'Dat kan wel wezen,' zei Bitsy. Ze zat verontwaardigd rechtop, haast hol in de rug, met de gegrilde tomaat in de lucht op de lepel. 'Maar het feit dat ze haar op die leeftijd al accepteren, wil niet zeggen dat ze ook moet gaan.'

'Nee?' zei Ziba.

'Twee is véél te jong! Ze is nog zo'n kleintje!'

Ziba's lippen gingen vaneen en ze keek naar de keuken, hoewel ze Susan niet kon hebben gezien vanwaar ze zat.

'Kijk eens hier,' zei Bitsy beslist. Ze liet de tomaat met een plof op haar bord vallen. 'Ik heb geprobeerd er begrip voor op te brengen dat je buitenshuis werkt...'

'Maar een paar dagen per week!' onderbrak Ziba. (Dit was een teer punt tussen hen, wist Sami uit eerdere discussies.) 'En meestal meer halve dagen.'

'Soms werk je op zaterdag wel,' wierp Bitsy tegen.

'Maar Sami is bij haar op zaterdag! En doordeweeks is Maryam bij haar, of mijn familie als die op bezoek is.'

'Jawel, en daar kan ik wel in komen,' vervolgde Bitsy op die lijdzame toon van haar. 'Maar om zo'n piepklein wichtje naar de peuterschool te sturen, een kind nog in de luiers...' Ze haperde. 'Heb ik dat goed? Ze ís nog in de luiers? Ze is toch nog niet zindelijk?'

Ziba schudde haar hoofd. Bitsy leek moed te vatten. 'En

bovendien, een kind dat een heel wankele start heeft gehad,' zei ze. 'Als je bedenkt hoe ze zich heeft moeten aanpassen tot nu toe...'

'Hé, dat is interessant!' zei Ziba's broer Ali plotseling. Hij boog over naar Maryam, die tegenover hem zat. 'Ik had niet in de gaten dat u werkte op een peuterschool, Chanom. Dat heeft niemand me ooit verteld. U geeft les aan kleine kinderen?'

Sami nam zijn pet af voor de man. Kennelijk had het leven in een groot gezin zijn vredestichtende vaardigheden verfijnd. En Maryam toonde zich al even capabel. Ze schonk hem de stralende, gerichte glimlach van iemand die wordt geïnterviewd. 'O nee, ik help in deeltijd op het kantoortje,' antwoordde ze. 'Toen Sami daar leerling was, was ik er als vrijwilliger, ziet u. Ik deed de afleg, ik typte, ik deed telefoontjes...' Ze liet opgewekt haar blik rondgaan naar de anderen. 'En toen overleed mijn man en kreeg ik, zou je kunnen zeggen, een aanval van financiële paniek. Dat overkomt weduwen wel vaker, geloof ik. Ze kunnen best een perfect toereikend pensioen hebben of een levensverzekering of wat ook, maar ze staan voor het eerst op eigen benen en dus raken ze in paniek.'

'Werkelijk,' zei Bitsy's vader. 'En lijden weduwnaars aan een soortgelijke paniek?'

Sami kon niet zeggen of Dave dat oprecht wilde weten of enkel zijn steentje bijdroeg aan de reddingspoging. Maryam zelf twijfelde misschien ook, gezien de taxerende blik die ze hem toewierp. 'Ach,' zei ze ten slotte. 'Ja, weduwnaars: ik denk dat hun paniek meer samenhangt met huishoudelijke problemen. Ze zijn bang omdat ze nu geen vrouw hebben die voor ze zorgt. Soms worden ze knap radeloos. Ze begaan heel droevige vergissingen.'

Dave lachte kort. 'Dat zal ik onthouden,' antwoordde hij.

Sami verwachtte dat ze zou protesteren – hem verzekeren

dat ze niets persoonlijks had bedoeld – maar ze knikte alleen. En toen verscheen Linwood in de deuropening, op een van wiens brillenglazen wat rijstkorrels plakten, en die kuchte en meldde dat Jin-Ho buikpijn had. 'O jee,' zei Bitsy. 'Het zal van de opwinding zijn.' Ze stond op, legde haar servet weg en liep naar de keuken.

Ziba had er geen plezier meer in. Dat zag Sami, al kon niemand anders het zien. Ze staarde naar haar bord, at niet, speelde met haar vork. Hij zat te ver weg om haar hand te strelen. Hij probeerde haar blik op te vangen, maar ze wilde niet opkijken. In plaats daarvan ving hij bij toeval de blik van mevrouw Hakimi op. Mevrouw Hakimi leek op de loer te hebben gelegen, want zodra hij haar kant uit keek, lachte ze haar tanden bloot. Hij wist niet hoeveel ze van het gesprek had verstaan. Hij lachte terug en wendde zijn hoofd af.

Waarom kon Ziba Bitsy niet gewoon van zich afschudden? Waarom was ze zo overgevoelig voor Bitsy's kritiek? Misschien moesten ze maar eens wat Iraanse vrienden zoeken. Weg met die strijd om je aan te passen, erbij te horen!

Hij hoorde Brad aan de andere kant van de tafel tegen tante Azra zeggen dat hij haar benijdde. 'Benijdde,' zei tante Azra langzaam. Sami wist dat ze het woord herhaalde omdat ze niet zeker was van wat het betekende, maar Brad moest hebben gedacht dat ze hem tegensprak. Hij zei: 'Nee, ik meen het! Beslist. Op een goeie dag, niet al te ver weg, worden immigranten de nieuwe elite van dit land. Dat komt doordat ze niet gebukt gaan onder schuld. Hun voorouders hebben geen inheems Amerikaans land gestolen en nooit slaven gehouden. Ze hebben een volmaakt rein geweten.'

Tante Azra staarde hem aan met een blik van glazige verbijstering. Sami was er vrij zeker van dat het woord 'geweten' haar had verbluft.

Was Ziba niet zo terneergeslagen geweest, dan had ze nu bij

Sami gemekkerd om de laatste ronde kebabs. Hij schoof zijn stoel naar achteren en stond op. 'Hou een gaatje open, jongens! Er komt een laatste lading aan,' zei hij. Hij liep naar de keuken, waar hij zich de weg versperd zag door Bitsy. Ze lag op haar knieën naast Jin-Ho bij de kindertafel. 'Liefje?' vroeg ze. 'Wil je gaan liggen?' Jin-Ho schudde haar hoofd. Susan, die naast haar zat, boog voorover om Jin-Ho aan te kijken met een komisch bezorgde uitdrukking.

Toen zei Bitsy: 'O.'

Ze keek naar Jin-Ho's tumbler, die leeg was op de ijsblokjes na. 'Je hebt prík gedronken,' zei ze tegen Jin-Ho.

Jin-Ho stak haar onderlip uit en wendde haar ogen af.

'Nou, geen wonder!' zei Bitsy. 'Tuurlijk doet je buikje zeer! Hemeltjelief!'

Sami zei: 'O, laat 'r met rust, Bitsy.'

Bitsy draaide om haar as en keek naar hem omhoog.

Hij voelde iets naar zijn hoofd wellen, een golf van opgetogen woede. Hij zei: 'Hou je nooit 'es op?'

'Pardon?'

'Jij met je gehakketak op priklimonade, geraffineerde suiker, werkende moeders, peuterscholen...'

'Ik snap het niet,' antwoordde Bitsy. Ze stond op, zich vasthoudend aan de rug van Jin-Ho's stoel. 'Heb ik iets verkeerd gezegd?'

'Je hebt van alles verkeerd gezegd en je hoort mijn vrouw excuus te vragen.'

'Ik hoor... Ziba? Dat begrijp ik niet!'

'Mag je zelf bedenken,' zei hij en liep haar toen rakelings voorbij op weg naar de achterdeur.

Achter hem, met een heel klein stemmetje, zei Susan: 'Pappa? Is Bitsy stóut?'

'Uh,' zei hij. Hij zweeg en keek achter zich. Ze had haar wenkbrauwen opgetrokken in twee zorgelijke schuine streepjes, als de twee zijden van een dak. 'Nee, Susie-june, laat maar. Ik ben een beetje prikkelbaar, geloof ik.'

Pas toen hij naar het woord 'prikkelbaar' zocht – letterlijk 'opvliegend' –, besefte hij dat zowel hijzelf als Susan Farsi had gesproken. Dat was een schok maar ook een voldoening, om een of andere reden. Hij slingerde een triomfantelijke blik naar Bitsy, die zich nog vasthield aan Jin-Ho's stoel en hem aangaapte, en liep toen de tuin in.

Inmiddels waren de kebabs veel te gaar. De lamsblokjes waren misschien nog te redden, maar de kip leek wel leer. Hij pakte een pannenlap om de pennen een voor een op te pakken en de kooltjes met de tang uit elkaar te porren. Zijn hartslag bedaarde langzamerhand. De woede was gedoofd en hij voelde zich lichtelijk voor gek staan.

Toen de hordeur dichtklikte keek hij om en zag Brad naderen. In zijn Orioles-T-shirt en fladderende shorts leek Brad verfomfaaid en niet op zijn gemak. Hij bleef op zowat een halve meter staan en sloeg naar een beestje dat om zijn hoofd zoemde. Toen zei hij: 'Hoe gaat het hier?'

'Prima,' zei Sami. Hij wendde zich weer naar de grill. Hij porde met de tang tegen een kooltje.

'Hadden we een of ander misverstandje?' zei Brad.

Sami porde tegen een ander kooltje. Toen zei hij: 'Wíj hadden geen misverstand.'

'Oké,' zei Brad. 'Als je 'ns vertelde wat er dan gebeurd is.'

'Met óns ging alles best,' zei Sami. 'Dan komt je vrouw en trapt mijn vrouw op haar hart.'

'Maar hoe dan precies?'

Sami keek hem aan. Hij zei: 'Moet je dat vragen?'

'Ik vráág het, makker.'

'Je zat er zelf bij, aan tafel; je hebt haar onze hele aanpak van kinderen grootbrengen horen afkammen; je zag hoe ze ons feest verpestte...'

'Verpestte? Oei, hé, Sami,' zei Brad. 'Bitsy kan soms wat direct zijn, maar...'

'Opdringerig is er een beter woord voor,' zei Sami.

'Nou, wacht effe, ja...'

'Opdringerig, en dogmatisch en bazig en... opdringerig,' zei Sami.

Om het te demonstreren deed hij een stap naar voren en duwde tegen de voorkant van Brads T-shirt. Brads borst voelde sponzig aan, bijna boezemachtig. Sami kreeg zin om nog eens te duwen, harder, en dat deed hij ook. 'Hé, hou je kóest!' zei Brad en hij duwde terug, maar op een futloze manier. Sami liet de tang vallen, greep hem met beide handen vast en probeerde hem met zijn hoofd in zijn maag te stompen, en Brad pakte twee handenvol van Sami's haar en stootte tegen hem aan en sloeg hem plat tegen de grond, gelukkig naast de grill, en kwam hijgend boven op hem neer. Een ogenblik lagen ze daar alsof ze niet wisten wat nu te doen. Sami voelde zich duizelig en kon niet op adem komen. Hij hoorde hoge, ijle geluidjes uit de richting van de achterdeur – de ontstelde kreetjes van de vrouwen, in het Farsi niet anders dan in het Engels, toen iedereen de stoep op stroomde.

Brad rolde van Sami af, krabbelde wankelend op zijn voeten en veegde zijn gezicht af met zijn mouw. Sami ging overeind zitten en stond toen op. Hij boog voorover, piepend en blazend, en schudde met zijn hoofd om het te verhelderen.

Hij had ontzet moeten zijn over zichzelf. Hij had zich diep moeten schamen dat iemand hiervan getuige was geweest. Maar in plaats daarvan kon hij wel juichen. Hij leek zijn gezicht niet in de plooi te kunnen houden toen hij zijn ogen opsloeg naar zijn in houdingen van afschuw bevroren gasten. De kinderen waren sprakeloos en de mannen gaapten en de vrouwen drukten hun handen tegen hun wangen. Hij keek om naar Brad en zag hem sullig grijnzen, en toen vielen ze elkaar in de armen. Terwijl hij klappen gaf op Brads brede, klamme rug en door de tuin struikelde in een onbeholpen dansje, verbeeldde Sami zich dat zij tweeën, in de ogen van de familie, moesten lijken op twee figuren uit een of andere televisiecomedy, twee wilde en krankjorume Amerikanen, twee toffe Amerikaanse kerels.

5

Brad en Bitsy spraken over het adopteren van een tweede kind. Naar Daves opinie was dit waanzin. Dat zei hij natuurlijk niet. Hij zei: 'O, is dat zo.' Maar Bitsy moest in zijn toon iets hebben opgevangen, want ze zei: 'Oké, pa, voor de draad ermee. Wat heb je ertegen?'

'Niets!' antwoordde hij. 'Waarom vraag je dat?'

'Je vindt me te oud, hè?'

'Beslist niet,' antwoordde hij.

Zoveel was waar. Eerlijk gezegd was hij niet zo zeker van haar leeftijd. Vijfendertig? Veertig? Connie had het wel geweten. Hij rekende het even na. Oké, drieënveertig. Maar dat was zijn bezwaar niet. Voornamelijk vond hij dat mensen niet te veel moesten willen. Hij was zo beducht geweest bij de eerste adoptie, en zo verlicht toen het goed uitpakte. Jin-Ho was zijn interessantste kleinkind. En waarschijnlijk ook het slimste, of het op een na slimste, na Linwood. Waarom niet stoppen nu ze op kop lagen? Kinderen gaven toch al zo veel last. Je zou denken dat Brad en Bitsy met één tevreden konden zijn.

Hij had hetzelfde ervaren met zijn eigen kinderen. Hij was schoorvoetend aan het ouderschap begonnen, met spijtige achterwaartse blikken naar zijn zorgeloze jonggetrouwde dagen, en hoewel de eerste baby een vreugd was gebleken, had hij niet naar meer gehunkerd. Als Connie niet zo had gelobbyd, was Bitsy enig kind gebleven. Toen waren de twee jongens natuurlijk eveneens een vreugd, en had hij ze voor geen goud weer ingeruild, maar toch kon hij zich helder voor de geest halen dat hij in dat gewoel van driftbuien en natte luiers en scherpgekante blokjes zat en dacht: te veel kinderen en niet genoeg Connie. Hij had zich zelf haast kind gevoeld wanneer hij hengelde naar Connies aandacht, naar de kleinste losse beetjes van haar graaide, wedijverde om haar oor en haar bedachtzame, geconcentreerde blik.

Wat zou Connie hebben gezegd van Bitsy's nieuwe plan?

O, waarschijnlijk 'Je doet maar lieverd. Ik denk dat het uitstekend zal gaan.'

Hij miste Connie meer dan hij kon zeggen. Ja, hij deed zijn best het niet te zeggen. Ze was gestorven in maart '99, nu meer dan een jaar geleden. Bijna anderhalf jaar. Hij kon mensen zien denken dat hij nu over het ergste heen moest zijn. Tijd om op te kikkeren! Tijd om door te gaan! Maar in wezen was het nu moeilijker dan direct na haar dood. Destijds was hij zo dankbaar geweest dat ze niet langer hoefde te lijden. Daarnaast was hij domweg uitgeput geweest. Hij had alleen nog maar willen slapen.

Maar nu was hij zo eenzaam als God. Hij was martelend, schrijnend eenzaam, en hij hing rond in zijn lege huis met veel te veel tijd en niet genoeg omhanden. Het was zomer. De school was dicht, niet alleen voor dit jaar maar in zijn geval voorgoed, omdat hij in juni met pensioen was gegaan. Was dat een vergissing geweest? Hij had altijd andere interesses gehad – zijn hobby's en zijn vrijwilligerswerk en gemeenschapsbelangen – maar nu kon hij de energie niet meer opbrengen. Hij zuchtte veel en sprak hardop tegen Connie. Hij zei: 'Ik ga eindelijk dat deurslot maar eens maken,' en 'Hè verdorie. Ik had eieren willen kopen.' Een paar maal dacht hij een glimp van haar op te vangen, maar in zo onwaarschijnlijke situaties dat hij niet kon veinzen dat ze reëel waren. (Op een snikhete middag in juli stond ze bijvoorbeeld bij het vogelhuisje in de tuin een met sneeuw bespikkelde want met haar tanden uit te trekken.) Troostender waren de herinneringen aan vroegere gebeurtenissen, die uit het niets opdoken, even levensecht als homevideo's. Die keer, kort na hun huwelijk, toen ze met hun vw-kever de inrit op reed en er rook van de achterbank wolkte (iets met de radiator) en ze het portier opengooide en eruit sprong en zich in zijn armen stortte; of die keer dat ze zijn naam naar een plaatselijk tv-station instuurde voor een prijs als 'Held van de Dag' en hij zo nors en onaardig was geweest toen ze het vertelde (zijn heldendom betrof het carpoolen van drie kinderen op alle uren van de dag en de nacht, geen reddingen uit brandende gebouwen), hoewel zijn ogen nu vol tranen liepen om haar gebaar.

Hij dacht: maar dit is gewoon niet uit te houden.

Hij dacht: ik had eerst moeten kunnen oefenen, op een minder belangrijk iemand. Ik weet niet hoe dit moet.

Hij vergat dat hij geoefend hád, op vier grootouders en twee ouders. Maar dat kon je niet echt vergelijken.

Hij had haar tijdens haar ziekte zo lang verzorgd dat het een tweede natuur was geworden, en nu kon hij niet geloven dat ze zich redde zonder hem. Had ze het prettig waar ze nu was? Had ze alles wat ze nodig had? Hij kon de gedachte niet verdragen dat ze zich in de steek gelaten zou voelen.

En toch was hij volstrekt areligieus en had hij nooit een beeld gehad van een leven na de dood.

Hij liet haar stem op het antwoordapparaat staan omdat wissen een gewelddaad leek. Hij wist dat sommige mensen schrokken van haar vrolijke begroeting: 'Mét de Dickinsons! Spreek een boodschap in!' Hij hoorde het aan het eerste 'Uh...' wanneer hij hun telefoontjes afdraaide. Maar Bitsy zei dat ze het een troost vond. Eén keer belde ze op en zei met trillende stem: 'Pa? Mag ik je een gunst vragen? Mag ik dit nummer een paar keer draaien en dat jij niet opneemt? Ik heb een soort kniesdag vandaag en ik wou mamma's stem horen.'

Het was Bitsy die zijn compagnon in de rouw was, veel

meer dan haar broers. 'Weet je nog van je moeders chocoladevlaai?' kon hij vragen, of: 'Weet je nog dat liedje dat ze zong over de weduwe met haar kindje?' en hij hoefde geen excuus aan te voeren om erover te beginnen. Bitsy sprong hem zonder vragen bij. 'En haar ingelegde tomaten,' zei ze dan, en: 'Ja, natuurlijk, en wat was dat andere liedje ook weer? Dat over de houthakker?'

Zelfs met Bitsy echter rantsoeneerde hij deze gesprekken. Hij wilde haar niet ongerust maken. Hij wilde niet dat ze hem zo'n vorsende blik van haar toewierp. 'Alles goed, pa? Alles écht goed met je? Heb je zin om te komen eten vanavond? We hebben de buren van hiernaast gevraagd, maar je bent meer dan welkom, heus. Het zou je goed doen er eens uit te zijn.'

Het zou hem geen goed doen er eens uit te zijn. Dat wist hij wel zeker. In sociale situaties kon hij nu alleen nog maar denken: wat heeft het voor zín? De prietpraat over het weer, politiek, onroerendezaakbelasting, kinderen – waardeloos, op alle punten. En de buren die langskwamen met pannetjes en koekjes. 'Raad eens?' zei Tillie Brown vanachter een in folie verpakte schaal. 'Ik ben alwéér grootmoeder!'

'Pardon?'

'Mijn dochter is bevallen van haar vierde jongetje!'

'Goeie god,' zei hij, en hij staarde omlaag naar de schaal. Zalmbrood, zo te zien. Hij was getroffen door deze offeranden, maar ook bevreemd. Wat dachten ze dat hij daarmee aan moest? Hij was maar in zijn eentje! En trouwens, eten smaakte naar zaagsel, tegenwoordig.

Enkele van de alleenstaande vrouwen hadden gezegd dat ze het enig zouden vinden een keertje 's avonds uit eten te gaan – hoewel, lang niet zo veel vrouwen als de folklore je wilde doen geloven. Hij poeierde ze steevast af. Zelfs al had hij enige interesse gehad, wat niet zo was, dan ging de inspanning van het aanpassen aan een nieuw iemand zijn kracht te boven. De eerste keer was al zwaar genoeg geweest. Hij zei: 'Och, hé, dat is aardig van je,' en ging er nooit op in. Zij drongen niet aan. Hij vermoedde dat ze net zo blij waren geen moeite te hoeven doen. Meer en meer van de wereld leek zich ternauwernood voort te slepen, naar hij had opgemerkt.

Bitsy zei dat ze hoopten dit tweede kind uit China te adopteren. In China heerste grotere nood, zei ze. Maar aanvragen was ingewikkelder dan het voor Korea was geweest, en het kind fysiek bemachtigen zou eveneens ingewikkelder zijn. Ze zouden er zelf heen moeten reizen om haar op te halen. En het zou heel zeker een 'haar' zijn, zei ze. Ze wendde haar blik naar Jin-Ho, die in de zandbak speelde op enige afstand van de patio waar ze zaten. 'Twee kleine meisjes,' zei ze tegen Dave. 'Zou dat niet enig zijn? Gelukkig is Brad nooit zo iemand geweest die vond dat hij een zoon moest hebben.'

'Neem je Jin-Ho mee naar China?' vroeg Dave.

'O god, nee! Met al die vreemde bacillen? En daarbij, de reis wordt al zo moeilijk. 't Is niet alleen de vlucht; we zullen er weken moeten blijven terwijl we de papierwinkel doorlopen.' Met een plotse, besliste beweging zette ze haar glas ijsthee neer en keek hem recht aan. 'Eigenlijk had ik jou willen vragen,' zei ze. 'Denk je dat we haar bij jou kunnen laten?'

'Bij mij?'

'Nu je toch met pensioen bent.'

'Maar...'

'Je weet hoe dol ze op je is.'

'Maar liefje, het is lang geleden dat ik op een kind van drie heb gepast.'

'Helaas,' antwoordde Bitsy, 'ze zal eerder vier of vijf zijn. Misschien al op de kleuterschool! Het hele proces kan wel een paar jaar duren, horen we.'

'O,' zei Dave. 'Nu ja.'

Het ging door zijn hoofd dat hij over een paar jaar best al dood kon zijn. Het verbaasde hem, zoals die gedachte hem opvrolijkte.

De beurt was aan de Donaldsons om het Aankomstfeest voor de meisjes te geven. Bitsy overwoog al wat de beste dag zou zijn. 'De vijftiende valt dit jaar op een dinsdag,' zei ze tegen Dave, 'en dus vraagt Ziba of het niet op de zondag ervoor kan. Maar... ik weet niet. Ik geef toe, de zondag treft beter, maar ik vier het toch liever op de feitelijke datum, jij niet?'

'Och, wat maakt het uit,' zei Dave.

'Ik bedoel de echte, feitelijke datum waarop de meisjes in ons leven kwamen!'

'Goed,' zei hij haastig. 'Ja hoor. De feitelijke vijftiende.'

Hij voelde zich in een hoek gemanoeuvreerd. Dat had hij vaak, met Bitsy. O, die dochter van hem had het leven altijd moeilijker weten te maken dan het hoefde te zijn, voor zichzelf en voor allen om haar heen. Vanaf haar vroegste jeugd had ze felle, starre meningen aangehangen, en ook al kon ze vaak gelijk hebben, hij zag toch soms dat mensen het dolgraag met haar oneens waren geweest. Wie weet was het broeikaseffect per slot niet zo slecht! hoorde hij ze denken. Misschien was de wereldvrede wel minder wenselijk dan ze zich hadden verbeeld!

Connie zei altijd dat Bitsy's probleem was dat ze twijfelde aan haar eigen goedheid. In haar hart was ze onzeker; bang dat ze onwaardig was. Dave vond het nuttig zich dat bij gelegenheid te herinneren. (En wat zou hij beginnen zonder Connies bij voorbaat vergevensgezinde inzicht om hem in de toekomst te leiden?)

Toen, nadat de datum was vastgesteld – dinsdag, een hele schrik –, was er de kwestie van het menu. Blijkbaar vond Bitsy dat de Yazdans 'de spelregels hadden veranderd', zoals zij het formuleerde, toen ze het jaar daarvoor een heel diner hadden opgediend. 'Ik bedoel, kijk naar wat wij het eerste jaar deden,' zei ze tegen Dave aan de telefoon. 'We hadden de eenvoudigste verversingen, thee en koffie en taart. Maar vorig jaar! Vorig jaar was er genoeg te eten om een heel daklozentehuis een maand de kost te geven. Jin-Ho kreeg buikpijn en sliep dwars door de film heen; ze heeft er niets van gezien.'

'Nou en?' zei Dave. 'Doe jij het dit jaar weer op jouw manier.'

'Maar de Yazdans vinden dat misschien ongastvrij. Je weet hoe gefocust ze op eten zijn. En dan, áls ik een diner geef, kan ik nooit zo veel gerechten maken. Ik heb niet genoeg potten en pannen! Ik heb niet genoeg gróte potten en pannen.'

'Maak dan die heerlijke zure citroenlimonade met de schilletjes,' zei Dave op zijn vleiendste toon, 'en neem een grote plaatcake van de bakker...'

Maar Bitsy luisterde niet. Ze zei: 'Een groentelasagne, denk je? Of de Pakistanischotel? Nee wacht, niks met rijst. Over grote potten gesproken! Weet je nog die keer dat ik habichuelas negras gaf? De eerste Yazdan die zich rijst opschepte, nam zowat de hele schaal!'

Dave schoot in de lach. Hij genoot van de Yazdans. Aan de buitenkant leken ze een en al primaire kleuren, zo argeloos en ontvankelijk, maar hij had van tijd tot tijd glimpen opgevangen van een gecompliceerder innerlijk. Meneer Hakimi bijvoorbeeld. Ja, dáár waren de tinten wat donkerder, beslist. 'Komen de Hakimi's ook?' vroeg hij Bitsy hoopvol.

'Ja, en een van Ziba's broers, maar ik weet niet meer welke. Ze heeft altijd zo veel familie te logeren; zou je niet denken dat ze worden gemist op hun werk? Terwijl die van ons daarentegen... Ik ben erg ontdaan van Mac en Laura. Ze wísten dat het Aankomstdag was; ze hadden Linwood trouwens naar zijn collegebezoeken kunnen rijden op elk ander moment deze zomer of dit hele jaar. Maar, o nee. O nee. En dan Brads ouders; nu ja, typisch zeker. Zij met hun eeuwige cruises: alsof het ze niks kan schelen! Ik vraag me af of ze anders zouden doen als Jin-Ho hun biologische kleinkind was.'

Als Jin-Ho hun biologische kleinkind was, zou dat hele mesjoggene Aankomstfeest nooit zijn verzonnen, dacht Dave. Maar wat hij zei was: 'Ach kom. Ze zijn gewoon bang dat ze met hun tijd geen raad weten, daarom plannen ze hem zo vol.'

Allemachtig, hij klonk net als Connie. Misschien dacht Bitsy dat ook, want in plaats van in discussie te gaan veranderde ze van onderwerp. Ze zei: 'Herinner jij je Guys and Dolls?'

'Wat? Guys and Dolls?'

'Herinner jij je een liedje dat ze zongen, en dat heette "I'll Know When My Love Comes Along?"'

'O. Het liedje.'

'Ik heb altijd gevonden dat het "She'll Be Coming Round the Mountain" mankeert aan cachet, op de een of andere manier,' zei Bitsy.

Als Dave het telefoonsnoer zo ver mogelijk uitrekte, ontdekte hij, kon hij nét bij de afstandsbediening van het televisietoestel. Hij zette het journaal aan en drukte toen op de muteknop opdat Bitsy geen argwaan zou krijgen.

Aankomstdag begon drukkend en klam, met genoeg samenpakkende wolken in het westen om hoop te geven op een verkoelend onweer. Maar dat kwam niet, en tegen de avond zag Dave op tegen de gedachte nette kleren aan te doen en zich buiten in de hitte te wagen. Thuis liep hij nu rond in zijn zwembroek. Hij sjokte naar zijn kleerkast boven, waar hij doelloos woelde in het grijze haar op zijn borst terwijl hij zijn keuzen overzag. Ten slotte besloot hij tot een dun linnen overhemd en kakibroek. Hij moest eigenlijk weer douchen, maar had er de fut niet voor. Hij ging naar de badkamer om zijn gezicht af te spoelen met koud water.

Eén ding dat hij van Bitsy's feestjes had geleerd, was dat vroeg komen niet loonde. Ze werd heel beredderig vlak voordat haar gasten arriveerden. Dan werd hij aan het werk gezet om servetten te vouwen of stoelen te herschikken of iets even onnodigs. Dus nam hij alle tijd voor zijn vertrek van huis, en toen hij bij de Donaldsons aankwam, vond hij al verscheidene auto's bij de stoeprand geparkeerd. De meisjes speelden op het trottoir – Susan bedrijvig aan het trappen op Jin-Ho's driewielertje terwijl Jin-Ho erbij stond te kijken. (Op de een of andere manier was het altijd Susan die het eerst mocht gooien, was Dave opgevallen. Ze was misschien kleiner en tengerder, maar een kostelijk doorzettertje.)

'Hé daar,' zei hij. 'Alle twee klaar voor jullie feest?'

Jin-Ho zei: 'Opa!' en kwam hem omhelzen. Susan staarde naar hem op met haar gebruikelijke aarzelende uitdrukking. In het voorbijgaan legde hij zijn ene hand om haar hoofdje. Ze droeg haar haar in twee dunne vlechtjes, heel anders dan Jin-Ho's dikke, komvormige polkakop, en er was iets aandoenlijks in de volmaakte rondheid van haar schedeltje in zijn handpalm.

'We wachten op Polly en hun,' vertelde Jin-Ho. Polly was de oudste van Abes drie dochters – dertien nu; precies de goeie leeftijd om kleine meisjes te fascineren. 'Mamma zei dat het mocht, als we niet te dicht bij de weg kwamen. Mamma weet het niet van de hemmel.'

'Hemmel?' vroeg Dave.

'Susan heeft de fietshemmel niet op.'

'Ah,' zei Dave. Ja, hij kon nu de helm zien liggen op de bovenste tree naar de veranda – een glimmend zwart, kevervormig ding met racestrepen op de zijkanten. 'Nou, me dunkt dat het leven zoals wij dat kennen wel doorgaat,' zei hij.

'Wah?'

Hij wuifde haar toe en liep verder naar het huis. Toen hij bij de veranda was, ging de hordeur open en zei Bitsy: 'Eindelijk!' Ze kwam naar buiten om hem op zijn wang te zoenen. Ze droeg een zonnejurkje gemaakt van een van de aantrekkelijker producten van haar weefkunst – paarse met blauw doorschoten banen – hoewel het lijfje overbloesde op een manier die hij ongelukkig vond. Hij had de vrouwelijke taille liefst goed zichtbaar. (Connie beweerde altijd dat deze voorkeur blijk gaf van een mannelijke angst voor zwangerschap.) 'Iedereen is er al behalve Abe,' zei Bitsy. 'Alle Iraniërs...' en toen boog ze dichterbij om in zijn oor te fluisteren. 'Ze hebben er een extra meegebracht.'

'Pardon?'

'De Yazdans hebben een extra gast meegebracht.'

'O.'

'Ze hebben het niet van tevoren gevraagd.'

'Nu ja, ik denk dat in hun cultuur...'

Toen botste hij bijna tegen Ziba op, die net in de deurpost stond. 'Ha, dag Ziba,' zei hij en aanvaardde ook haar kus. Zoals gebruikelijk was ze gestoken in een strak T-shirt en nog strakkere jeans, en waren haar hakken zo hoog dat ze licht wiebelde toen ze achteruitstapte. 'Gelukkige Aankomstdag,' wenste ze hem. Ze gebaarde naar een graatmagere tienerjongen die naast haar stond met zijn handen in zijn oksels geklemd. 'Dit is de zoon van Sirous, Kurosh,' zei ze.

Dave had geen idee wie Sirous mocht wezen, maar hij zei: 'Nou, hallo. Jij ook gefeliciteerd,' en de jongen ontklemde een hand om de zijne te drukken.

'Dank u wel, meneer,' zei hij accentloos, 'en nog vele malen,' wat niet helemaal bij de gelegenheid paste, als je er lang genoeg over nadacht.

Brad kwam aankuieren, zwetend en grijnzend. 'Zo'n beetje

net zulk weer als de eerste aankomstdag, hè?' zei hij. Hij nam Dave mee naar de woonkamer, waar meneer en mevrouw Hakimi zaten naast een van Ziba's broers (de oudste, die bijna haar vader had kunnen zijn, met dat kale hoofd en leerachtige gezicht) en zijn moederlijk uitziende vrouw. Die vier vormden een stijlvol rijtje over de hele lengte van de bank, de mannen in pakken en de vrouwen in geklede zwarte japonnen, en het was vermoedelijk hun algehele stijfheid die Brad zo verlangend maakte om Dave aan de mix toe te voegen. 'Jullie herinneren je Bitsy's pa,' zei hij. Alle Hakimi's lachten stralend en maakten een beweging als om op te staan, zelfs de vrouwen, maar bleven toen zitten – een gebaar dat Dave had leren verwachten van eerdere gelegenheden.

Sami, die blijkbaar de aperitieven op zich had genomen, stond bij de diepe vensterbank die als bar diende. 'Ha, Dave!' riep hij. 'Kan ik je een scotch aanbieden? Ik schenk er net een in voor Ali.'

'Och... waarom niet?' zei Dave. Hij was blij te worden herinnerd aan de naam van de broer, hoewel hij zich die van de vrouw nu nog niet te binnen kon brengen.

'Hebt u de foto's gezien?' vroeg meneer Hakimi met zijn stentorstem. 'Kijkt u naar de foto's. Heel fraai!'

De foto's vormden een rij op de schoorsteen en de bovenkant van de ingebouwde boekenkast ernaast – foto's van het Eerste en het Tweede Aankomstfeest, de meeste ervan niet ingelijst en bollend in het midden. Voor de vorm wendde Dave zijn gezicht ernaartoe, maar meneer Hakimi zei: 'Kijk die ene rechts! Daar staat u met Jin-Ho!' zodat Dave erheen moest lopen en zijn bril uit zijn borstzak vissen om zijn belangstelling te demonstreren. De foto uiterst rechts toonde hem, Jin-Ho optillend bij haar middel om een kaarsje aan te steken met een van die gasaanstekers voor fornuizen. Het kón enkel van de inspanning van haar optillen zijn geweest dat zijn gezicht zo beroerd en verstrakt leek, maar het enige wat hij kon denken was: ik zie er niet uit! Ik zie eruit als een wrak! Zijn hele volwassen leven was hij iets te zwaar geweest, groot van gestel en slap en sjokkerig. Maar op de foto had hij een verwilderd voorkomen en zag je de pezen in zijn nek. Connie was net vijf maanden dood toen die foto werd gemaakt. Hij zag nu dat hij zonder het zelf te weten iets van die dagen achter zich moest hebben gelaten, omdat hij zo dankbaar was daar niet meer te zijn. En hij was er bijna zeker van dat hij het verloren gewicht had herkregen.

'Zie de grootvader-kleindochter!' zei meneer Hakimi ondertussen. 'Een toost op de grootvader-kleindochter! Op uw gezondheid, meneer!' en Sami drukte Dave een ijskoude tumbler in de hand.

Het feit dat Bitsy zich moeite gaf voor cocktails, deed vermoeden dat ze haar plan een heel diner te geven ten uitvoer bracht. Hij veronderstelde dat ze weinig keus had gehad, zodra ze het feest op een doordeweekse avond had gezet. Dus legde hij zich neer bij een latertje en heel weinig zien van Bitsy, omdat die in de weer zou zijn met het eten. Hij ging zitten in een schommelstoel en luisterde met wat hij hoopte dat een aandachtig gezicht was naar het gesprek van Sami en Brad over de Orioles. Hij volgde de Orioles niet meer. Als je eenmaal de voeling verloor met een honkbalteam – de roddels, de warmmenselijke verhalen, de minidrama's van hartverscheurende persoonlijke dips en wonderbaarlijke comebacks niet meer bijhield – was het moeilijk veel geestdrift op te brengen. En de Hakimi's voelden zich nog minder verbonden, te oordelen naar hun glazige lachjes. Pas toen Maryam uit de keuken verscheen, waar ze moest hebben meegeholpen, kwamen ze tot leven. Ze droeg een blad met iets erop, en toen ze overboog naar de rij gasten op de bank, leunden ze gretig naar voren en was er een gemurmel van buitenlandse zinnetjes, een vlug heen-en-weer en een riedeltje van zacht gelach dat Dave deed beseffen hoeveel er in de hoofden van die mensen omging dat hij nooit zou hebben geraden op grond van hun onvolgroeide, primitieve Engels.

Zou het geen blijvend verlies zijn, moeten afzien van je moedertaal?

Maryam droeg een topje met een diepe v-hals die haar gepolijste sleutelbeenderen vrijliet. Toen ze naderbij kwam met haar blad, zei ze: 'Blij je te zien, Dave. Heb je trek in een canapé?'

'Dank je,' zei hij en nam er een. Het leek een soort vispasta.

'Vind je 't fijn dat je een nieuw kleinkind krijgt?'

'Een nieuw...? O. Ja, o ja,' zei hij. 'Heel fijn,' omdat hij vermoedde dat dat antwoord van hem werd verwacht.

'Zou dit betekenen dat er nu twéé Aankomstfeesten komen?' zei ze.

'God beware me!' zei hij eer hij erbij nadacht. Maryam schoot in de lach.

Tegen de tijd dat Abe en Jeannine waren verschenen met hun dochters, had iedereen al veel te veel hors d'oeuvres op. De aanblik van het enorme feestmaal dat hun wachtte toen ze naar de eetkamer verhuisden, ontlokte aan verscheidene mensen een kreun. 'Bitsy, wat heb je gedáán?' vroeg Jeannine. Er waren schotels koude kip, koude zalm en garnalen, plus een half dozijn groentegerechten en bijna evenzoveel salades. Als dit een wedstrijd was, durfde Dave niet te denken aan wat het volgende jaar zou brengen.

De taart aan het slot van de maaltijd was de gebruikelijke stars-and-stripes-plaatcake, en het lied was het gebruikelijke lied, ondanks alle inspanningen van Bitsy. '*I'll know*,' begon ze hoopvol met een hoge, welluidende stem, maar Abes drie lawaaiige dochters overschreeuwden haar. '*They'll be coming round the mountain when they come,'* zette Bridget in, en Brad zwaaide de keukendeur open om Jin-Ho en Susan te onthullen, die zoals altijd beduusd stonden te kijken in plaats van aan te treden zoals hun opgedragen was. 'Toet! Toet!' krijsten Abes dochters. Kennelijk vonden ze de geluidseffecten nog leuker dan het lied zelf. '*Scratch! Scratch! Whoa, back! Hi babe!*' Eerst stemden Abe en Jeannine in en toen Sami, toen Ziba en ten slotte Dave, hoewel hij niet graag trouweloos leek. Zelfs de Hakimi's murmelden mee, zo goed en zo kwaad als ze konden, grinnikten bedeesd elke keer dat ze bij de 'toeten' kwamen en gluurden verlegen naar elkaar.

Na de taart was het tijd voor de video. *De Aankomst van Jin-Ho en Susan*, zo begon hij – een geheel nieuwe titel, nu in cursief in plaats van schoonschrift. Mensen schonken hun aandacht in diverse gradaties. De Hakimi's bijvoorbeeld zaten rechtop en hielden de hele tijd hun ogen eerbiedig op het scherm gericht. Aan het andere uiterste hield Jin-Ho zich bezig met een Elmo-kietelpop. Dave, die helemaal achteraan stond, keek nauwlettender dan hij liet blijken, omdat hij wist dat hij Connie zou zien. Hij wilde niet dat de anderen merkten hoeveel dit voor hem betekende. Het zou ze verdrieten; ze zouden proberen hem af te leiden. Ze zouden zeggen dat hij al te somber was.

Ja, daar was ze, met haar prachtige lach en haar handen voor haar borst geklemd als in gebed. OMA stond er op haar reversbutton. Weliswaar droeg ze een honkbalpetje – ze was toen al ziek – maar hoe vol en roze leek haar gezicht! Hoe stoer stond ze daar, naast hem maar zonder op hem te leunen! Hij vergat telkens dat dit was zoals ze er vroeger uitzag. Als hij zich haar nu voor de geest haalde, had ze de papierwitte huid en úitstekende jukbeenderen van een ten dode opgeschreven vrouw.

Toen was ze weg. O, verdomme. Evenals het jaar daarvoor

vroeg hij zich af of hij deze band weg kon toveren om er thuis in alle eenzaamheid naar te kijken. Dan zou hij alleen de beelden waar Connie op stond afdraaien, eindeloos opnieuw. Hij zou toeven bij de dierbare glooiing van het vlees onder haar kaak en de knus ingebedde aanblik van de trouwring aan haar vinger.

De kleine Jin-Ho arriveerde in de armen van haar koerierster en werd omringd en opgeslokt. Diverse Dickinsons en Donaldsons gedroegen zich als volslagen malloten. Toen flitste Susan voorbij – poppetje gezien, kastje dicht – maar van dat gedeelte zag Dave zo goed als niets. Hij wist dat er van Connie geen beelden meer kwamen.

'Het was moeilijk kijken naar Connie, nee?' vroeg Maryam.

Ze stond vlakbij, links van hem. De buitenlandse intonatie van haar 'nee?' trof hem als irritant. Hij voelde zich zo ver verwijderd van dit zootje ongeregeld; het stoorde hem ernaar te worden teruggesleurd. Hij hield zijn ogen koppig op het tv-scherm gericht (de titels rolden voorbij in het oorspronkelijke schuine lettertype) toen hij zei: 'Helemaal niet moeilijk. Het was fijn haar zo gezond te zien.'

'Ah,' zei Maryam. 'Ja, daar kan ik in komen.' Toen zei ze: 'Vroeger dacht ik altijd dat als iemand uit de lucht was komen vallen en had gezegd: 'Je man is daarnet gestorven,' toen hij volmaakt gezond was, dat ik het makkelijker had gevonden. Hem almaar verder en nóg verder achteruit zien gaan, dat was wat het zo moeilijk maakte.'

Hij keek naar haar. Vaak werd hij verrast door Maryams kleinheid – een zo elegant iemand zou statuesk moeten zijn, leek hem – en nu moest hij zijn blik centimeters laten dalen om haar profiel op te nemen, haar op de andere gasten gerichte ogen en haar sierlijk om het oortje van een theekopje gekrulde vingers.

'Ik dacht: kon ik maar rouwen om de man zoals ik hem leerde kennen!' zei ze. 'Maar er waren juist de recentere versies, de zieke en de nóg ziekere en daarna de man die zo knorrig was en mij haatte omdat ik hem lastigviel met pillen en voedsel en vloeistoffen, en ten slotte de suffige, slaperige die er eigenlijk helemaal niet wás. Ik dacht, had ik de dag maar geweten dat hij écht stierf – de dag dat zijn echte ik stierf. Dat was de dag dat ik het diepst had moeten rouwen.'

'Ik was vergeten dat hij ook aan kanker ging,' zei Dave.

Ze zei niets. Ze keek naar de anderen, die naar buiten stroomden, de kinderen op weg naar de tuin en de grote mensen naar de huiskamer.

'Connie in haar laatste versie was... heel erg veeleisend,' zei Dave. Hij had eerst iets anders willen zeggen, maar bedacht zich. Toen zette hij door en zei het toch maar. 'In zekere zin was ze haast onáárdig,' zei hij.

Maryam knikte zonder verrassing en dronk een slokje thee.

'Dat zal wel onvermijdelijk zijn,' zei hij. 'Als ze ziek zijn, gaan mensen vinden dat hun iets toekomt. Ze worden zogezegd heerszuchtig. In wezen was ze niet in het minst zo. Dat wist ik! Ik had wat consideratie moeten hebben, maar dat had ik niet. Ik snauwde haar af, soms. Ik heb vaak mijn geduld verloren.'

'Ja, allicht,' zei Maryam en ze zette geruisloos haar kopje terug op het schoteltje. 'Het was angst,' zei ze.

'Angst?'

'Ik weet nog toen ik klein was, als mijn moeder ook maar enig teken van zwakheid gaf – met hoofdpijn naar bed ging zelfs –, werd ik altijd zó kwaad op haar! Ik was bang, daarom was het.'

Daar dacht hij over na. Er was iets voor te zeggen. Zeker had Connies achteruitgang hem de stuipen op het lijf gejaagd.

Maar ergens voelde hij zich onvoldaan door dit gesprek, alsof er nog iets was dat rechtgezet moest worden. Hij ging opzij om de zoon van Sirous langs te laten schuiven en zei toen: 'Het zijn niet alleen haar laatste dagen waar ik spijt van heb.'

Maryam trok licht haar wenkbrauwen op.

'Het is haar hele leven. Ons hele leven samen. Elk ondoordacht woord dat ik ooit heb gezegd, elk geval van verzuim. Heb jij dat ooit? Dat je terugdenkt aan die dingen? Ik ben altijd zo geconcentreerd geweest; ik bedoel, gedreven me te concentreren op een of ander project en de rest te laten waaien. Ik herinner me een keer dat ik het huis aan het bedraden was voor een geluidsinstallatie die ik had bedacht. Ik wilde niet ophouden voor de koffie, wilde niet met Connie mee naar de film die zij wilde zien... Nu ben ik er akelig van. Ik denk: ik zou er wat voor geven om nu met haar koffie te drinken, of met haar naar de film te gaan!'

'Komen jullie?' vroeg Brad. 'Taart in de eetkamer voor wie nog wil.'

'Dank je,' antwoordde Dave, maar Maryam reageerde niet. Ze dronk nog een slokje thee en keek toen in haar kopje. 'Ach,' zei ze. 'Als we zo anders waren geweest, hadden ze dan van ons gehouden?'

'Sorry?'

'Als je geen man van veel interesses was, geestdriftig over je plannen – als je geen andere interesses had gehad dan Connie en elke stap van haar had gevolgd –, had zij dan met jóu willen trouwen?'

Maar ze leek geen reactie te verwachten, want terwijl hij nog nadacht over haar woorden zei ze: 'Jeannine! Wat is Polly groot geworden deze zomer!'

'Ja, helaas, ze is nu een tiener,' zei Jeannine. 'De hemel sta ons allen bij.'

Maryam lachte even en wendde zich af om met haar de kamer uit te gaan, met Dave in hun kielzog. Misschien wilde hij toch wel taart, dacht hij. Zomaar opeens had hij daar bepaald trek in.

September bracht die geur van dorre bladeren die zich zo licht liet verwarren met de geur van versgeslepen potloden, en de buurtkinderen gingen weer naar school met hun reusachtige boekentassen en de studenten reden weg in hun volgepropte auto's, en het feit dat hij nu met pensioen was trof Dave van voren af aan als een klap in zijn gezicht. Laat maar zitten, al die warme afscheidswoorden van afgelopen juni. Vergeet de opdracht in het jaarboek (*Voor onze geliefde meneer Dickinson, die de natuurkunde voor drie generaties Woodbury-meisjes tot leven bracht*) en de al te vele recepties met hun oogst aan cadeaus, merendeels klokken, wat ironisch leek als je bedacht dat hij niet langer zo nodig hoefde te weten hoe laat het was. Dit was het moment van de waarheid: de herfst, toen de rest van de wereld opnieuw begon maar Dave zelf gewoon doorging, gewoon doorging net als in de zomer. Hij had gedacht dat hij niet kon wachten tot hij het achter de rug had. Ze hadden hem afgemat, die meisjes van Woodbury! Maar nu merkte hij dat hij ze miste, hun hese, hijgerige stemmen die elke bewering besloten met een vraagteken, en hun onbedaarlijke emotionele crises die schier ieder uur uitbarstten, en zelfs hun raadselachtige aanvallen van de slappe lach, hoewel hij vaak had vermoed dat hij degene was om wie ze lachten. Die zouden hem al zijn vergeten. Hij maakte zichzelf niets wijs. Ze raakten nu al hoteldebotel van zijn opvolger, een heel plezierige jongeman, vers van Princeton. Alsof je over een rode loper liep en als je omkeek merkte dat de bedienden hem al achter je oprolden. Hij was wég. Zijn hele zelfbeeld kreeg een knauw toen hij ontdekte hoezeer hij zich dat aantrok.

Hij was altijd een goede klusser geweest – een bekwaam

reparateur en houtbewerker, intuïtief vernuftig – en daarom was hij ervan uitgegaan dat het pensioen hem makkelijk zou vallen. Maar op een dag stond hij in het souterrain om een drieweglampfitting te vervangen en voelde hij opeens dat hij het in de bedompte, waterkoude, naar aarde ruikende lucht geen minuut langer uithield. Het smerige raampje boven zijn hoofd deed hem denken aan de dichtgeschilderde ruiten in vervallen fabrieksgebouwen, en zijn werkbank met het keurig opgehangen gereedschap, stuk voor stuk omgetrokken in wit en gerangschikt naar functie en grootte, huisde in een kille kubus van fluorescerend licht waaromheen het donker van alle kanten opdrong, zelfs op deze zonnige middag. Hij verbeeldde zich dat hij geen adem kon krijgen. Hij vroeg zich af hoe lang hij hier zou liggen als hij toevallig een beroerte kreeg.

Boven in de keuken (luchtig en bijna té licht) klokte hij een glas water naar binnen terwijl hij de vervangende fitting bestudeerde, die hij per abuis had meegebracht. Op dat moment viel het hem in dat hij zijn werkbank naar boven kon verhuizen. Nu ja, misschien niet de werkbank zelf, of het grotere gereedschap, maar zeker de kleine spullen. Hij kon het kamertje overnemen dat ze het werkhok noemden en dat direct aan de keuken grensde en diende als een soort vergaarbak voor Connies naaigerei en de onbetaalde rekeningen en de overjarige tijdschriften. Er was immers niemand die bezwaar zou maken. Hij voelde iets opflakkeren van zijn oude vuur. Iets te doen! Hij zette zijn glas op het aanrecht en ging naar het werkhok om poolshoogte te nemen.

Het huis was een onregelmatig gebouwd pand in Mount Washington, waar ze bijna veertig jaar terug waren ingetrokken toen de kinderen klein waren, en ze hadden uit pure laksheid de rommel laten aanwassen. Daarbij was Connie van nature ongeorganiseerd geweest. Hoe vaak had Dave niet gemopperd over de op een stoel achtergelaten schaar of het zoekmaken van zijn beste buigtang? Een hele hoekkast lag vol lapjes, en hij wist zonder te hoeven kijken dat sommige ervan wel waren geknipt maar nooit in elkaar gezet, de vloeipapieren patroondelen nog opgespeld; en dat andere tien of vijftien jaar geleden in een opwelling waren gekocht maar nooit gebruikt, en op de vouw verbleekt door stof en zonlicht. Het deed hem een boosaardig plezier dat hij eindelijk, eindelijk dit hok drastisch op orde kon brengen.

Die middag en de hele volgende dag stopte hij voorwerpen in plastic vuilniszakken voor het goede doel. De lapjes en het breigerei, een pak Butterick-knippatronen, een rieten naaimand, een half afgemaakt wiegendekentje waaraan best kon zijn begonnen in de eerste maanden van hun oudste kleinkind. Een blikken verfdoos, de kleuren ingedroogd tot gekrompen tabletjes. Een geheel blanco schetsboek, aan de randen vergeeld. Een ponstang voor leer waarnaar hij al sinds vorig jaar kerst had gezocht. Een boek over poppenhuiskleedjes in petit point dat in de bibliotheek terug had moeten zijn op 16 mei 1989. Een gebruiksaanwijzing voor een elektrische schrijfmachine die ze niet meer hadden. Een doosje ongebruikte bedankkaartjes. Twintig jaar belastingaangiften waaraan een paar jaar ontbraken.

Bij nader inzien bewaarde hij wel de aangiften. Toen hij ze opviste, viel zijn oog op het naaimandje en viste hij ook dat op, want hij kon immers nu en dan een knoop moeten aanzetten. Toen dacht hij aan andere dingen, zoals het etuitje van groen vinyl met haaknaalden dat hij al in het begin had weggegooid. Haaknaalden waren heel handig gereedschap voor kleine reparaties. In welke vuilniszak had hij die ook weer gedaan?

Aan het eind van de tweede dag lag het hok er véél erger bij dan toen hij begon. Er was amper meer plaats om te lopen.

De aangiften vulden de ene fauteuil, en de bank lag vol met stapels fotoalbums en dikke bruine enveloppen met andere foto's die hij dacht later wel uit te zoeken. Hij kon niet eens gaan zitten. Hij voelde zich verslagen.

Hij opende de onderste bureaula, waar hij de aangiften hoopte op te bergen, en stuitte op een restant verpleegartikelen. Ze dateerden uit de eerste dagen van Connies ziekte, vermoedde hij. In de latere dagen had haar uitrusting zich – gelijk op met haar kwaal – verder uitgezaaid en hun leven gevuld. Er kwam een hospitaalbed in de woonkamer en een rolstoel in de vestibule. Maar de spullen in de bureaula waren minimaal en bescheiden: een doosje alcolholwatjes en een digitale thermometer en een gefotokopieerd informatieblad over de bijwerkingen van chemo.

Dave zelf noemde het nooit 'chemo'. Hij weigerde zo gemeenzaam te spreken over iets zo afgrijselijks. Hij gebruikte het hele woord: chemotherapie.

Connie had gezworen dat het haar er niet onder zou krijgen. Zij zou er vlot doorheen rollen, had ze gedacht. Tot op een ochtend Dave zich had afgevraagd waarom hij tot zijn enkels in het douchewater stond en hij omlaag had gekeken en de afvoer verstopt had gezien door dikke plukken van haar haar. Zij had het nog niet in de gaten; het was pas 's avonds dat ze haar dichtgeslibde kam had opgemerkt. En hij zei er niets van. Het was het begin van de zich verwijdende scheiding tussen hen. Of hij wilde of niet, hij bleef in de wereld van de zorgeloos gezonden en Connie sloot zich aan bij een intieme kring van lotgenoten die elkaar vonden in wachtkamers, waar ze symptomen vergeleken en alternatieve behandelingen bespraken en gouden tips uitwisselden over diverse methoden om het vol te houden. (Perziken in blik, daar zwoer één man bij.) De verzorgers, hologig en moe, wisselden meewarige blikken, maar zeiden niets.

Ze bewoog zich verder en verder van hem vandaan. Ze stortte zich in de strijd tegen elke nieuwe kwaal die nu hier, dan daar de kop opstak, net als ze niet keek, net wanneer een of andere testuitslag of consult hun hoop had gewekt, terwijl Dave zich in zijn eentje met de verzekering en de doktersrekeningen en de recepten bemoeide.

Soms dacht hij dat de bijwerkingen van chemotherapie aanstekelijk waren. Hij verloor zijn eetlust en voelde zich constant vaag misselijk, en het leek wel of zijn bloed, als hij zich sneed bij het scheren, langer deed over het stollen. Dat zei hij ook tegen Connie en zij zei: 'Heb je énig idee hóe onbenullig dat klinkt voor iemand in mijn toestand?' De schok van geschoffeerdheid die haar vraag hem gaf, deed hem bijna deugd. Eén ogenblik was hij verlost van schuldgevoel. Maar slechts een ogenblik.

'Mijn hele leven,' zei hij nu tegen Bitsy aan de telefoon, 'ben ik zo ongeduldig geweest om het volgende stadium te bereiken. Ik zat te popelen tot ik groot was, van school kwam, ging trouwen; kon niet wáchten tot jullie kinderen leerden lopen en praten. Ik zette zoveel mogelijk vaart achter de dingen. En waarvoor? Dat vraag ik me nu af. Maar wat nog het ergst is: als ik terugdenk aan de ziekte van je moeder, zie ik dat ik op een punt kwam dat ik niet kon wachten tot ook dát voorbij was. Ik gruw van mezelf.'

'Ja maar natuurlijk kon je niet wachten,' zei Bitsy sussend. 'Je beeldde je in dat ze weer beter zou worden.'

'Nee, liefje, dat is niet wat ik bedoel,' zei hij, al overwoog hij een moment te doen alsof. 'Ik bedoel dat ik wenste dat je moeder opschoot en doodging.'

De stilte duurde zo lang dat hij spijt kreeg dat hij het haar had verteld. Sommige dingen kon je beter voor je houden. Eindelijk zei ze: 'Pa, vind je 't prettig als Jin-Ho en ik op bezoek komen?'

'Nee!' zei hij, omdat hij niet wilde dat ze zag wat er met het werkhok was gebeurd.

'Kom je liever hier? Dan kun je met ons lunchen. Gewoon brood met pindakaas en jam, maar we zijn altijd blij met je gezelschap.'

'Dank je, maar ik heb nog het een en ander af te maken in huis,' zei hij, en hij zei gedag.

Het was verkeerd haar ermee te belasten. Hij zou hier alleen doorheen moeten.

Hij ging naar de keuken en maakte een kom koude muesli klaar, maar kreeg die met zo veel moeite door zijn keel dat hij het na drie happen opgaf. Hij zat dof aan de keukentafel en staarde naar de tuin van de buren, waar de boomsnoeiers een enorme knoestige esdoorn kapten. De dag ervoor hadden ze de bebladerde uiteinden afgezaagd en die aan de versnipperaar gevoerd, en hij kon zich voorstellen dat de esdoorn daar 's nachts moest hebben gestaan in iets als een botanische shock. Maar per slot van rekening waren alleen de dunste twijgen verwijderd. Een zo grote boom kon zich daaraan aanpassen. Deze ochtend nu waren de mannen verdergegaan met de dikkere takken, en misschien kon hij zich ook daaraan aanpassen, al was de boom nu zo stomp en kortarmig geworden als een reuzencactus. Nu echter zetten ze hun kettingzagen aan het werk op de stam zelf en bleken al die eerdere aanpassingen voor niets te zijn geweest.

Hij stond moeizaam op en bracht zijn kom naar de gootsteen.

's Nachts keek hij uit naar de slaap, omdat zijn dromen zo levendig waren geworden. Het was als een geheel afzonderlijk leven; naarmate zijn wakende leven fletser werd, werd zijn slapende leven kleurrijker. Hij droomde bijvoorbeeld dat hij een reusachtige tijger had met een ruige, geel geworden mat van lang wit haar onder zijn kin. De tijger sjokte de kamer in en richtte zich geruisloos op om zijn voorpoten op het voeteneind van het bed te zetten en Daves slapende gestalte te overzien. Toen leek hij een besluit te nemen en sprong erop, waarbij hij een diepe deuk in de matras maakte, en trad over de dekens om zijn neus vlak voor Daves gezicht te houden. Dave rook zijn warme, vleesachtige adem en voelde het kietelen van zijn snorharen, ook al raakten die hem niet. Het was een prettige, vriendelijke ervaring, niet in het minst angstaanjagend. Maar toen hij ontwaakte, was de tijger weg en lag hij alleen in zijn bed.

Misschien dat zijn dromen waren beïnvloed door het gescharrel van de dieren op de zolder op geringe afstand boven zijn hoofd – eekhoorns of wasbeertjes of muizen. Hij moest stappen ondernemen om ze kwijt te raken, maar er was een gezellige intimiteit in die nachtelijke geluiden en dus stelde hij het aldoor uit.

Als een niet-bestaande tijger hem kon bezoeken, waarom dan niet Connie? Waarom zou zij niet over hem kunnen waken, zo nabij als die zolderdiertjes?

Ze geloofde altijd dat haar voorouders op haar pasten. Ze was spiritueler geweest dan hij, zij het niet conventioneel gelovig, en ze citeerde vaak een heidens gezegde: 'Dankbaarheid is de wortel van alle deugd', waarvan ze de betekenis zo uitlegde dat je degenen die je waren voorgegaan indachtig moest zijn. In haar verbeelding moedigden haar grootouders haar aan en loodsten ze haar door de moeilijke gedeelten, evenals haar overgrootouders die ze nooit had gekend en de betovergrootouders enzovoort, helemaal terug naar vroeger. Dus waarom zou Connie zelf niet op Dave kunnen passen? Dat het een niet volgde uit het ander kwam pas achteraf in hem op. Connie was niet zijn voorouder. Ze waren niet eens familie van elkaar. Maar dat vergat hij steeds. Hij dacht aan het doktersconsult waarbij een dokter kort en hypothetisch iets had geopperd over een beenmergtransplantatie. 'Ze kan míjn beenmerg krijgen!' had Dave gezegd, en pas bij de verwonderde blik van de dokter had hij zijn vergissing beseft.

Hij sloot weer zijn ogen en dwong haar aanwezigheid af. Hij riep zich haar concreetste bijzonderheden voor ogen: haar lange, sponzige oorlellen, de als musseneieren gespikkelde ruggen van haar handen, het lichte kwaken in haar stem dat haar altijd zo aandoenlijk vrijmoedig en pretentieloos deed klinken. 'Weet jij nog hoe het was, een afspraakje hebben op een lenteavond?' vroeg ze. Ze sprak niet tegen Dave; het was tegen iemand aan de telefoon. Ze zat aan de keukentafel met een plantschopje op haar schoot; blijkbaar had het gesprek haar tuinwerk onderbroken. 'Elk jaar wanneer het lente wordt, moet ik daaraan denken. De jongens kwamen het pad op in hemden met korte mouwen die nog naar de strijkbout van hun moeder roken, en wij meisjes droegen bloemetjesjurken en ballerina's en geen kousen en er was iets zo fris en zo... vrij aan die eerste blote benen van het seizoen...'

Dave zat in de woonkamer met zijn twee zoons en nog iemand anders. Wie? Een buurvrouw, een vriendin van Connie die even was komen aanwippen. 'Connie is aan de telefoon,' had Dave gezegd, 'maar ze zal zo wel ophangen.' Hij hield zijn hoofd schuin om te luisteren naar een afsluitende toon in Connies stem, maar ze sprak net even niet en hij besefte nu dat ze al een paar minuten had gezwegen. Toen begreep hij dat die stilte reëel was – de stilte in de werkelijke slaapkamer – en dat Connie nooit meer zou spreken.

Het oudste fotoalbum toonde vrouwen in stijve japonnen en met ingewikkelde kapsels, mannen in boorden zo hoog dat hun kin erin verdween, en stug kijkende baby's, gesmoord in witte kant. Die mensen hadden hem misschien geïnteresseerd als hij had geweten wie het waren, maar dat wist hij niet. De met inkt geschreven titels op de achterkant waren frustrerend weinigzeggend. 'Zondag 10 September 1893, juist voor een heerlijk onthaal', stond er. Of: 'Kerstmis, met de prachtige amaryllis van Moeder'. Het was net of niemand zich had voorgesteld dat er een dag zou komen waarop deze mensen vreemden zouden zijn.

De latere albums waren duidelijker geannoteerd, maar zelfs al waren ze dat niet geweest dan zou hij zijn grootouders van vaderszijde hebben herkend, op een weids gazon gezeten met hun eerstgeborene, die zijn tante Louise zou worden. Arme tante Louise: ze had haar enige liefde aan tb verloren en stierf ontzind in een verpleegtehuis op haar achtentachtigste, maar op de foto waggelde ze triomfantelijk op de camera af met beide armpjes uitgestrekt, en sloegen haar ouders haar vorderingen gade met o zo trotse en blijde glimlachjes.

In de jaren veertig zagen de mensen er verrassend zwierig uit, zelfs zijn moeder in haar huisjapon met de schuine strepen. In de jaren vijftig kregen ze kleur, meest knallend roze en blauw, maar nu waren ze tuttig en verkreukeld en het haar van de mannen was te kort geknipt. Had Connie er echt mee ingestemd zich te vertonen in een glimmend lichtroze, recht jurkje dat halverwege de kuit nauwer werd zodat je je afvroeg hoe ze erin kon lopen?

Daarna moest het leven gehaaster zijn geworden, want de latere foto's waren niet meer ingeplakt. Dave maakte elke bruine envelop open om er een blik in te werpen: Bitsy met haar vooruitstekende tanden, in de fase vóór haar beugel; Abe met een jonge terriër die was overreden kort nadat ze hem kregen; weer Abe, bij zijn afstuderen. In de onderste, dunste envelop waren Jin-Ho en Susan bellen naar elkaar aan het blazen, maar zelfs zij leken lang geleden, hun gezichtjes ronder dan tegenwoordig en minder bepaald, minder specifiek.

O, wat had het voor zín, wat had het voor zín, wat had het voor zín?

Hij mestte de hoekkast uit (drie aparte stofdoeken waren ervoor nodig) en legde de albums en de enveloppen op de onderste plank. Hij borg de aangiften op in de bureaula waar de verpleegspullen waren bewaard. Uit de kelder haalde hij zijn boxje met miniatuurgereedschap, zijn timmerkist met vakken voor schroeven en spijkers en zijn reparatiehandboeken en zijn blikje plakmateriaal, en die schikte hij op de bovenste planken van de kast, bij de haaknaalden en Connies naaimand. Hij sjouwde de rommel naar het achterom, en de kringloopzakken naar zijn kofferbak. Hij stofte het bureau af en de lampentafeltjes. Hij deed de schoonmaaklappen in de wasmand. Hij stofzuigde de vloer en de bank, die bezaaid was met spikkeltjes papier.

Hij was te moe om eten te koken, dus dronk hij twee glazen scotch en ging naar bed. Zijn slaap was een bedwelmde slaap, wattig, alsof er een lap over zijn gezicht lag. Hij droomde dat hij buiten op het land was, door een enorm veld liep, dat naar hij begreep een begraafplaats was voor meubels. Prijsgegeven meubelstukken waren gegroepeerd per categorie – een kavel bedden, een kavel commodes, een kavel eettafels. Tientallen leunstoelen stonden onder een moerbeiboom, de zittingen leeg op het onkruid na dat door de kussens heen groeide, en het feit dat ze tegenover elkaar stonden maakte dat ze des te eenzamer leken. 'Hoe houden ze dat uit?' vroeg hij en iemand in de verte, een man in verschoten kleren, galmde: 'O, hoe houden ze dat uit?' op een spottende, venijnige toon. Hij bleef stokstijf staan, pijnlijk verslagen. Toen voelde hij een hand in de zijne glijden en toen hij omkeek, zag hij Maryam Yazdan die bedaard de stoelen overzag. 'Ze denken aan alles wat ze hebben doorgemaakt,' zei ze. 'Daar denken ze graag aan.' Hij vond dat een troost, om de een of andere reden, en toen ze zei: 'Zullen we gaan?' verstrakte hij de greep van zijn hand om de hare en volgde haar het veld af.

Hij werd wakker en lag heel lang te staren in het donker.

6

Toen Maryam hoorde over Sami en Ziba's nieuwe huis, hadden die al een aanbetaling gedaan en een datum afgesproken voor de overdracht. Ze zei: 'Een nieuw huis? Ik wist niet dat jullie op zoek waren!'

'O, we wisten het zelf amper,' zei Sami en Ziba zei: 'We hadden geen idee of we zouden vinden wat we wilden, dus waarom zouden we iemand iets zeggen?'

Maar Maryam was niet zomaar iemand, en ze vond het vreemd dat ze zo terughoudend waren geweest. Ze moesten huizencatalogi hebben bestudeerd, tal van rondritten hebben gemaakt, de merites van het ene pand hebben vergeleken met die van een ander. En ze hadden er nooit met een woord van gerept tegen haar!

Maar ze zei: 'Nou, dat is geweldig. Gefeliciteerd.' En ze tikte Susan op haar knie. Ze zaten in Maryams woonkamer, Susan op de bank naast haar met een prentenboek op haar schoot. 'Ben je opgewonden?' vroeg Maryam. 'Heb je je nieuwe kamer al gezien?'

'Met een echte vensterbank,' vertelde Susan.

'Een vensterbank! Heus waar?'

'Je tilt het kussendeel op en dan is eronder ruimte voor mijn speelgoed. Ik en Jin-Ho zijn er zelfs helemaal in geklommen.'

Jin-Ho was er al geweest?

Ze hadden het de Donaldsons al verteld?

Sami schraapte zijn keel en zei: 'We hebben het tegen Brad en Bitsy gezegd omdat het bij hen in de buurt is.'

'Ah. In Mount Washington,' zei ze.

'Ik hoop dat je niet teleurgesteld bent dat we niet dichter bij jou komen wonen, ma. We hébben gedacht aan Roland Park, maar de algemene sfeer in Mount Washington leek meer, ik weet niet...'

De algemene sfeer in Mount Washington leek meer Donaldsoniaans, dacht Maryam. Beter daarvan gezwegen. 'Och, jullie zijn toch nog heel dichtbij,' zei ze. 'Vijf of tien minuutjes maar! Ik ben er verrukt van.'

Toen bogen Sami en Ziba tegelijk naar voren om hun theekopje op te pakken, alsof ze zich opeens ontlast voelden. En Maryam pakte haar eigen kopje en lachte hen toe.

Ze meende nu te weten waarom ze niets hadden verteld. Ze geneerden zich ervoor zo zichtbaar de Donaldsons alwéér na te doen. O, die Donaldsons, met hun twijfelloze aanname dat hun manier de enige manier was. Geef je dochter dit te eten en niet dat; laat haar naar deze programma's kijken en niet die; woon hier en niet daar. Zó Amerikaans waren ze.

Maar Sami en Ziba vonden de Donaldsons uniek, en Maryam vond niet dat zij degene moest wezen die hen uit de droom hielp.

Het nieuwe huis stond in Pettijohn Street, drie blokken van dat van Brad en Bitsy vandaan. Het had een grote veranda, statige oude bomen en een ruime tuin erachter. Alleen was er maar één logeerkamer, dus zei Ziba dat ze een bedbank moesten kopen voor de familie. Ze nodigde Maryam uit mee te gaan toen ze ging winkelen. Uiteraard kende ze alle meubelwinkels vanwege haar werk, en ze sprak met kennis van zaken over stijlen en stoffen en geplande levertijden. 'O, alstublieft! Niets van Murfree-Mainsburgh,' zei ze tegen een verkoper. 'Die doen eeuwig over hun bestellingen.' Maryam was onder de indruk, ook al twijfelde ze in stilte aan Ziba's smaak. Ziba zei dat haar langetermijndoel was het hele huis Amerikaans koloniaal in te richten, en ze wees naar hemelbedden met kanten baldakijn, met velours gevoerde 'levenskistjes' voor aandenkens, taboeretjes op gedraaide poten, en speelhoekjes met uitgeschulpte randen, alles in glimmend chocolakleurig hout dat niet helemaal echt leek. Maar wat wist Maryam ervan?

Ze verhuisden op een vrijdag eind april – een niet-werkdag voor Ziba en een werkdag voor Maryam, zodat Maryam niets anders hoefde te doen dan de gang door lopen om Susan van de kleuterschool te halen toen het tijd was om naar huis te gaan. Ze had aangeboden Susan tot 's avonds bij zich te houden.

Susan, die pas in januari vier was geworden, zat nog in de 'Drietjesklas'. Meestal weerstond Maryam de aandrang om bij haar te gaan kijken, en wanneer de Drietjes langs het met glas omsloten werkkamertje trokken op weg naar de speelplaats, probeerde ze niet van haar werk op te kijken. Het was dan ook een genoegen dit excuus te hebben om meteen door te lopen naar de klas. De kinderen waren hun tekenspullen aan het opbergen, wasten hun handjes bij de kniehoge wastafels, hingen hun morsschortjes in de kastjes met hun naam erop. Het kostte Maryam een minuutje om Susan te vinden, omdat die aan de leestafel zat met een boek. Was ze al vroeg klaar geweest met haar tekenwerkje, of had ze helemaal niet bij de groep gezeten? Dat baarde Maryam altijd zorgen, omdat Susan zo ingetogen leek naast haar drukkere klasgenootjes. Toch bleven de juffies erbij dat ze het prima deed. 'Ze is zo'n... persóóntje,' had er een gezegd, nog kort geleden. Precies Maryams mening, en dus was ze wat losser geworden, voor het ogenblik.

''t Is tijd,' zei ze nu tot Susan. 'Je gaat vandaag met mij mee naar huis, weet je nog wel?'

Susan sloeg haar boek dicht en zette het netjes weg op de

plank, alles zonder een woord te zeggen, maar toen ze langs een van de juffies liep, zei ze: 'Ik ga in mijn nieuwe kamer slapen vannacht.'

'O, dat wist ik al!' zei juffie. Greta was dit – een pittig type.

'Maar eerst ga ik naar Mari-june omdat mamma bezig is mijn bed in elkaar te zetten.'

'Nou, bof jij even!' zei Greta en ze gaf Maryam een vlugge grijns. 'Veel plezier allebei.'

Maryam lachte en bedankte haar, maar Susan liep de klas uit zonder te reageren. En in de auto weigerde ze over haar dag te praten. Je zou denken dat Maryam inmiddels beter zou weten, maar ze betrapte zich telkens op de vraag: 'Hoe was het op school? Wat heb je gedaan?' terwijl Susan uit het zijraampje staarde in een zwijgen dat niet onbeleefd leek maar diplomatiek, alsof ze Maryams faux pas minzaam door de vingers zag. Ze zat nog in een veiligheidszitje, omdat ze zo weinig woog. Jin-Ho was inmiddels opgeklommen naar een zitkussen, maar daarvoor kwam Susan nog niet in aanmerking, ook al bleef ze erom zeuren.

Nog maar een week eerder had Maryam een zwerfkatje in huis gehaald dat ze 'Moush' had genoemd – Farsi voor muis – om zijn grijze vacht. Susan was dol op hem, en zodra ze er waren moest ze alle kamers door rennen en 'Moush? Moush?' roepen. 'Moushi-jon! Waar ben je, Moushi-jon?'

'Laat hem jóu zoeken,' zei Maryam. 'Kom in de keuken zitten voor je hapje. Dan komt-ie vanzelf te voorschijn.'

Hetgeen ook gebeurde. Susan was nauwelijks aan haar melk en koekjes begonnen, toen Moush uit het niets verscheen om zich om de poten van haar stoel te kronkelen. 'Moush!' kraaide ze. 'Mag ik hem wat geven? Mag ik hem een beetje van mijn melk geven?'

'Probeer de kattensnoepjes,' zei Maryam en gaf haar een doosje aan.

Susan gleed van haar stoel en hurkte naast Moush, met haar puntige knietjes naar buiten uitgestoken. Aan de muur boven haar begon de telefoon te rinkelen en Maryam reikte ernaar om op te nemen. 'Hallo?' zei ze.

'Met Dave Dickinson, Maryam. Hoe is het met je?'

'Hallo, Dave. Goed, en met jou?'

'Ik begrijp dat jij vanmiddag op Susan past.'

'Ja, tot de verhuizers klaar zijn.'

'Ik dacht, misschien vind je 't prettig als ik Jin-Ho breng om haar gezelschap te houden.'

'O, heb jij Jin-Ho vandaag?' vroeg Maryam.

'Eh, nee, maar ik kan haar ophalen.'

'Dat zou heel fijn zijn. Susan,' zei ze, 'vind je 't leuk als Jin-Ho komt?'

Susan zei: 'Ja!' zonder haar ogen van het katertje af te wenden, dat voorzichtig aan het snoepje rook dat ze hem voorhield. Dus zei Maryam tegen Dave: 'We zien haar graag komen. Dank je dat je eraan dacht.'

'We zijn er met een halfuurtje,' zei hij.

Dat soort aanbiedingen deed hij tegenwoordig vaak. Hij zou Connie wel missen. En Maryam vermoedde ook dat hij moeite had met het wennen aan gepensioneerd zijn. Ze zag het aan de manier waarop hij elk gesprek rekte en eindeloos deed over gedag zeggen, en steevast van de partij was wanneer de Donaldsons en de Yazdans bij elkaar kwamen voor een of ander sociaal gebeuren.

Deze middag bleef hij hangen nadat hij Jin-Ho had gebracht, ook al zei Maryam dat ze met alle plezier alleen op beide meisjes paste. 'Niet dat ik iets beters te doen heb,' zei hij en toen trok hij een vreemd gezicht. 'Ik bedoel,' zei hij, 'ik ben hier gráág. Als ik jou niet in de weg zit.'

'Niet in het minst,' zei Maryam. Eigenlijk was ze van plan geweest deze tijd te gebruiken om een maaltijd klaar te maken voor Sami en Ziba, maar ze vroeg: 'Kan ik thee voor je zetten? Of koffie?'

'Koffie zou lekker zijn. O, maar, pardon; je hebt dingen te doen zeker? Heus, ik heb geen nóód aan koffie.'

Ze glimlachte om zijn manier van uitdrukken. Hoewel 'nood', als je erbij nadacht, een woord was dat Dave de laatste tijd samenvatte. Hij keek de mensen zo verwachtingsvol aan; hij hield zijn ogen zo standvastig op haar gericht terwijl zij door de keuken liep. En toen ze zijn koffie voor hem neerzette, was hij zo buitensporig dankbaar. 'Dat is heel lief van je,' zei hij. 'Ik stel het zeer op prijs, al die moeite die je doet.'

'Het was geen moeite,' antwoordde ze.

Zolang hij daar alleen maar zat, kon ze evengoed verdergaan met koken. Ze nam een pan uit de kast, bijna geruisloos, alsof dat zou voorkomen dat hij merkte wat ze van plan was. Terwijl ze water in de pan liet lopen, zei hij iets wat ze niet verstond, en ze wachtte tot ze de kraan had dichtgedraaid voor ze zei: 'Pardon?'

'Ik zei: deze koffie smaakt ongewoon heerlijk. Heb je die van ergens speciaal?'

'Gewoon, van de supermarkt,' zei ze lachend.

'Nou, misschien komt het doordat iemand anders dan ik hem heeft gezet. Ik krijg zo genoeg van zelfgekookt eten.'

Een grijze flits schoot voorbij: Moush ontsnapte aan de meisjes die hem op de hielen zaten. Hij was niet zozeer aan het hardlopen als wel aan het snelwandelen, om zijn ponteneur op te houden, en de meisjes wisten hem in een hoek te drijven tussen de tafel en de deur. 'Moushi-Moush,' zeiden ze. 'Moushi-june!' zei Jin-Ho zelfs, die op haar hurken naast Susan zat en hem een kattensnoepje voorhield. Net als Susan droeg ze een broekje en een T-shirt en aan haar voeten van die winegum-sandaaltjes die dit jaar bij alle kinderen in de gratie waren.

'Moushi? Heet hij zo?' vroeg Dave.
'Moush,' zei Susan.
'Zo, hé hallo, Moush!' zei Dave hartelijk. 'Waar kom jij zo opeens vandaan?'
Susan wendde zich tot Maryam en rimpelde haar voorhoofd. Ze zei: 'Ik wist niet dat Moush kon praten.'
'Dat kan-ie ook niet,' zei Maryam, ondertussen rijst opscheppend. 'Jij zult voor hem moeten antwoorden.'
'O.' Susan keek weer naar Dave en zei: 'Mari-june heeft hem gevonden onder haar veranda.'
'Moush heeft geluk!' zei hij.
'Weet je,' zei Susan, 'ik ga vanavond slapen in mijn nieuwe kamer.'
'Heb ik gehoord. Je hebt een heel nieuw huis.'
'De verhuiswagen verhuist mijn bed vandaag.'
'Is het een gewoon huis of een toverhuis?' vroeg Dave.
'Wat?'
'Nou, kijk, op sommige ochtenden wanneer ik ga joggen, zie ik een huis twee straten verderop waar ik heel graag naar kijk. Het heeft een schommelbank en een hangmat, en een koepel op het dak. Maar op andere dagen zie ik het niet.'
Susan zakte op haar hielen en nam hem zwijgend op.
'Ik bedoel,' zei hij, 'het is er niet.'
'Waar is het dan naartoe?'
'Ja, dat weet ik niet,' zei hij. 'Soms is het er en soms niet. Veel dingen doen dat – meer dan wij kunnen weten.'
'O ja?' Ze keek naar Maryam. 'Ja?' vroeg ze Maryam.
'"Er was er één en er was er géén",' citeerde Maryam, tot haar eigen verrassing. '"Behalve God was er niemand."'
Dave zei: 'Wat is dát?'
'Zo begonnen de mensen thuis vroeger oude verhalen. Het is iets als "Er was eens", denk ik.'
'Werkelijk!' zei Dave. Hij zette zijn koffiekopje neer. 'Wat

fascinerend! Hoe ging het ook weer? Er was er één...'

'O, och, het is maar een vrije vertaling,' zei ze.

'Nee, echt. Hoe gaat het?'

Ze kon niet zeggen waarom ze zich opeens zo moe voelde. Ze liet de schep in de rijstbak vallen. Aan haar voeten vroeg Susan: 'Wat is een koepel, Mari-june? Heeft mijn nieuwe huis een koepel?'

In plaats van te antwoorden zei Maryam tegen Dave: 'Maar zeg, het is belachelijk dat je hier de hele middag zou moeten blijven en duimen zitten draaien. Als ik nu Jin-Ho tegelijk meeneem wanneer ik Susan naar huis breng?'

'O,' zei hij.

Ze voelde een steek van wroeging. 'Niet dat je niet welkom bent,' zei ze. 'Maar er is geen reden om beslag op je dag te laten leggen.'

'Ik héb geen dag, Maryam.'

Ze deed of ze dit niet hoorde. 'Je hoeft alleen maar Jin-Ho's kussen naar mijn auto te verplaatsen,' zei ze, 'als je 't niet erg vindt dat ik het vraag.'

Zodat hij gedwongen was te zeggen: 'Maar natuurlijk, nee, helemaal niet.'

Toen stond hij op, met zijn handen los naast zijn zijden hangend op een lege, troosteloze manier. Maar ze gaf toch niet toe.

Susan en Jin-Ho waren de hele middag zoet met een huisje bouwen voor Moush van een kartonnen doos. Ze bedelden Maryam een badmatje af om de bodem te bekleden en ze krasten met een viltstift raampjes op de muren. Als bedje gebruikten ze een schoenendoos met een sjaal van Maryam, hoewel deze waarschuwde dat Moush er hoogstwaarschijnlijk geen gebruik van zou willen maken. 'Katten zijn te eigenwijs om te slapen waar jij zegt dat het moet,' zei ze. Jin-Ho zei: 'Ook goed, dan wordt de schoenendoos zijn kastje,' maar Susan – die zelf behoorlijk eigenwijs was – zei: 'Nee! Het is z'n bed. Het moet z'n bed zijn!'

'Och, proberen zal geen kwaad doen,' zei Maryam.

'En we maken ook een koepel.'

Maryam lachte en ging verder met koken.

Rond zes uur belde Ziba op om te laten weten dat ze min of meer verhuisd waren. 'De meubels staan althans op hun plaats,' zei ze. Dus wikkelde Maryam de rijstpot in een handdoek, dreef de meisjes bijeen en bracht ze naar de auto. Toen ze Jin-Ho afzette bij de Donaldsons kwam Bitsy naar buiten met een piepschuimen koeldoos met voedsel voor Sami en Ziba. 'Dit kan dienen voor morgen,' zei ze, 'en dan dacht ik ze overmorgen bij ons te eten te vragen. Wil jij dan mee-eten, Maryam? Ik kan pa ook vragen.'

'O, dank je wel, maar ik heb andere plannen,' zei Maryam. Ze wilde niet dat Sami en Ziba dachten dat ze ál te betrokken was bij hun leven.

Op weg naar het nieuwe huis probeerde ze Susan oriëntatie bij te brengen. 'Kijk, als je straks oud genoeg bent om zelf van Jin-Ho naar huis te lopen, dan kom je langs dit grote huis met het latwerk, en dan steek je de straat over – eerst naar twee kanten kijken, denk erom – en dan bij deze volgende straat ga je naar rechts, bij de tuin met het vogelhuisje...'

Susan luisterde zwijgend, bestudeerde elk herkenningspunt alsof ze het uit haar hoofd leerde. Ze had een prachtige houding. Ze zat op haar stoel als een koninginnetje, volmaakt beheerst.

Ziba kwam hun bij de deur tegemoet in een van Sami's oude overhemden. Haar gezicht glom van het zweet en ze had een vuile veeg op een jukbeen. 'Kom erin!' noodde ze hen. 'Welkom in je nieuwe huis, Susie-june!' Ze tilde Susan met een zwaai van de grond en liet haar de woonkamer zien. 'Zie je hoe gezellig het wordt? Vind je 't mooi? Kijk waar we je hobbelpaard hebben gezet?' Maryam, met de pot rijst in haar handen, sloeg rechts af in plaats van links en ging op weg naar de keuken. Ze had Sami naar de auto willen sturen om Bitsy's koeldoos te halen, maar hij was nergens te bekennen en Ziba droeg nu Susan naar boven, een ietsje ongerust babbelend over hoe beeldig Susans nieuwe kamertje was; dus ging Maryam zelf de koeldoos halen. Toen ze hem uitpakte, zag ze dat Bitsy niet alleen had voorzien in een of andere stoofschotel en een plastic doos met sla, maar ook nog een toetje – een zelfgebakken taart. Ze zette de taart op tafel naast haar pot. De pot bevatte Sami's lievelingsgerecht: rijst met vis en gemengde groenten, een complete maaltijd op zichzelf, maar nu wenste ze dat ze had gezorgd voor iets erbij.

Ziba kwam de keuken in met Susan aan haar hand en zei: 'Wil je bij ons blijven eten?'

Maryam was er al van uitgegaan dat ze zou blijven, maar het feit dat de vraag was gesteld, maakte haar opeens onzeker. Ze zei: 'O, nou, ik weet dat jullie nog veel werk hebben.'

'Je bent meer dan welkom,' zei Ziba, niet ontkennend dat ze werk had.

Dus bedankte Maryam nogmaals en nam afscheid.

Toen ze in haar auto schoof en zwaaide naar Ziba en Susan, die haar nakeken vanaf de veranda, vroeg ze zich af of ze het verkeerde had gedaan. Had ze moeten aanbieden te helpen, het eten op tafel te zetten en met hen te eten en daarna op te ruimen? Of was Ziba blij haar kwijt te zijn? Het was zo moeilijk te zeggen. Soms kon ze begrijpen waarom Sami zich stoorde aan die omslachtige oude-land-plichtplegingen die ieders ware gevoelens verborgen.

Ze wierp een laatste blik op het stel op de veranda en reed toen weg; ze voelde zich onzeker en onvoldaan.

Het nieuwe huis veranderde hun leven, en uitsluitend ten goede. Susan kon samen met de buurkinderen buiten spelen – geen gecompliceerde speelafspraken meer. Het was tien minuten rijden naar haar kleuterschool, en minder nog naar de supermarkt en maar een klein eindje lopen naar de Donaldsons. Toen de school dichtging voor de zomer en Maryam haar dinsdag-donderdagoppasrooster hervatte, zat ze bij Sami en Ziba op de voorveranda genoeglijk aardbeien schoon te maken terwijl Susan op haar driewielertje reed, of ze scharrelde met Susan en Jin-Ho in het tuintje dat ze hadden aangeplant. De eerste dunne worteltjes waren eind juni rijp, en beide meisjes waren in alle staten. Ze aten ze rauw bij de lunch met een dipje van dille en yoghurt. Zelfs Susan, die doorgaans alle groenten versmaadde, verorberde er drie.

Maryam werkte in de zomer nog één dag per week op Julia Jessup. Ze betaalde wat rekeningen, deed de correspondentie af, voerde een paar telefoongesprekken om voorraden aan te vullen of het normale onderhoud te regelen. Dikwijls was de enige andere persoon in het gebouw de conciërge met zijn brede bezem die hij door reeds glimmende gangen duwde. De directrice van de school, mevrouw Barber, bracht haar zomers door in Maine, maar belde nu en dan op om te vragen hoe het ging. 'O, uitstekend,' zei Maryam dan. 'De mannen zijn er om de tegels onder het klimrek te vervangen, weet u nog wel. En de vader van de Windhamtweeling is overgeplaatst naar Atlanta, dus ik heb de eerstvolgende twee gezinnen op de wachtlijst aangeschreven.' Ze merkte dat ze beziger klonk dan ze eigenlijk was, alsof ze probeerde te bewijzen dat ze haar salaris verdíende.

Zelfs tijdens het schooljaar was dit een weinig eisende taak, vervuld in een gelijkmatig tempo tussen mensen die haar allang vertrouwd waren. Ze werkte in een soort trance, gezeten aan een smetteloos bureau midden in de zogeheten 'vissenkom', die ze deelde met mevrouw Barber en mevrouw Simms, de adjunct-directrice. Op de een of andere manier werd ze kalm van het uitvoeren van de allertriviaalste werkjes. Aan het eind van elke dag leegde ze de prullenbak van haar computer, en precies eens per maand defragmenteerde ze haar harde schijf.

In juli ging ze naar Vermont om haar dubbelvolle nicht te bezoeken, een dochter van een oom aan vaderskant en een tante aan die van haar moeder. Farah was een paar jaar jonger dan Maryam en in vrijwel alle opzichten anders dan zij. Wonend in een gebied waar iedereen autochtoon was, getrouwd met een ex-hippie die ze had ontmoet toen ze in Parijs studeerde, had ze ervoor gekozen overdreven Iraans te worden. Ze haalde Maryam van het vliegtuig in een zo exotisch kostuum dat zelfs in Teheran de mensen haar zouden hebben aangegaapt: een roodbruine satijnen tuniek over een strakke witte broek, slippers met opgekrulde punten en pailletten, zó uit een Perzische miniatuur, en een slab van gouden halskettingen die haar mollige boezem vrijwel geheel bedekten.

'Maryam-jon! Maryam-jon!' krijste ze, op en neer springend. Iedereen bij de gate – flets en duf bij haar vergeleken – draaide zich om en keek. 'Salam, Mari-june!' riep ze. Een ogenblik had Maryam willen doen alsof ze niets met deze vrouw te maken had, maar eenmaal tegenover elkaar zag ze de ogen van Farah Karimzadeh, lang en smal met spitse hoeken, en de Karimzadeh-neus, zo recht als een speld. Anders dan Maryam liet Farah haar haar grijs worden en de grijze haren kroesden en kronkelden uit de zwarte omhoog, precies zoals die van hun grootmoeder vroeger.

Tijdens de rit van de luchthaven naar huis (in een stoffige beige Chevrolet met een achterbank vol machineonderdelen), sprak Farah Farsi met zo'n vaart dat het in haar opgekropt leek te zijn geweest. Ze relayeerde al het nieuws van thuis, citeerde telefoongesprekken niet slechts woordelijk maar op de bijbehorende toon – het dunne dreinen van hun nicht Sholeh, het stierachtige bulken van hun achterneef Kaveh. Farah onderhield een veel nauwer contact met de familie dan Maryam. 'O, zeker tien keer per week,' zei ze, 'maakt de een of de ander me doodmoe met zijn geklaag, en op mijn kosten, ook nog.' Hetgeen impliceerde dat zíj het was die belde, maar waarom, als ze ze zo stomvervelend vond? Het soort schuldgevoel van de overlevende, misschien. 'Ze kunnen niet óphouden over de ongemakken van de huidige omstandigheden – hun uitgaansleven zo ingeperkt, bijna geen films toegestaan, bijna geen muziek, geen drank behalve wat de smokkelaars na donker leveren in bleekwaterflessen. Míjn leven is een en al plezier, denken ze. Ze hebben geen idee hoe zwaar het hier is!'

Als je haar zo zag, gehuld in satijn en glinsterend van het goud, had hun familie misschien gelachen, maar Maryam wist wat ze bedoelde. Het wás zwaar, zwaarder dan de mensen thuis zich ook maar konden voorstellen, en soms vroeg ze zich af hoe ze het beiden zo lang hadden volgehouden in een land waar alles zo snel ging en iedereen alle regels kende zonder te hoeven vragen.

'Mijn zuster somt lijstjes op van dingen die ik haar moet opsturen,' zei Farah. 'Sportschoenen en cosmetica en potjes vitaminepillen. Er zijn vitamines in Iran! Mankeert niets aan, maar zij gelooft dat de vitamines in Amerika krachtiger zijn. Ik heb haar een potje Vigor-Yytes gestuurd en na de eerste pil die ze nam, zegt ze: 'Nu al voel ik me zoveel jonger! Ik heb zoveel meer energie!'

Het uitspreken van de naam 'Vigor-Vytes' deed Farah overgaan op Engels, waarschijnlijk onbedoeld. Het was een verschijnsel dat Maryam onder Iraniërs vaak had waargenomen. Ze ratelden een eind weg in het Farsi en dan kon een of ander

Amerikaans leenwoord, meestal iets technisch als 'televisie' of 'computer', een knop omdraaien in hun hersens en gingen ze verder in het Engels, tot een Farsi woord de knop weer terugdraaide.

'Jij zult er minder last van hebben omdat je broers hun kinderen kunnen vragen dingen op te sturen,' zei Farah nu. 'Of althans Parviz, met die twee van hem in Vancouver waar alle winkels uitstekend zijn.' (Deze laatste zin schoot vliegensvlug heen en terug, eerst aangeklikt door 'Parviz' en toen door 'Vancouver'.) 'En daarbij, jij bent zoveel sterker. Jij zou gewoon nee zeggen. Ik zou ook sterker moeten zijn. Ik ben, hoe zeg je, een voetmat.'

'Voetveeg,' zei Maryam.

'Voetveeg. Ik ben een suffel.'

Maryam hield haar mond.

Ze waren door het landschap van Nieuw-Engeland gereden met een beslist niet toegestane snelheid, voorbij propere boerenhuisjes die langs het spoor van een speelgoedtreintje hadden kunnen staan. Nu sloegen ze af, een grindweg op, met een gerinkel van metaal vanaf de achterbank. Enkele minuten later parkeerden ze op het erf van het grijze houten huis van de Jeffreys. 'Ha, fijn,' zei Farah. 'William is thuis.'

Hij zat op het verandatrapje voor de deur – een pezige man in verschoten jeans. Toen hij de auto zag, stond hij op en kuierde grijnzend op hen toe. 'Salam aleikum,' zei hij toen Maryam uitstapte, en toen in het Engels: 'Fijn je te zien.'

''t Is fijn jóu te zien,' antwoordde ze, en drukte haar wang tegen de zijne.

William was een van die mannen die, in haar opinie, hun adolescentie nooit helemaal achter zich hadden kunnen laten. Zijn jeans was opgelapt met stukjes Amerikaanse vlag, en hij droeg een vlossig sikje en een lange vlecht, waardoor het leek, nu hij kaal was op zijn kruin, of zijn haar op de een of andere manier een eind naar zijn achterhoofd was afgegleden. Zijn geestdrift voor alles wat Iraans was trof haar ook als puberaal. 'Moet je horen!' zei hij nu. 'Te jouwer ere heb ik *fesenjan* gemaakt voor het eten vanavond.'

'Precies waarvoor ik in de stemming ben,' zei ze.

William had de algehele zorg voor het koken en het huishoudelijke werk. Bovendien was hij kostwinner: hij gaf creatief schrijven op de plaatselijke universiteit. Maryam kon zich niet voorstellen wat Farah met haar tijd deed. Ze hadden geen kinderen – hadden die niet gewild, kennelijk – en een baan had ze nooit gehad. Toen ze Maryam naar de logeerkamer boven bracht, zei ze: 'Nu dácht ik dat het bed was opgemaakt... o, ja mooi zo.' De veldbloemen op de commode, onhandig in een pulletje gewrongen, waren waarschijnlijk ook Williams werk.

Nadat Maryam had uitgepakt, ontmoetten ze elkaar voor de borrel in de salon, die dat holle, schuurachtige van een kale Nieuw-Engelandse boerenhoeve had, maar was ingericht met Perzische tapijten en Isfahani-email en edelsteenkleurige paisleydoeken. William vertelde van zijn nieuwste uitvinding: hij werkte aan een 'directiespeeltje' waar ze gegarandeerd rijk mee zouden worden. 'Het is iets in de orde van zo'n psychedelische lamp,' zei hij. 'Die ken je nog wel. Alleen oogt dit veel voornamer.' Hij haalde het te voorschijn om het haar te laten zien: een zandlopervorm van doorzichtig plastic, gevuld met een stroperige vloeistof. 'Kijk,' zei hij, hem op zijn kop houdend, 'hoe de vloeistof zo'n beetje omlaag kringelt, eerst een tijdje in spiralen met de klok mee en dan terug tegen de klok in, aan het oppervlak opklimt naar een piramidevorm en dan opeens besluit af te platten... Vind jij dat niet frappant?'

Maryam knikte. Ze vond het inderdaad wonderlijk fascinerend.

'Wat mij op het idee bracht was, we waren bijna aan het

eind van een fles McGleam-shampoo en dus zette ik hem ondersteboven op de nieuwe fles: je weet hoe dat gaat. Gesteund om de laatste paar druppels eruit te krijgen. En ik zag dat druipen en opeens dacht ik: man! Dit kan best zo'n, zeg maar zen-achtig ding worden dat mensen zou doen concentreren en focussen. We zouden het op de markt kunnen brengen als een middel om je bloeddruk omlaag te krijgen! Dus ik heb dit ontwerp uitgewerkt, de aantrekkelijkste vorm bedacht... Alleen heb ik die vloeistof nog niet helemaal goed. Ik bedoel, die moet de juiste consistentie hebben. Zo dik als McGleam maar niet té dik natuurlijk, en even doorzichtig als McGleam omdat ik denk dat doorzichtig kalmerender werkt...'

'Waarom niet gewoon met McGleam?' vroeg Maryam.

'O. Met McGleam.'

'Zou dat niet de vanzelfsprekende oplossing zijn?'

'Maar... shampoo? En daarbij, McGleam is zowat het duurste merk in de winkel.' Hij staarde verliefd naar Farah. 'Alleen het beste is goed genoeg voor Farah-june,' zei hij.

Farah wuifde hem toe met een mat handje en zei tegen Maryam: 'Wat kan ik zeggen? Ik heb nu eenmaal van dat klitterige Karimzadeh-haar.'

Aan het eten die avond (een echt Iraans menu van begin tot eind, alles authentiek) memoreerde Farah hun gezamenlijke kinderjaren. Zij had een zonniger kijk op het verleden dan Maryam. Al haar herinneringen leken te draaien om hilarische partijen of wagenritjes naar het zomerverblijf van de familie in Meigun, of heel de dag durende picknicks waarbij letterlijk élk familielid van beide kanten aanwezig was. Waar waren de ruzies en de scheuringen, de oom die opium gebruikte en de oom die fraudeerde, het eindeloos, bitter wedijveren van de tantes om hun vaders zuinige aandacht? Was Farah dat alles vergeten, evenals de nicht die de dood had gezocht omdat haar werd verboden medicijnen te studeren, of de nicht aan wie toestemming werd geweigerd om te trouwen met de jongen van wie ze hield? 'O, wat waren dat gelukkige tijden,' verzuchtte Farah, en William zuchtte mee en schudde met zijn hoofd alsof hij ze zelf had beleefd. Hij hoorde graag praten over Iran. Hij kon Farah voorzeggen als ze een detail oversloeg. 'En de munten!' zei hij. 'Je weet wel. De gloednieuwe gouden munten die jullie kinderen met elk Nieuwjaar kregen?' Maryam vond dit aanmatigend van hem, hoewel ze wist dat ze zich gevleid moest voelen omdat hij zo veel interesse had voor hun cultuur.

Het moest het tafelgesprek zijn dat haar die nacht van haar moeder deed dromen. Ze zag haar moeder zoals die eruitzag toen Maryam nog maar een kind was – zuiver zwart haar en een rimpelloze huid, de tache de beauté op haar bovenlip aangezet met een wenkbrauwpotlood. Ze vertelde Maryam het verhaal over de nomadenstam die ze als meisje vaak had bespied. Die was op een avond geheimzinnig laat gearriveerd en had het erf aan de overkant van de straat betrokken. De vrouwen droegen goud tot híer (gebaarde ze naar een elleboog). De mannen reden op glanzende paarden. Op een ochtend werd ze wakker en waren ze allen spoorloos verdwenen. In de droom vertelde ze, net als in werkelijkheid, dit verhaal op een langzame, liefkozende toon, met een weemoedige uitdrukking op haar gezicht, en Maryam zelf ontwaakte en vroeg zich voor het eerst af of ook haar moeder misschien had gehunkerd naar spoorloos verdwijnen. Voorzover ze zich kon herinneren, had ze haar moeder nooit één persoonlijke vraag gesteld, en nu was het te laat. De gedachte riep een lichte, bijna aangename melancholie op. Ze treurde wel om de dood van haar moeder, maar ze was zo ver van haar vandaan geraakt, in zo'n ander soort leven beland. Alsof ze niet langer verwant leken.

Het werd al licht in de logeerkamer en het raam boven haar

bed liet een vierkant van bleekgrijze hemel zien en een puntige zwarte kam van sparren. Het tafereel trof haar als niet minder griezelig dan een maanlandschap.

In de loop van de volgende dagen verviel ze in de ontspannen sleur van de vrouwen uit hun kinderjaren. Zij en Farah zaten thee te drinken en bladerden onderhand wat in glossy-magazines. William was meestal aan het prutsen in zijn atelier of op pad om ijzerwinkels en rommelschuren af te struinen. Dan begon hij in de loop van de middag te koken, en elke avond zette hij een ander Iraans diner op tafel. Hij mocht graag pronken met het benoemen van de gerechten in het Farsi. 'Neem nog wat *choresh*,' zei hij dan, de 'ch' zo benadrukt en geforceerd dat het klonk als een kuch. In de loop van de week vond Maryam dit gedrag hoe langer hoe bespottelijker worden. Hoewel, ja, wat stak er nu voor kwaad in? Ze wist dat ze onredelijk was.

Op de laatste avond van haar bezoek vroeg hij: 'Mag ik je nog wat *polo* opscheppen?' en zei zij: 'Waarom zeg je niet gewoon "rijst"?'

Hij zei: 'Pardon?' en Farah keek op van haar bord.

'Ik bedoel,' zei Maryam, terugkrabbelend, 'dank je, ja, graag nog wat polo.'

'Spreek ik het verkeerd uit?' vroeg hij.

'Nee, nee. Alleen, ik...' Opeens had ze een hekel aan zichzelf. Ze leek wel een narrig oud dametje te worden. 'Sorry,' zei ze tot hen beiden. 'Het ligt zeker aan de combinatie van de verschillende talen. Soms raak ik in de war.'

Maar dat was niet wat haar dwarszat.

Eens, een jaar of twee na Kiyans dood, had een collega van hem haar mee naar een concert gevraagd. Best een aardige man, Amerikaan, gescheiden. Ze had geen goed excuus kunnen verzinnen om te bedanken. In de auto had ze zich laten ontvallen dat Sami zich op een tenniskamp beraadde –

ze had precies die woorden gebruikt: 'zich beraadde' – en de man had gezegd: 'Maryam, je hebt een voortreffelijke woordenschat.' En toen had hij een paar minuten later gezegd dat hij haar zo graag eens in haar 'inheems kostuum' zou zien. Overbodig te zeggen dat ze niet meer met hem was uitgegaan.

En op een keer toen ze in de wachtkamer bij haar dokter zat, had een assistente geroepen: 'Hebben we hier een Zahedi?' en de receptioniste had geantwoord: 'Nee, maar wel een Yazdan.' Alsof ze onderling inwisselbaar waren; alsof de ene buitenlandse patiënt er evengoed mee door kon als de andere. En dan de manier waarop ze het had uitgesproken: Yáz-dun. Maar al had ze het goed gezegd, dan was Yazdan een amerikanisering, afgekort van de langere vorm, toen Kiyan pas in het land was. En trouwens, in wezen was Maryam helemaal geen Yazdan. Zij was een Karimzadeh, en thuis zou ze Karimzadeh zijn gebleven, zelfs na haar huwelijk. Dus die persoon die zij bedoelden, bestond niet eens. Ze was een verzinsel van de Amerikanen.

O, nou. Nu was 't mooi geweest. Ze ging recht op haar stoel zitten en lachte over tafel tegen William. 'Ik geloof dat dit de beste *ghormeh sabzi* is die ik ooit gegeten heb,' zei ze.

Hij zei: 'Goh, *merci*, Maryam.'

Toen ze in Baltimore terug was, bleek haar dat Susan in dat ene weekje was veranderd. Haar neusje was nu bestrooid met verscheidene sproetjes zo fijn als gemalen kaneel, en ze had geleerd hoe ze op teenslippers moest lopen. Ze stapte door het huis met een klappend geluidje als de rubberzolen tegen haar hielen tikten. Ook, vertelde Ziba, had ze de dood ontdekt. 'Alsof het opeens tot haar doorgedrongen is. Ik weet niet waar ze het vandaan heeft. Ze wordt nu elke nacht twee of drie keer wakker en vraagt of zij ook doodgaat. Ik zeg: nee hoor, pas als ze heel heel héél oud is. Ik weet dat ik dat niet mag beloven, maar ik zeg: kínderen gaan niet dood.'

'Precies goed,' zei Maryam stellig.

'Jawel, maar...'

'Kinderen gaan niet dood.'

'Bitsy zei dat ze in elk geval niet bang hoefde te zijn, want ze kwam toch terug als iemand anders.'

Maryam trok haar wenkbrauwen op.

'Maar Susan zei: "Ik wíl niet iemand anders zijn! Ik wil míj zijn!"'

'Ja, natuurlijk wil ze dat,' zei Maryam. 'Bitsy is gek, zeg haar dat maar.'

'O, Mari-june.'

'Mensen horen hun zweverige ideeën niet op te dringen aan andermans kinderen.'

'Ze bedoelde het goed,' zei Ziba.

Maryam permitteerde zich een spottend gesis, al wist ze dat Ziba gelijk had. Bitsy had Susan alleen gerust willen stellen. En ze was een zegen geweest tijdens Maryams vakantie in Vermont – had op Susan gepast, niet alleen die dinsdag en donderdag, maar ook de hele zaterdag toen Ziba's moeder een acute blindedarmoperatie had moeten ondergaan. Dus op Maryams eerste dinsdag thuis verzuimde ze niet Jin-Ho uit te nodigen de hele dag bij Susan te komen spelen. Brad leverde haar af met haar zwempakje in een handdoek gerold, en de meisjes ploeterden de hele ochtend in het opblaasbad. Na de lunch, toen ze samen een 'slaapje' deden (maar vooral boven in de logeerkamer lagen te giechelen en te smiespelen), maakte Maryam twee aparte pannen kip met aubergine klaar, en toen het tijd was om Jin-Ho naar huis te rijden, bracht ze een van de pannen mee om aan de Donaldsons te geven.

Bitsy zei: 'Is dit wat ik denk dat het is?' zodra ze de deur opendeed. 'Ruik ik wat ik denk dat ik ruik? Je hebt mijn lievelingseten gemaakt!'

'Een klein blijk van onze dankbaarheid,' zei Maryam. 'Het was zo lief van je om op Susan te passen.'

'Met alle plezier. Wil je niet binnenkomen?'

'Eigenlijk moeten we terug,' antwoordde Maryam.

'Ik heb net een kan ijsthee gemaakt.'

'Dank je, maar...'

'O ja, vergeten,' zei Bitsy. 'Op het punt van thee ben jij zo'n purist. Je vindt het vast vreselijk als mensen er ijs in doen.'

'Welnee,' zei Maryam, hoewel ze inderdaad de gewoonte nooit begrepen had.

Om de een of andere reden leek Bitsy dit op te vatten als het aannemen van haar uitnodiging, want ze draaide zich om en ging hun voor het huis in. De meisjes draafden haar na en Maryam volgde schoorvoetend, zich afvragend waarom ze hier toch op was ingegaan. 'Ik heb geen briefje voor Ziba neergelegd,' zei ze terwijl ze haar pan op de keukentafel zette. 'Ze zal niet weten waar we naartoe zijn.' Maar ze nam al een stoel terwijl ze sprak.

'Weet je wat jij zou moeten doen?' zei Bitsy. Ze trok de koelkast open en haalde er een blauwe kan uit. 'Je zou ons moeten komen helpen je kip op te eten als je klaar bent met op Susan passen.'

'O, dat spijt me, ik kan niet,' zei Maryam.

'Pa komt ook!'

'Ik ga al met iemand eten.'

Bitsy liep naar de kast om glazen te pakken. Jin-Ho zei: 'Mam, mogen Susan en ik popcorn maken?' maar Bitsy zei alleen: 'Wat jammer. Een man of een vrouw?'

'Pardon? Een vrouw. Mijn vriendin Kari.'

'Mamma. Mamma. Mám. Mogen Susan en ik...'

'Ik voer een gesprek, Jin-Ho. En, Maryam, komt het ooit

weleens voor dat je alleen met een man gaat eten?'

Het overviel Maryam. Ze zei: 'Bedoel je een... afspraak? Hemel, nee hoor.'

'Ik snap niet waarom niet,' zei Bitsy. 'Je bent een heel aantrekkelijke vrouw.'

'Daar ben ik klaar mee,' zei Maryam kortweg. 'Mij te veel werk.'

'Maar je denkt toch niet dat mijn vader werk zou zijn?' zei Bitsy.

'Je vader?'

'Mamma, mogen Susan en ik nu popcorn maken?'

'Jin-Ho, ik ben aan het práten.' Bitsy zette een glas ijsthee voor Maryam neer. Ze had haar eigen glas niet ingeschonken, maar leek dat niet te merken. Ze ging tegenover Maryam zitten. 'Mijn vader vindt jou geweldig,' zei ze.

'Nou... en ik vind hém heel aardig.'

'Zou je ooit met hem uit eten gaan?'

Maryam knipperde met haar ogen.

'Hij weet niet dat ik dit vraag. Hij ging door de grond als hij het wist! Maar jij bent ook zo... nou, wees eerlijk, Maryam: je kunt behoorlijk afwerend zijn. Als we wachten tot hij de moed vindt om je zelf te vragen, kunnen we láng wachten!'

Maryam zei: 'O, ik...'

'Hij droomt al maanden van je,' zei Bitsy. Ze leunde naar voren, klemde haar handen ineen op tafel. Haar ogen waren rond en glanzend geworden. 'Vertel me niet dat je niets gemerkt hebt,' zei ze.

'Je moet je vergissen,' zei Maryam, tezelfdertijd beseffend dat Bitsy waarschijnlijk gelijk had. Al die 'toevallige' ontmoetingen, de manier waarop hij bleef plakken, het dag zeggen waar geen eind aan kwam... Ze zuchtte en ging rechter op haar stoel zitten. 'Laten we het over jullie nieuwe baby hebben,' zei ze. 'Ziba zegt dat je bericht hebt van de Chinese adoptiemensen.'

Bitsy zei: 'O, ja, de...' maar haar hoofd was duidelijk niet bij de Chinese adoptiemensen. Ze bleef zitten, verstard in haar ernstige houding, haar vingers nog verstrengeld en haar blik gericht op iets inwendigs.

'Ze hebben een kind voor jullie uitgezocht, begrijp ik?'

'Ja, een... meisje.' Ze leek eindelijk haar gedachten te verzamelen. 'Nu ja, natuurlijk een meisje,' zei ze. 'Dat is bijna altijd het geval. Maar we moeten toch nog heel lang wachten. Waarschijnlijk tot volgend voorjaar, hoe vind je dat? Onze dochter is al tien of twaalf maanden oud voor we haar te zien krijgen, en ondertussen zit ze daar! Helemaal alleen in dat grote weeshuis!'

Enzovoort, alle pietluttige vereisten en regels en voorschriften. Maryam nam een slokje ijsthee. De meisjes waren op de veranda achter aan het spelen met een speeldoosje dat een blikkerige versie van 'Old MacDonald' tingelde. De middagzon scheen in een stoffige, schuine baan van goud over de tegels en de keuken leek alweer veilig en vredig.

Aan tafel die avond vroeg Maryam aan Kari: 'Voel jij je weleens weerloos omdat je niet de helft van een stel bent?'

Kari zei: 'Weerloos?'

'Ik bedoel, o, niet bedreigd, dat bedoel ik niet, maar kwetsbaar? Onbeschermd? Iedereen kan naar je toe komen en je... zomaar uitnodigen voor een afspraak!'

'Rillingen,' zei Kari en ze moest lachen. Maar toen werd ze dadelijk weer ernstig, zodat Maryam vermoedde dat ze begreep wat haar gevraagd was. Dat kon niet anders: ze was een beeldschone, fijngebouwde vrouw met droefgeestig overschaduwde ogen. Ze werd door mannen vast om de haverklap uitgenodigd, al had ze er nooit iets over gezegd. 'Ik zeg altijd dat mijn cultuur het verbiedt,' zei ze.

Maryam zei: 'Ga weg!' omdat ze Kari altijd had gezien als

een vrouw die zo bevrijd was als een vrouw maar kon worden.

'Ik zeg: "Pardon? Uitgaan? Met een mánnelijk iemand? O, mijn hemel!" Ik zeg: "Het is duidelijk dat je niet weet dat ik weduwe ben." Dan zeggen ze: "O. Eh..." want dat weten ze natuurlijk wél, maar nu vragen ze zich af of er een of ander primitief Turks taboe is dat hun niet bekend was.'

'Zou ik ook moeten doen,' zei Maryam, maar half voor de grap.

Alleen was het nu misschien te laat. O, waarom had ze zich al die jaren uitgesloofd om zo geassimileerd, zo modern en verlicht over te komen?

'Ga een sluier dragen,' opperde Kari.

Maar ze lachte alweer en dus lachte Maryam ook en keerde terug tot het bekijken van haar kaart.

Nu waren Sami en Ziba aan de beurt om het Aankomstfeest te geven. Ziba had grootse plannen, zo bleek. 'Ik denk over een heel geroosterd lam,' vertelde ze Maryam op een dag na haar werk. 'Lijkt dat je niet indrukwekkend? Jij kent onze Griekse vrienden, Nick en Sofia: die hebben dat voor hun paasfeest gedaan. Nick groef een gat in de tuin en hun automonteur heeft het spit voor ze gemaakt. Dat mogen we lenen, zeggen ze. Wat denk jij?'

'Het klinkt als heel veel werk,' zei Maryam.

'Het werk vind ik niet erg!'

'En veel eten ook. Hoeveel mensen komen er dan?'

'O, bendes mensen, je weet hoe het gaat. Nu ja, dit jaar toevallig maar twee van mijn broers, maar ook hun vrouwen en drie van hun kinderen én mijn ouders. En al die Dickinsons en Donaldsons – of ten minste Mac en Abe, en Bitsy's vader...'

'Ja, maar toch... een heel lam!' zei Maryam.

Maar Ziba leek nu een andere gedachtegang te volgen. Ze

staarde Maryam aan met een speculatieve uitdrukking. 'Eígenlijk,' zei ze, 'denk ik dat haar vader zelfs zou komen als jij hier de enige was.' Een kuiltje verscheen in één wang. 'Voorál als jij hier de enige was.'

'Het klinkt alsof je naar Bitsy hebt geluisterd,' zei Maryam droogjes.

'Ik hoef het niet te horen van Bitsy! Elke idioot kan zien wat hij denkt.'

'Nou, dit is voor mij geen interessant onderwerp,' antwoordde Maryam. Ze pakte haar tas van de bank.

Ziba zei: 'O, Mari-june. 't Is zo'n lieve man en hij lijkt altijd zo stromeloos. En daarbij, bedenk hoe goed het onze twee gezinnen zou uitkomen. Kun jij niet 'ns met hem gaan eten?'

Maryam staakte het graven naar haar sleutels in haar tas. Ze zei: 'Ziba, in 's hemelsnaam! Waarom zou jij met zoiets aankomen?'

'Waarom zou ik er níet mee aankomen? Jij bent alleen, hij is alleen...'

'Ik ben Iraans, hij is Amerikaans...'

'Wat maakt dat voor verschil?'

'Je had met mij bij Farah moeten zijn,' zei Maryam. 'Dan zou je dat niet vragen. Zoals haar man onderstreept hoe allochtoon ze wel is! Het is net of ze helemaal niet echt Farah is: ze is madame Iran.'

'Dat zou Dave niet doen.'

'O nee? "Laat 'ns horen,"' zei ze met een serieuze klank in haar stem, '"wat zijn jullie volkssprookjes, Maryam, en jullie plaatselijke gebruiken? Vertel van jullie typische bijgelovigheden."'

'Dat heeft hij níet gezegd.'

'Nou, bijna,' zei Maryam. Ze had nu haar sleutels in haar hand. Ze zei: 'Hoe dan ook, ik ben ervandoor. Susie-june? Susan? Ik ga weg.'

Susan gaf geen antwoord. Ze zong een liedje uit *Sesamstraat*, al schommelend op haar hobbelpaard.

'Tot donderdag dan,' zei Maryam tegen Ziba.

Maar die Ziba was toch zo'n stijfkop. Met Maryam meelopend naar de vestibule zei ze: 'Ik vraag je niet om met hem te trouwen.'

'Ziba! Nu is het genoeg!'

'Of een romantische relatie te beginnen. Hé, in dit land gaan mensen zo vaak uit eten! Het hoeft niet ergens toe te leiden. Maar dat begrijp jij niet, omdat je eigen huwelijk gearrangeerd was en je nooit de kans hebt gehad gewoon met een man een filmpje te pakken of een hamburger met 'm te eten.'

Daar had Maryam heel wat op kunnen zeggen, maar ze zwaaide alleen maar even en stapte de deur uit. Normaal hadden ze wangen gezoend. Vandaag niet. Ze klikte het pad af. Ze voelde zich nagestaard door Ziba, maar keek niet om.

Wat ze tegen Ziba had kunnen zeggen, was: haar huwelijk mocht dan gearrangeerd zijn, maar het had niets van wat iedereen zich erbij voorstelde.

Ze was de meest verwesterde jonge vrouw geweest, de vrijzinnigste en progressiefste. Ze studeerde aan de universiteit van Teheran, maar had nauwelijks tijd voor haar colleges vanwege haar politieke activiteiten. Dat was toen de sjah nog sterk aan de macht was – de sjah en zijn gevreesde geheime politie. Er deden de verschrikkelijkste, de gruwelijkste verhalen de ronde. Maryam bezocht clandestiene vergaderingen en bracht stijf opgevouwen boodschappen van de ene schuilplaats naar de andere. Ze overwoog lid te worden van de Communistische Partij. Toen werd ze opgepakt, samen met twee jonge mannen, terwijl ze gedrieën folders aan het verspreiden waren op de campus. De jonge mannen werden dagenlang vastgehouden, maar Maryams oom Hassan regelde haar vrijlating binnen het uur. Ze wist niet precies hoe hij dat voor elkaar had gekregen. Ongetwijfeld was er veel hoofdschudden en tonggeklak aan te pas gekomen, en waren er sigaretten gepresenteerd uit zijn platte zilveren sigarettenkoker. Vermoedelijk was er ook geld toegestopt. Of misschien ook niet; Maryams familie had invloed.

Maar niet genoeg invloed, kreeg ze te horen – niet als ze zich zo bleef gedragen, en daarmee zichzelf en hen allen in gevaar bracht. Haar moeder kroop in bed en haar ooms raasden en tierden. Ze zouden haar dwingen voorgoed van de universiteit te verdwijnen, zeiden ze. Ze overwogen haar naar Parijs te sturen, waar haar achterneef Kaveh natuurwetenschap studeerde. Misschien kon ze met hem trouwen. Ze moest toch met íemand trouwen.

Toen noemde hun buurvrouw, mevrouw Hamidi, de naam van de zoon van haar vriendin. Hij was arts in Amerika, een patholoog met een goedbetaalde baan van negen tot vijf zonder oproepdiensten, en toevallig op dat moment thuis voor een bezoek van drie weken. Zijn moeder vond het tijd dat hij trouwde. Ze had hem al aan diverse jonge vrouwen voorgesteld, ook al zei hij dat hij geen interesse had.

Mevrouw Hamidi kwam op de thee met haar vriendin en de zoon van de vriendin, Kiyan. Het was een lange, gebogen, serieuze man in een donkergrijs colbert, en hij had Maryam nogal oud geleken, herinnerde ze zich nu geamuseerd. (Hij was 'al' achtentwintig.) Maar zijn gezicht stond haar aan. Hij had dikke wenkbrauwen en een forse, imposante neus, en de mondhoeken verrieden zijn gedachten, doordat ze voornamelijk omlaag gingen bij de toespelingen van de oudere vrouwen, maar een of twee keer omhoogschoten wanneer Maryam een of ander sarcastisch antwoord gaf. Ze zag dat Kiyans moeder haar vrijpostig vond, maar wat maalde ze daarom? Zij zou trouwen uit liefde, wie weet op haar dertigste pas.

De vrouwen spraken over het weer, dat dit jaar al vroeg warmer werd. Maryams moeder deelde mee dat aan haar rozenstruiken al groene scheuten ontsproten. Ieders blikken wendden zich naar Maryam en Kiyan, die bij het begin van het bezoek met zachte hand naar belendende stoelen waren gemanoeuvreerd. 'Maryam-jon,' zei haar moeder op suikerzoete toon, 'zou je Agha dokter de rozen niet willen laten zien?'

Maryam slaakte een hoorbare zucht en stond op. Kiyan maakte een brommerig geluid, maar ook hij stond op.

Zoals in elke salon waar Maryam ooit was geweest, omlijstten de tientallen rechte stoelen tegen de muren een reusachtig leeg vierkant, en zij en Kiyan moesten deze ruimte oversteken om haar te verlaten. Toen ze het midden bereikten, werd ze gegrepen door een of ander duiveltje en bleef opeens staan, draaide zich om naar al die starende vrouwen en deed een fragmentje van de charleston – het gedeelte waarin de handen ondeugend over de knieën kruisen. Niemand verroerde een vin. Maryam draaide zich om en liep verder naar buiten, gevolgd door Kiyan.

Op de binnenplaats gebaarde ze naar de stekelige, kale struiken en zei: 'Ziehier de rozen.'

De hoeken van Kiyans lippen wipten weer omhoog, zag ze.

'En de fontein, de volle maan, de jasmijn en de nachtegaal,' zei ze.

Er was geen maan natuurlijk, en ook geen nachtegaal, maar ze strekte een arm naar waar ze hadden kunnen zijn.

Kiyan zei: 'Ik betreur dit.'

Ze draaide zich om om hem beter op te nemen.

'Het was niet mijn idee,' zei hij.

Er was iets minimaal afwijkends in zijn taalgebruik. Het was geen echt accent en zeker geen aanstellerij. (In tegenstelling tot het taalgebruik van haar neef Amin, die uit Amerika was teruggekomen met zo'n geveinsde ontwendheid aan het Farsi dat hij een haan eens 'de man van de kip' had genoemd.) Maar je merkte wel dat Kiyan zijn moedertaal was verleerd. Dit maakte hem minder autoritair en jonger dan ze eerst had gedacht. Ze voelde zich warm voor hem worden. Ze zei: 'Het was ook niet míjn idee.'

'Ik vermoedde al zoiets,' zei hij en ditmaal verhieven zijn mondhoeken zich tot een glimlach.

Ze gingen zitten op een stenen bank en namen door wat er met het land was gebeurd sinds hij was weggeweest. 'Ik hoor dat er demonstraties waren tegen onze machtige sjah der sjahs,' zei hij, 'Gunst, wat een slecht, onbehouwen volk,' en ze vervielen beiden in een stille slappe lach. Ze wisselden hun standpunten uit over politiek en mensenrechten en de positie van vrouwen. Op elk punt waren ze het eens. Ze vielen elkaar in de rede om hun gedachtetuimelingen te spuien. Toen, na een halfuurtje, neigde Kiyan zijn hoofd naar het huis, en ze volgde zijn blik en zag drie tantes van haar op een kluitje bij het raam. Toen de tantes beseften dat ze waren opgemerkt, deinsden ze haastig uit het zicht. Kiyan grijnsde tegen Maryam. 'We hebben ze een hele sensatie bezorgd,' zei hij.

Maryam zei: 'Arme stakkers.'

'Laten we morgen naar de film gaan. Ze zullen verrukt zijn.'

Ze lachte en zei: 'Ja, waarom niet?'

De volgende avond gingen ze naar een film, en de dag daarna – een universitaire vakantiedag – naar een kebabtent, en 's avonds naar een feestje thuis bij een vriend van hem. Dit viel in een periode dat jonge vrouwen meer vrijheid genoten dan te eniger tijd ervoor of erna, Maryams klachten ten spijt, en haar familie vond het geen punt haar ongechaperonneerd te laten gaan. Bovendien ging men er stilzwijgend van uit dat

Kiyan eerbare bedoelingen had. Hij en Maryam zouden vrijwel zeker trouwen.

Maar ze waren niet geïnteresseerd in trouwen. Ze waren het erover eens dat het huwelijk beperkend en benauwend was, een toestand waartoe mensen pas besloten wanneer ze zich wilden voortplanten.

’s Nachts begon ze zijn aanwezigheid te voelen in haar dromen. Hij verscheen nooit fysiek, maar ze ving een zweem op van zijn muskaatgeur; ze voelde zijn rijzige lengte naast zich onder het lopen; ze was zich bewust van zijn bijzondere, ernstige, geamuseerde aandacht.

Het trof ongelukkig dat hij ten tijde van hun eerste ontmoeting al vijf dagen in het land was, van de voorgenomen eenentwintig. Het eind van zijn bezoek kwam naderbij. De vrouwen in Maryams familie werden ongeruster, hun vragen directer. Een paar hoopvol kijkende ooms kwamen opeens in zicht, telkens wanneer Kiyan zijn opwachting maakte.

Maryam veinsde niets te merken. Ze deed luchtig en onverschillig.

Op een dag na haar college Engels kwam ze met twee vriendinnen een lange trap af toen ze Kiyan in het oog kreeg, die beneden stond te wachten. De lente had zich even teruggetrokken en hij droeg een sportieve jekker van bruin corduroy met de kraag omhoog. Zo zag hij er heel Amerikaans uit, opeens; zo heel ánders. Hij stond van haar afgewend naar een paar mensen te kijken die in een bus stapten. De aanblik van zijn krachtige, markante profiel stak een mes van verlangen dwars door haar heen.

Op dat moment draaide hij zich om en zag haar, en hij bleef zonder lachen kijken toen zij naderde. Toen ze oog in oog stonden, zei hij: ‘Misschien moesten we maar doen wat ze willen.’

Ze zei: ‘Dat is goed.’

'Zou je met me meegaan naar Amerika?'

Ze zei: 'Ik zou meegaan.'

Ze gingen samen op weg, Maryam met haar boeken tegen haar borst gedrukt en Kiyan met zijn handen diep in zijn jaszakken.

Het geviel zo, dat er geen manier was waarop ze met hem mee kon gaan toen hij vertrok, slechts vier dagen later. Die juni hadden ze een langeafstandsplechtigheid – Kiyan vanuit Baltimore aan de telefoon, Maryam in Teheran in haar 'westerse', voetlange trouwjapon, omgeven door gasten van beide families. De volgende avond vertrok ze naar Amerika. Haar moeder hield een koran boven Maryams hoofd toen Maryam de voordeur van het familiegoed uit liep, en alle vrouwen huilden. Je had nooit gedacht dat ze hier al om hadden gebeden vanaf de dag dat ze was opgepakt.

Ze was niet een van die Iraniërs geweest die Amerika zagen als het Beloofde Land. Voor haar en haar studievrienden waren de VS de grote teleursteller – de democratie die zich tot hun stomme verbazing had ingezet om de monarchie te schragen toen de sjah in de problemen kwam. Dus ging ze half opgewonden en half in verzet op weg naar haar nieuwe land. (Maar inwendig, beschamend jubelend dat ze nooit meer een politieke bijeenkomst zou hoeven bijwonen.) De hoofdzaak was: ze ging naar Kiyan. Zelfs haar intiemste vriendinnen wisten niet hoe Kiyan elke uithoek van haar hoofd was gaan vullen. Toen ze de luchthaven van Baltimore betrad en hem zag wachten, in een overhemd met korte mouwen dat zijn, voor haar vreemde, dunne armen bloot liet, ervoer ze een moment van schrik. Kon dit dezelfde mens zijn over wie ze al die weken had gedagdroomd?

Ze was negentien jaar en had nog nooit een maaltijd bereid, een vloer gedweild of een auto bestuurd. Maar voor Kiyan was het duidelijk een uitgemaakte zaak dat ze het hoe dan ook zou redden. Of het schortte hem aan het elementairste inlevingsvermogen, of hij had een vleiend respect voor haar capaciteiten. Soms dacht ze dat het het eerste was, soms het tweede, afhankelijk van de dag. Ze had goede dagen en slechte dagen – meer slechte in het begin. Twee keer pakte ze haar koffers om naar huis te gaan. Eén keer noemde ze hem een egoïst en kieperde een hele kan yoghurt op zijn bord. Zag hij dan niet hoe alleen ze zich voelde, niets dan een vrouw, weerloos?

Telefoneren overzee was toen niet zo gewoon, dus schreef ze haar moeder brieven. Ze schreef: 'Ik begin al aardig in te burgeren,' en: 'Ik heb al een paar vrienden gemaakt,' en: 'Ik voel me hier heel prettig,' en mettertijd werd dat ook zo. Ze meldde zich aan voor rijlessen en haalde haar examen; ze volgde avondcolleges aan Towson State; ze gaf haar eerste etentje. Het begon tot haar door te dringen dat Kiyan niet zo geacclimatiseerd was in het Amerikaanse leven als ze had verondersteld. Hij kleedde zich vormelijker dan zijn collega's en snapte niet altijd hun grappen, en zijn kennis van het alledaagse Engels was verrassend mager. In plaats van haar te ontgoochelen leek dit besef hem voor haar dierbaarder te maken. 's Nachts sliepen ze tegen elkaar aan gerold als twee bombaynootjes. Genietend duwde ze haar neus in de dikke, vochtige krullen van het haar in zijn nek.

Dat gedeelte, dat hadden de machtigste tantes ter wereld niet kunnen arrangeren.

Sami zag het niet zo zitten een lam te roosteren aan een spit. Hij was bang dat de buren ervan zouden schrikken. Dus breidde Ziba het menu uit met meer gerechten en kwam haar moeder een week over en hielp met koken. 's Middags kwam Maryam erbij. Ze schilden aubergines en stampten kikkererwten en hakten uien tot de tranen hun over de wangen stroomden. Susan kreeg de taak de rijst te wassen en te weken. Het roerde Maryams hart haar voor het aanrecht op een stoel te zien staan, drie turven hoog, in een schort dat tot haar tenen viel, zich gewichtig concentrerend op het omroeren van de rijst in het bad van koud water. Onder het werk oefende ze het liedje dat Bitsy de meisjes probeerde te leren. Blijkbaar had Bitsy afgezien van haar pogingen de begroeters af te brengen van hun 'eeuwige verdraaide "Coming Round the Mountain"', zoals zij het zei, en richtte ze zich nu op de aankomers. Ze had een cd met Koreaanse kinderliedjes laten komen, waar tot haar schrik op het etiket noch op het hoesje een woord Engels bleek te staan. 'Het kunnen net zo goed smartlappen zijn,' had ze bij Ziba geklaagd. Maar het liedje dat ze had uitgekozen leek allesbehalve een smartlap, met zijn kittige melodietje en zijn koor van Oo-la-la-la-la's. Maryam vond het allerliefst, hoewel Susan haar vertelde dat zij en Jin-Ho een ander leuker hadden gevonden. Ze zong niet meer dan een regel van het andere – 'Po-po-po', zo klonk het – waarna ze om onduidelijke redenen omviel van het lachen. Maryam glimlachte om haar en schudde haar hoofd. Ze was getroffen door het gemak waarmee Susan die muziek had opgepikt, alsof haar Koreaanse wortels dieper staken dan iemand had vermoed. En toch stond ze hier haar vergiet met rijst om te gooien met de efficiënte voorwaarts zwaaiende beweging van elke Iraanse huisvrouw.

In de intimiteit van de keuken waagde mevrouw Hakimi het Maryam schuchter bij haar voornaam te noemen. 'Maryam, ik weet niet, zit hier genoeg munt in?' vroeg ze in het Farsi. Helaas kon Maryam niet snel genoeg op de voornaam van mevrouw Hakimi komen, maar ze ving het op door te zeggen: 'O, dat weet jij veel beter dan ik' – en het gemeenzame 'jij' te gebruiken. Ze wist niet waarom ze nog zo stroef met elkaar omgingen. Eigenlijk hadden ze nu zo familiair als zusters moeten zijn. Ze vermoedde dat de Hakimi's haar te onafhankelijk vonden. Of te eenzelvig. Of zoiets.

Ziba had het nu over de gastenlijst. 'Ik wou dat we meer gasten hadden van onze kant,' zei ze. 'Dat Sami broers en zussen had. Er komen altijd zo veel Donaldsons! Kun jij Farah niet vragen?'

'O,' zei Maryam, 'och...' en ze liet haar stem wegebben.

Het punt was, Farah zou er waarschijnlijk op ingaan. En William zou met haar mee komen, tenminste als Mercurius niet retrograad was of een soortgelijk new-ageverbod gold. Ze zouden een week of langer bij Maryam logeren en die zou zich moeten inlaten met hun vele groepsactiviteiten. Farah kon het reusachtig goed vinden met de Hakimi's. De laatste keer dat ze in Baltimore was, had Maryam haar naar Washington en terug moeten vervoeren voor drie aparte etentjes, en bovendien zelf een diner moeten geven om iedereen terug te betalen.

Ja, ze wás eenzelvig.

Ze ging die middag naar huis, blij dat ze alleen was, dankbaar voor de rust en orde in haar leven. Bij wijze van avondmaal nam ze een glas rode wijn en een plak cheddar. Ze keek naar een programma over de leefgewoonten van de grizzlybeer.

Halverwege het programma belde Dave Dickinson op. Hij zei: 'Ik dacht aan dit weekend. Kan ik je een lift aanbieden naar het feest?'

'Dank je, maar...'

'Het lijkt stom twee auto's te nemen.'

'Maar ik moet er al vroeg zijn,' zei ze, 'helpen met de voorbereidingen.'

'Kan ik niet ook helpen?'

'Nee, dat geloof ik niet,' zei ze. 'En bovendien, jij woont daar vlak in de buurt. Voor jou is het zinloos hiernaartoe te rijden.'

Hij zei: 'Misschien dacht ik gewoon dat het prettig zou zijn je gezelschap te hebben.'

'Evengoed bedankt,' zei ze.

Het was even stil.

'Nou, dag!' zei ze.

Ze hing op.

De beer die door het bos slofte had een ruige, verklitte vacht die haar treurig maakte, en ze drukte op de uitknop van de afstandsbediening.

7

Het weesje uit China stond eindelijk klaar. (Als een kadetje, verbeeldde Dave zich toen hij het hoorde.) Brad en Bitsy namen babykleertjes mee in drie verschillende maten, speelgoed om aan het weeshuis te schenken, geld in rode geschenkenveloppen, wegwerpluiers, zuigflessen, babymelkpoeder, gezeefde pruimen en perziken, zinkzalf, een middel tegen schurft, baby-aspirine, een thermometer, antibiotica voor zowel zuigelingen als volwassenen, mueslikoeken, noodrantsoenen, vitaminepillen, waterzuiveringstabletten, melatonine, steunkousen, elektrische verloopstekkers, een tandartsset voor noodgevallen en luchtvervuiling filterende mondkapjes. Dave was degene die hen naar het vliegveld reed, en hij had nogal wat moeite om alles in zijn kofferbak te stouwen.

Hij paste op Jin-Ho bij haar thuis, in plaats van bij hem, want haar ouders vonden drie weken te lang om een kind van nog net geen vijf uit haar omgeving te rukken. Hij sliep in de ouderslaapkamer – een regeling die onbescheiden aandeed, maar Bitsy had erop gestaan. (Deze lag het dichtst bij de kamer van Jin-Ho.) Elke ochtend als hij wakker werd, was het eerste wat hij zag een foto van Brad en Bitsy, elkaar omhelzend op een strand. Het tweede was Bitsy's oorbellenboom, behangen met grote, grove, handgemaakte schijven van koper en hout en klei.

Het was begin februari, dus Jin-Ho was elke weekdag 's ochtends naar de kleuterschool. Dat hielp wel. En de meeste avonden werden ze te eten uitgenodigd bij Mac of Abe, of bij de Yazdans of de buren. Maar de rest van de tijd waren ze alleen met hun tweeën, Dave en Jin-Ho samen. Hij hield zich voor dat ze elkaar nu echt konden leren kennen. Hoeveel grootvaders kregen zo'n kans? En hij genoot inderdaad van haar gezelschap. Ze was een levendig, nieuwsgierig kind, praatgraag, dol op bordspelletjes, gek op allerlei muziek. Maar hij verloor nooit helemaal een onderhuids gevoel van nervositeit. Ze was tenslotte niet echt van hem. Stel dat er iets gebeurde? Als ze buiten ging spelen, betrapte hij zich erop dat hij om de paar minuten voor de zekerheid uit het raam keek. Als ze zelfs maar de smalle, verkeersluwe straat overstaken waar ze woonde, dwong hij haar zijn hand te pakken ondanks haar tegenwerpingen. 'Ik mag van mamma oversteken zonder vasthouden,' zei ze, 'als zij maar naast me loopt.'

'Nou, maar ik ben je mamma niet. Ik ben een tobber. Laat me nu maar, Jin-Ho.'

Soms werd ze 's avonds een ietsje beverig, een of twee keer zelfs met een enkel traantje. 'Wat denk je dat ze nu doen?' kon ze vragen. Of: 'Hoeveel daagjes nog tot ze terug zijn?' Een enkele keer toonde ze enig ongeduld met zijn on-Bitsyachtige manieren. Hij borstelde haar haar niet precies goed; hij sneed haar boterham verkeerd. Maar over het geheel genomen paste ze zich heel goed aan. Ze wist dat haar ouders een zusje zouden meebrengen – iets wat ze heel graag wilde. Ze praatte over hoe ze dacht Xiu-Mei haar flesje te geven en met Xiu-Mei in haar wagentje te rijden. Xiu-Mei sprak je ongeveer uit als 'sjau-mee' in Daves gebrekkige gehoor. (Hij had het de eerste keer verstaan als 'Charmaine'.) Hij vond het een beetje schel klinken, maar Jin-Ho was er makkelijker in. Het was 'ik en Xiu-Mei dit' en 'ik en Xiu-Mei dat'. 'Ik en Xiu-Mei gaan in dezelfde kamer slapen zodra ze 's nachts doorslaapt,' zei ze.

'En als ze aan je speelgoed komt? Vind je dat niet vervelend?' vroeg hij.

'Ze mag met mijn speelgoed spelen zoveel ze wil! En ik ga haar het alfabet leren.'

'Je wordt nog een ideale grote zus,' zei hij.

Jin-Ho straalde, en twee haakjes van voldoening omsloten haar mond.

Het verbaasde hem dat ze geen vaste bedtijd had – hoegenaamd geen rooster bijna. Het moderne leven was zo amorf. Hij dacht aan de lijnen waaraan de mensen tegenwoordig hun honden uitlieten: enorme klossen van het een of ander dat ze lieten vieren om de honden zo ver vooruit te laten rennen als ze wilden. Toen berispte hij zichzelf omdat hij een ouwe sok was. Hij wreef in zijn ogen bij een eindeloos spelletje mens-erger-je-niet. 'Heb je geen slaap, Jin-Ho?' Ze verwaardigde zich niet eens te antwoorden, schoof enkel bekwaam haar pionnetje vier hokjes vooruit.

Terwijl zij overdag op de kleuterschool zat, ging hij thuis de boel controleren, zijn post ophalen, zijn telefonische boodschappen verzamelen. Hij miste zijn normale dagindeling. Het vervelende van logeren bij iemand anders was dat je niet kon klooien; je kon niet knutselen en klussen. Hoewel hij zijn best deed. Hij ontluchtte alle radiatoren bij Brad en Bitsy en schaafde een klemmende deur bij. Hij bracht wat ossenpootolie van huis mee en deed een hele avond over het insmeren van de gehavende lederen rugzak die Bitsy gebruikte voor tripjes naar de boerenmarkt. 'Wat is dat?' vroeg Jin-Ho die, hangend aan zijn arm, de vanillegeur van boetseerklei afgaf.

'Ossenpootolie. Dat is goed voor leer.'

'Wat is een ossenpoot?'

'Weet je niet wat ossen zijn? Ah,' zei hij. 'Ja, kijk. Je hebt de schuwe bruine os, en de stoute bruine os. Deze olie komt van...' hij pakte het blik op en tuurde ernaar, hield het op armslengte, '... komt van de schuwe bruine os.'

Het was het soort verhaaltje dat hij vroeger zijn eigen kinderen vertelde; hij was er beroemd om. Dan trokken ze een gezicht van ingehouden pret en jutten hem op om verder te gaan. Maar Jin-Ho fronste haar wenkbrauwen en zei: 'Hebben ze de schuwe bruine os doodgemaakt?'

'O, nee. Alleen zijn poten uitgeperst. Ossenbeenderen bevatten veel vet, zie je.'

'Doet dat persen pijn?'

'Néé, nee nee. De ossen zijn juist blij, want anders zouden ze overal glibberen en uitglijden. Daarom zijn het geen goede huisdieren. Ze zouden met hun poten de vloerkleden vernielen.'

Haar uitdrukking bleef bezorgd. Ze staarde hem zwijgend aan. Het speet hem nu dat hij hiermee begonnen was, maar hij wist niet hoe zich eruit te redden. Misschien was ze te jong om te weten wanneer iemand haar in de maling nam. Misschien had ze niet zo veel gevoel voor humor. O, misschien – dat was het eigenlijk – hadden ze publiek nodig. Een andere volwassene, wiens proestlach de grap zou verraden. In vroeger dagen was dat Connie geweest. Connie zou hem goedmoedig tot de orde roepen: 'Nee, werkelijk, Dave. Je maakt het wel bont.' En ze zou tegen de kinderen zeggen: 'Geloof er maar geen woord van.'

Hij zette het blik ossenpootolie neer. Hij wou dat hij nú in bed kon vallen.

Maryam belde op om hen tweeën te eten te noden. 'Ik zal Sami en Ziba ook vragen,' zei ze, 'dan heeft Jin-Ho iemand om mee te spelen.' Maar natuurlijk was haar werkelijke reden dat het bijzijn van anderen de gelegenheid minder intiem zou maken. Hij kon haar lezen als een boek.

Ze had niet de geringste romantische interesse in hem. Hij had het feit leren aanvaarden. De wetenschap dat ze in niemand geïnteresseerd leek, hielp wel iets. Hij kon het zich tenminste niet persoonlijk aantrekken.

Sinds kort was hij om zich heen gaan kijken en had zich afgevraagd wie anders er zou kunnen zijn. Op zijn laatste verjaardag was hij zevenenzestig geworden. Hij kon nog wel een dikke twintig jaar te leven hebben. Hij zou toch niet gedwongen zijn al die jaren in zijn eentje door te brengen?

Maar andere vrouwen leken glansloos als hij ze met Maryam vergeleek. Die hadden niet haar kalme, donkere blik en haar elegante, expressieve handen. Die hadden niet dat stille, in zichzelf beslotene dat zij had, alleen te midden van een menigte.

Deze avond droeg ze een kleurrijke, om haar wrong gebonden zijden sjaal, en die wapperde op een vloeiende manier langs haar rug toen ze zich omdraaide om hun voor te gaan naar de woonkamer. Sami en Ziba waren er al, gezellig op de bank met de kat opgerold tussen zich in. Susan was boven, ze strompelde tot halverwege de trap naar beneden op enorme hooggehakte pumps en riep Jin-Ho naar boven om samen met haar verkleedpartij te spelen. 'Mari-june heeft een hele stapel kleren voor ons in een doos gestopt,' zei ze. 'Dingen van kant! Satijn! Fluweel!' Een wijde rode rok golfde van haar schouders als een mantel uit.

De meisjes verdwenen naar boven en Dave ging zitten en aanvaardde een glas wijn. Het eerste gespreksonderwerp was het nieuws van Brad en Bitsy. Brad had een groeps-e-mail gestuurd uit China. Ze hadden Xiu-Mei opgehaald, deelde hij mee, en ze was perfect. Ze waren nu met andere ouders onderweg naar een stad met een VS-consulaat, en zodra ze Xiu-Meis papieren in orde hadden, zouden ze koers zetten naar huis. Iedereen had die e-mail gelezen behalve Maryam, want zij had geen computer. (Haar huis was zo sober dat het Dave de adem benam. Geen kabel of videorecorder of draadloze telefoon of antwoordapparaat; geen wirwar van elektrische snoeren waar je maar keek.) Sami had een kopietje voor haar uitgedraaid en nu zette ze een schildpadden bril op haar neus en las het hardop: 'Xiu-Mei is heel klein en zit nog niet rechtop, maar we zetten haar elke dag op ons bed en trekken haar omhoog aan haar handen om haar het idee te geven. Zij denkt dat het een spelletje is. Jullie moeten haar zien lachen.'

Maryam liet de brief zakken en keek over haar bril naar de anderen. 'Elf maanden en ze zit niet rechtop!' zei ze.

'In het weeshuis liggen ze de hele dag op hun rug,' legde Dave uit.

'Maar zitten is toch een natuurlijke dráng? Doen baby's niet altijd hun uiterste best om rechtstandig te zijn?'

'Vroeg of laat wel, ja. Het duurt gewoon langer als niemand er aandacht aan schenkt.'

Maryam zei: 'Ah-ah-ah' – een serie korte zuchtjes – en zette haar bril af.

Het menu was tot Daves verrassing volledig Amerikaans: gebraden kip, gebakken aardappelen met kruiden en gesauteerde spinazie. Hij voelde zich vreemd ontmoedigd door die bekwaamheid van haar. Moest ze álles zo goed doen? Het deed hem plezier te ontdekken dat de aardappelen op de bodem een íetsje waren aangebrand. Of misschien was dat wel opzet: die Iraniërs met hun gebrande rijst en dergelijke...

Misschien had hij zich vergist toen hij dacht dat hij haar gebrek aan interesse niet persoonlijk moest opvatten.

Jin-Ho kwam aan tafel in een zwartzijden damesblouse en een paar enkellaarsjes op naaldhakken. Susan droeg een T-shirt zo groot als een jurk, waarop FOREIGNER gedrukt stond. 'Foreigner?' zei Dave. Hij nam aan dat het shirt van Sami was geweest. 'Was jij dan een fan van Foreigner?'

'O, nee, dat was van mamma.'

'Was jíj een fan van Foreigner?' vroeg hij aan Maryam.

Ze schoot in de lach. 'Het slaat niet op de zanggroep,' zei ze. 'Alleen maar het woord. Sami heeft dat shirt voor me laten bedrukken bij wijze van grap, toen ik mijn bewijs van naturalisatie kreeg. Het deed me zo'n verdriet Amerikaans te worden, zie je.'

'Verdriet!'

'Ik had moeite met afstand doen van mijn Iraanse nationaliteit. Ik heb het zelfs aldoor uitgesteld. Ik kreeg mijn definitieve papieren pas een hele tijd na de revolutie.'

'O, maar ik had gedacht dat je blij zou zijn,' zei Dave.

'O jawel, zeker! Ik wás ook heel blij. Maar toch... ja nou. Ik was ook verdrietig. Het voelde dubbel voor mij – de welbekende immigratietango.'

'Sorry,' zei Dave. Hij voelde zich een sufferd. Hij had niet eens geweten dat het zo gewoon was. Hij zei: 'Ja, allicht zal dat moeilijk zijn geweest. Neem me niet kwalijk dat ik zo chauvinistisch klonk.'

'Welnee,' zei Maryam en toen wendde ze zich tot Ziba en bood haar nog wat spinazie aan.

Dat had hij nu altijd met Maryam – dat hij iets onhandigs zei of iets liet vallen, of met iets knoeide. In haar bijzijn voelden zijn handen te groot en leken zijn voeten te lawaaiig te klossen.

Het onderwerp naturalisatie bracht Sami op zijn neef Mahmad. 'Hij is Canadees staatsburger,' vertelde hij Dave. 'Dat is de zoon van mamma's broer Parviz. Hij woont nu in Vancouver met zijn tweelingzus. En vorige maand was hij uitgenodigd om te spreken op een artsencongres in Chicago. Hij moet een soort expert zijn op het gebied van leverregeneratie. Maar vlak voordat hij aan boord van het vliegtuig ging, werd hij tegengehouden door de bewaking: 11 september natuurlijk. Sinds 11 september is iedereen die er middenoosters uitziet verdacht. Hij werd meegenomen; hij werd gefouilleerd;

hij moest honderdduizend vragen beantwoorden. Enfin... eind van 't liedje: hij miste zijn vlucht. "Sorry, meneer," zeiden ze. "U kunt de volgende vlucht nemen, als we dan klaar zijn." En opeens begint Mahmad te lachen. "Wat?" vragen ze. Hij blijft maar lachen. "Wat is er?" vragen ze. "Ik bedenk net," zegt-ie. "Ik hóef niet naar de States! Zíj hebben míj uitgenodigd. Ik hoef er niet heen en ik wil er ook niet heen. Ik ga naar huis. De groeten."'

Maryam zei weer 'Ah-ah-ah', hoewel ze dit verhaal eerder moest hebben gehoord.

'Dat is verdomd een schande,' zei Dave. Gek genoeg voelde hij een drang om nogmaals zijn excuus te maken.

'En als Brad en Bitsy landen in Baltimore,' zei Sami, 'hebben jullie al bedacht waar hun vrienden ze dan zullen afhalen? Over 11 september gesproken. Toen de meisjes aankwamen stonden we allemaal bij de gate, maar dit keer zullen we, ik weet niet, ergens buiten rondlopen, toegeschreeuwd door de politie.'

Jin-Ho zei: 'Politie! Gaat de politie tegen ons schreeuwen?'

'Welnee, tuurlijk niet,' antwoordde Ziba. 'Sst, Sami. Praat over iets anders.'

En Maryam kwam ertussen om te vragen of ze klaar waren voor het toetje.

Ze vertrokken allen meteen na het eten vanwege Susans bedtijd. (Dus niet alle ouders-van-nu hadden vaste roosters afgezworen.) Dave bood niet aan te blijven om te helpen opruimen. Hij wist dat Maryam nee zou zeggen en bovendien wílde hij niet eens blijven. De avond had hem uit zijn evenwicht gebracht. Hij hunkerde naar huis.

Toen hij Maryam bij de deur bedankte, zei ze: 'Als er iets is wat jij en Jin-Ho nodig hebben, bel me dan gerust.'

'O, zeker,' zei hij.

Maar hij wist dat hij dat niet zou doen. Onder het felle schijnsel van het buitenlicht leek Maryam stug en streng. Haar armen waren over haar borst geslagen op een manier die hem trof als ongenereus, hoewel hij wist dat ze zich alleen maar teweerstelde tegen de koude nachtlucht. Hij herinnerde zich het licht geamuseerde gezicht dat ze vaak bij Bitsy in de buurt opzette, en de keer dat ze had geklaagd dat Amerikanen alleen maar Amerikaanse literatuur lazen, en de keer dat ze had beweerd dat dit land geen verstand van yoghurt had. Het was maar goed dat hij haar niet vaker zag dan hij nu deed.

Toen hij Jin-Ho in zijn auto schikte, ving hij toevallig de stemmen op van Sami en Ziba in de auto ervoor. 'Waar is Susans beertje?' hoorde hij Ziba vragen. 'Heb jij haar beertje?' en Sami zei: 'Het zal nog achterin liggen. Volgens mij heeft ze het niet mee naar binnen genomen.' Van die ontspannen saamhorigheid – het maatjessysteem dat een langbeklonken huwelijk was – werd Dave innerlijk hol van verlangen.

Op de avond van Xiu-Meis aankomst reed Dave in Bitsy's auto naar het vliegveld. Deze was nu voorzien van een tweede kinderzitje – dat waar Jin-Ho was uitgegroeid, het babytype. Jin-Ho zat ernaast op haar kussen, met een button waarop GROTE ZUS stond en in haar armen een reusachtige rechthoekige doos in roze gestippeld pakpapier. Er zat een pluchen kikker in, bijna zo groot als zijzelf. Dave had voor iets kleiners gepleit, maar Jin-Ho liet zich niet vermurwen. 'Xiu-Mei moet hem kunnen zíen,' zei ze. Dus had hij toegegeven.

Bitsy's auto was bezaaid met proppen tissue en crackerkruimels en plastic speelgoedonderdelen. Ook trok het stuur iets naar links; hij moest niet vergeten haar dat te zeggen. Hij reed langzamer dan anders, liet telkens een andere auto invoegen voor de zijne. De avond was druilerig en mistig, niet eens zo koud maar klam. Hij moest de ventilator aan laten staan.

Jin-Ho wilde weten of Xiu-Mei heimwee zou hebben. 'Als ze nu hier komt en ze vindt het niet zo prettig als in China?' vroeg ze.

'O, maar dat zal ze niet doen. Ze zal om zich heen kijken en zeggen: "Het is hier geweldig! Ik vind het fijn!" '

'Ze praat nog niet, opa.'

'Heb je gelijk in. Dom van me.'

Jin-Ho was even stil, ritmisch trappend tegen de voorstoel op een manier die irritant zou zijn geweest als daar iemand had gezeten. Toen zei ze: 'Weet je nog toen ik en Susan een gat naar China wilden graven?'

'Of ik dat weet,' zei Dave. 'Je pappa verzwikte zijn enkel toen hij er in het donker in stapte.'

'Nou, de kinderen in China,' zei Jin-Ho. 'Graven die nu naar Amerika?'

'O, daar heb ik nooit over nagedacht, maar dat zou best kunnen. Ja hoor, waarom niet?'

'Zou dat niet cool zijn?'

'Reuze cool.'

'Dan zouden ze op een dag uit de grond opduiken als ik aan het spelen was met mijn vriendinnetjes, en dan zouden ze zeggen: "Hé, waar zijn we?" En dan zeg ik: "In Baltimore, Maryland." '

'Reusachtig cool,' zei hij.

Misschien had hij enkele probleempjes met de logistiek moeten belichten, maar waarom zou hij? Bovendien had hij wel lol in deze ongecompliceerde, kleurboekversie van de wereld, waarin kinderen in maojasjes en kinderen in Levi's broeken elkaar zo naadloos begrepen.

In de garage op de luchthaven passeerde hij Abes Volvo, die een parkeerplaats in reed. En toen op de voetgangersbrug riep Jin-Ho: 'Daar is Susan! Ik zie Susan!' Susan liep voor hen uit met haar ouders, zwaaiend met een boodschappentas aan haar zij. Ze keken alle drie om en wachtten tot Dave en Jin-Ho hen hadden ingehaald. 'Ik heb een kikker voor Xiu-Mei,' zei Jin-Ho. Ze moest om haar grote doos heen reikhalzen om voor zich te kunnen kijken, maar ze had geweigerd hem door Dave voor haar te laten dragen.

'En ik heb een badhanddoek met een capuchon voor haar hoofd en een washandje en een gele eend en een fles speciale shampoo,' zei Susan.

'Lief van jullie om te komen,' zei Dave tot de Yazdans.

'O, dat hadden we niet willen missen,' zei Ziba. 'Jin-Ho, laat me je button lezen. Dus jij bent nu een grote zus!'

Er was geen teken van Maryam. Dave wist niet of haar zelfs de aankomsttijd was verteld.

Eenmaal binnen in de terminal zei Dave de Yazdans gedag en bracht Jin-Ho naar pier D. Het plan was dat zij tweeën direct buiten de bewaakte zone zouden wachten, zodat ze de eerste officiële begroeters konden zijn. Dan zouden ze beneden naar de bagageband gaan waar de anderen zouden verzamelen.

Jin-Ho keek heel ernstig en gewichtig. Ze stond naast Dave, met haar armen om haar cadeau, en staarde strak naar de naderende passagiers, ook al was de vlucht uit LA nog niet geland. Eerst probeerde Dave haar bezig te houden door haar te wijzen op de bezienswaardigheden ('Ongelooflijk, zie je hoeveel mensen er reizen met hun eigen kussentjes?'), maar Jin-Ho's beleefde, afgetrokken reacties brachten hem ten slotte tot zwijgen. Hij wiebelde op zijn hakken en bestudeerde de verschillende gezichten – alle leeftijden en alle kleuren, iedereen met dezelfde versufte uitdrukking.

Toen, ten langen leste, kwamen ze daar – Brad voorop om de weg te banen, beladen met tassen en handbagage, en Bitsy er vlak achter, met een bundel roze gewatteerde deken op haar linkerschouder. Bitsy leek uitgeput, maar toen ze Dave en Jin-Ho zag, klaarde ze op en zwenkte af naar hen toe. Brad volgde; hij was bijna de verkeerde kant op gegaan.

'Jin-Ho!' zei Bitsy. 'We hebben je zo gemist!' Ze knielde neer en omhelsde Jin-Ho. Nog op haar knieën draaide ze het roze gewatteerde bundeltje om naar buiten.

Xiu-Mei had piekig zwart ponyhaar en sterk schuinstaande ogen die haar iets grilligs gaven. Het was onmogelijk haar mond te zien, omdat ze op een speen zoog.

'Xiu-Mei, dit is je grote zusje,' zei Bitsy. 'Zeg maar hallo, Jin-Ho.'

Xiu-Mei zoog nog wat harder op haar speen, waardoor die begon te wiebelen. Jin-Ho staarde haar zwijgend aan. Te laat besefte Dave dat hij een fototoestel had moeten meebrengen. Beneden zouden er verscheidene zijn, maar dit was de scène die ze vastgelegd zouden willen hebben. Niet dat er nu zoveel te zien was. Zoals de meeste levensveranderende ogenblikken ontbrak het dit teleurstellend aan drama.

'Beroerde vlucht,' vertelde Brad ondertussen aan Dave. 'We hadden turbulentie vanaf de Mississippi, en bij het opstijgen en landen had Xiu-Mei last van haar oren. Iedereen bezwoer dat de speen zou helpen, maar man, ze schreeuwde moord en brand.'

Inderdaad rustte er een enkele traan op Xiu-Meis wang.

'Ik heb een cadeau voor haar,' zei Jin-Ho.

'O, wat aardig van je!' zei Bitsy. 'Wat ben jij een lief zusje!' Ze wierp Dave een dankbare blik toe en stond op, Xiu-Mei weer tegen haar schouder leggend. 'Zullen we naar de anderen beneden gaan kijken?'

'Eerst moet ze haar cadeau openmaken,' zei Jin-Ho.

'Niet nu, schatje. Straks misschien.'

Dave verwachtte dat Jin-Ho zou aandringen, maar ze liep zoet met Bitsy mee. Hij ontlastte haar van haar cadeau zodat ze bij kon blijven. Van Brad nam hij een paar van de tassen over en hij volgde ze naar de roltrap. Jin-Ho leek opeens zo groot dat hij een steekje voor haar voelde. Hij herinnerde zich dat hij hetzelfde had gehad bij Bitsy toen ze thuiskwamen met haar nieuwe broertje. Haar handjes hadden wel reuzenpoten geleken en haar knieën zo knobbelig.

Beneden ging er een hoeraatje op. Hun ontvangstcomité stond aan de voet van de roltrap – vrienden en familie, dik in hun wintergoed gewikkeld, met cadeaus en ballonnen en borden. Zodra Brad de begane grond bereikte, liet hij zijn tassen vallen, pakte de baby beet, met dekentje en al, en hield haar boven zijn hoofd. 'Hier is ze dan, mensen!' zei hij. 'Mejuffrouw Xiu-Mei Dickinson-Donaldson.' Fototoestellen flitsten en videocamera's volgden Xiu-Meis tocht naar de armen van Brads moeder. 'Wat een schatje!' zei Brads moeder, haar stevig omhelzend. 'Is me dat een snoesje! Ik ben je grootmoeder Pat, snoezepoes.'

Xiu-Mei staarde haar aan en de speen wipte op en neer.

Nu kon Bitsy zich tot Jin-Ho wenden, goddank, en haar bij de hand nemen. Iedereen ging op weg naar de bagagecarrousel, waar juist de koffers en rugtassen begonnen te arriveren. 'Je had moeten zien wat we elke dag aan het ontbijt kregen,' vertelde Bitsy aan Jin-Ho. 'Zo veel dingen die we nog nooit gegeten hadden. Had jij zalig gevonden.' Jin-Ho keek twijfelachtig. Laura's camera flitste in haar gezicht. Polly – die nu vijftien was en familiegebeurtenissen stomvervelend vond – verstelde de oortjes van haar cd-speler en waagde een oogje aan een jongen in een voetbaltrui. De mensen hier droegen een wilde diversiteit aan kleding. Sommigen, duidelijk net uit de tropen, waren in hawaïhemden en op teensandalen, en sommigen droegen bolle moonboots en een veelvoud aan donzen pompons. Een jong stel kwam voorbij, met canvashoezen in de vorm en grootte van strijkplanken en met aan de ritsen van hun jacks bengelende bergpasjes, en de vrouw slingerde haar streperig donkere haar naar achteren en de man beschreef een *wipe-out* met een Iers accent dat het deed klinken als 'weep-oet'; en vlak daarachter kwam... hé, Maryam, op haar gemak aangekuierd met haar handen in haar jaszakken. Ze naderde Jin-Ho, die nu terzij stond terwijl Bitsy de bagageband afspeurde. 'Is je zusje er al?' vroeg Maryam, en Jin-Ho zei: 'Oma Pat heeft haar.'

Maryam wierp een blik op Brads moeder, die omringd werd door allerlei vrouwen die kirden tegen Xiu-Mei. 'Heel lief,' zei ze, zonder te proberen dichterbij te komen.

'We nemen maar áán dat ze lief is,' zei Dave, 'maar zeker weten we het pas als ze die speen uit haar mond haalt.'

'Komt het niet allemaal terug?' vroeg ze. 'De dag dat Jin-Ho aankwam?'

'O, ja. Hemel, ja.'

Maar dat zei hij ter wille van Jin-Ho, opdat zij zich erbij voelde horen. Strikt genomen leek het in niets op die avond van vierenhalf jaar geleden. O, iedereen deed wel zijn best. Lou liep rond met een microfoon om gelukwensen op te nemen. Bridget en Deirdre zongen tweestemmig 'She'll Be Coming Round the Mountain' en een van Bitsy's vriendinnen van de leesclub droeg een bordje mee met WELKOM XIU-MEI erop. Maar de sfeer was anders nu mensen zich niet bij de gate hadden mogen verzamelen. De menigte had iets samengeraapts, iets rommeligs, en het enthousiasme leek geforceerd.

Maryam vertelde Jin-Ho over Jin-Ho's eigen aankomst. 'Je vliegtuig was te laat,' zei ze, 'en we moesten eindeloos wachten. We waren natuurlijk vroeg komen opdagen, omdat we je zo graag wilden ontmoeten. Het was alsof je nooit kwam! En geen woord van uitleg over de oorzaak van de vertraging.'

Als je haar zo hoorde, zou je denken dat zijzelf er voor Jin-Ho was gekomen. Dave vergat haast dat ze ze destijds niet eens gekend had.

Susan zei: 'Ons vliegtuig was te laat?' Ze wurmde zich tussen Jin-Ho en Maryam in. 'Ik wist niet dat ons vliegtuig te laat was! Jij?' vroeg ze Jin-Ho.

Jin-Ho haalde haar schouders op en staarde naar elders. (Er waren momenten dat Dave zich afvroeg of ze liever niet aan Aankomstdag herinnerd werd.)

'Het werd ook niet aangekondigd,' ging Maryam verder. 'Maar er kwam een moment dat we begrepen dat er iets stond te gebeuren. De deur naar de aviobrug ging open; we kwamen er allemaal omheen staan...'

Brad en een aantal anderen waren ondertussen bezig naast de carrouselband van de bagage een berg te bouwen – meer bagage zelfs dan waarmee hij en Bitsy waren vertrokken. Ten slotte ging Brad achteruit en begon een lijst op te lezen. 'Plunjezak: klopt. Kledinghoes: klopt. Rode koffer, blauwe koffer, kleine blauwe koffer...' Bitsy had Xiu-Mei weer opgeeist en begaf zich in de menigte om alle verwelkomers te noden met hen mee naar huis te gaan. 'God weet hoe het eruitziet. Vergeet niet dat ik er de laatste drie weken niet geweest ben,' zei ze (waarmee ze Dave lichtelijk beledigde, die het net die ochtend van boven tot onder had schoongemaakt), 'maar we vinden het heerlijk jullie allemaal te zien, en Jeannine brengt verversingen mee, de schat.' Een blos was opgestegen in haar hals – bij Bitsy altijd een teken van agitatie – en ze oogde onthand en ijverig. Dave voelde een steek van liefde en deernis dooreen; waarom, dat had hij niet goed kunnen zeggen.

'Nou, ben ik daar een ouwe sukkel,' zei Lou ondertussen opgewekt. 'Steek ik m'n mike uit naar iemand die een vreemde blijkt te zijn. Ik zag 'm aan voor een buurman of zoiets. Maar hij was er allemachtig netjes over. Zei: "Helaas heb ik niet het genoegen deze mensen te kennen, maar ik wens ze zeker het beste en me dunkt dat ze boffen met zo'n mooie baby." Ik kan hem natuurlijk nog wissen, maar ik denk dat ik hem erin laat zitten.'

'Beslist, laat hem erin!' zei Bitsy. 'Is hij er nog? We moeten hem thuis uitnodigen!' Ze hees Xiu-Mei hoger op haar schouder en wendde zich tot Dave. 'Pa, rijd jij met ons mee? Kun jij tussen de twee zitjes in?'

'Dat hoef ik niet te proberen,' antwoordde hij. 'Ik krijg wel een lift van...'

Hij draaide zich om om Abe of Mac te zoeken en stond oog in oog met Maryam. Die zei: 'Zeker. Ik kan je brengen.'

Eer hij iets kon uitleggen, zei Bitsy: 'Geweldig! Dank je wel, Maryam. En dank je dat je Xiu-Mei welkom bent komen heten.'

'Ik had het niet willen missen,' zei Maryam, maar op die losse, zwevende toon waarbij Dave zich altijd afvroeg of iets haar als geestig had getroffen.

Iedereen ging op weg naar het parkeerterrein met stukken bagage, Dave voorop zodat hij kon wijzen waar hij de auto had gelaten. Jin-Ho sputterde toen hij haar cadeau in de kofferbak wilde stouwen. 'Dat moet ik aan Xiu-Mei geven!' zei ze. 'Ze kan het onderweg openmaken.'

'Goed, schatje,' zei hij. 'Zie ik je straks.'

Hij gaf Brad de sleutels en liep toen met Maryam mee naar waar zij haar eigen auto had gezet, een verdieping hoger. De garage voelde kouder dan buiten, stervenskoud zelfs, en ze liepen beiden vlug, de klank van hun voetstappen bijna metalig tegen de betonnen vloer.

'Is dat niet raar?' zei Maryam. 'Zomaar opeens is een totaal onbekend iemand voorgoed deel van hun gezin. Nu ja, dat geldt voor een eigen kind ook, maar... ik weet niet, dit lijkt verbijsterender.'

'Voor mij is het allebei even verbijsterend,' zei Dave. 'Ik herinner me, voordat Bitsy was geboren, dat ik bang was dat ze niet bij ons tweeën zou passen. Ik zei tegen Connie: "Als je ziet hoe lang wij erover deden om te besluiten met wie we zouden trouwen, maar deze baby komt vanuit het niets binnenwaaien, zonder iets als een achtergrond of een persoonlijkheidstest. Stel dat blijkt dat we geen enkele interesse gemeen hebben?'

Maryam lachte en sloeg haar jas dichter om zich heen.

Ze spraken niet meer tot ze in haar auto de snelweg op reden met de kaartautomaat achter zich. Toen zei Dave: 'En Sami en Ziba? Denk je dat zij er nog een adopteren?'

'Ik vermoed dat één kind alles is wat ze zich kunnen veroorloven,' antwoordde Maryam. 'Gezien de kosten van particuliere scholen tegenwoordig.'

'Ze kiezen niet voor het steunen van openbaar onderwijs?'

Ze wierp hem een zijdelingse blik toe maar zei niets, reed een paar minuten zwijgend voort. Haar profiel, in zilver afgetekend door de passerende koplampen, leek ijzig en streng, de lange schuinte van haar neus onmogelijk recht.

'Hoewel, dat is zeker een heel persoonlijk besluit,' zei hij ten slotte.

Ze zei: 'Ja.'

Hij had een opwelling van rebellie. Waar haalde deze vrouw het recht vandaan om zo arrogant te doen? Hij zei: 'Hé, zeg, je zou er niks van krijgen als je je een heen-en-weergesprekje permitteerde.'

Ze gaf hem een nog kortere blik en keek weer op de weg.

'Je zou bijvoorbeeld kunnen zeggen: de openbare scholen in Baltimore zijn beneden ieder peil. Dan zou ik kunnen zeggen, jawel, maar als de ouders betrokken raakten, had ik nog enige hoop dat we iets konden veranderen. Dan kon jij weer zeggen dat je de toekomst van je kleindochter niet wilt opofferen voor alleen maar hoop. Dat kan ik hébben! Daar zal ik niet van omvallen!'

Nog zei ze niets, maar ze leek een glimlach te bedwingen.

'Je doet of je vindt dat je zó gelijk hebt dat je het niet eens hoeft te bewijzen,' zei hij.

Ze zei: 'Ik?' en nu keek ze hem vol aan van verbazing.

'Net of je denkt: o, die stomme Amerikanen, die hebben toch nergens verstand van!'

'Ik denk niets van dien aard!'

'Het is moeilijker dan je beseft, Amerikaan zijn,' zei hij terug. 'Je moet niet denken dat we niet merken hoe de rest van de wereld tegen ons aankijkt. De keren dat ik nog buitenslands reisde, zag ik die toergroepen van mijn landgenoten en huiverde, ook al wist ik dat ik er bijna net zo bij liep. Dat is het erge: we worden allemaal over één kam geschoren. We zitten allemaal in dezelfde grote schuit, zogezegd, en waar die schuit gaat, moet ik ook gaan, ook al gedraagt hij zich als... de pestkop van de school. Ik kan niet zomaar overboord springen, hoor!'

'Terwijl wij Iraniërs daarentegen,' zei Maryam sardonisch, 'steevast worden gepercipieerd in onze unieke en onderscheiden individualiteit.'

Hij zei: 'Tja.' Hij voelde zich lichtelijk voor schut staan. Hij wist dat hij had doorgedraafd.

'Heb je gezien hoe de mensen wegschoven van Sami en Ziba en mij, vanavond op het vliegveld? Nee, waarschijnlijk niet. Dat zou jou niet eens opvallen. Maar zo is het al sinds 11 september. O,' zei ze, 'soms ben ik zo moe van het vreemdeling zijn dat ik wel kan gaan liggen en sterven. Het is veel werk, voor vreemdelingen.'

'Werk?'

'Heel veel werk en moeite en nóg lukt het ons niet er echt tussen te komen. Susan zei dat, afgelopen kerst, toen ze op een dag met mij mee naar huis reed na school. Ze zei: "Ik wou dat wij Kerstmis konden vieren net als gewone mensen. Ik wil niet graag anders zijn," zei ze, en het sneed me door de ziel dat te horen.'

'Ja...' zei Dave. Hij sprak voorzichtig, omdat hij niet weer zo'n blik van Maryam over zich wilde afroepen. 'Ehm, misschien kun je haar een héél klein kerstboompje gunnen. Zou dat een probleem zijn?'

'Ze kréég een boom,' zei Maryam. Ze reden nu de stad binnen en ze keek in de zijspiegel uit naar een kans om van rijstrook te veranderen. 'Ze kreeg een kánjer van een boom. Dat konden we tenminste voor haar doen.'

'Dan... ik weet niet, versiersels? Een krans, een snoer met lampjes?'

'Uiteraard. En mistletoe.'

'Ah. En.. zou het tegen jullie overtuigingen ingaan haar een paar cadeautjes te geven?'

'Ze heeft massa's cadeautjes gekregen. En gegeven.'

'Zo,' zei hij. Hij was even stil. 'Een kous misschien,' zei hij ten slotte. 'Mocht ze een kous ophangen?'

'O, ja.'

'En kerstliedjes dan? Ik bedoel, niet de meer godsdienstige liedjes, maar misschien "Jingle bells" en "O denneboom", en even kijken, "De witte vlokjes zweven..."'

'Ze is wezen zingen met de kinderen van de buren. Ze hebben de hele straat af gelopen, heen en terug, en alle mogelijke kerstliedjes gezongen, met kindje Jezus en al.'

'Ja nou, dan,' zei hij. 'Ik weet niet of...'

'Maar in de auto die dag zei ze tegen mij: 'Het is niet hetzelfde. Het voelt niet hetzelfde. Het is niet een échte Kerstmis.'

Hij schoot in de lach.

'Ach hemel nog aan toe!' zei hij. 'Je praat over elk kind in dit land!'

Ze remde voor een verkeerslicht en keek hem van opzij aan.

Hij zei: 'Dacht je dat ze dat niet allemaal zeggen? Ze zeggen: "Bij anderen thuis vieren ze het mooier; op de tv lijkt het veel mooier; wat ik in mijn hoofd had was mooier." Dat heb je juist met Kerstmis! Zo gaat het nu eenmaal! Ze hebben van die geïdealiseerde verwachtingen.'

Ze leek inderdaad te begrijpen wat hij bedoelde, zag hij. Iets scheen in haar voorhoofd op te klaren.

'Het kind is honderd procent Amerikaans,' zei hij.

Ze glimlachte en reed door.

De rest van de weg legden ze af in een stilte die Dave niet probeerde te verbreken, omdat ze diep in gedachten leek. Bij rode lichten tikte ze met een nagel tegen het stuur alsof ze de maat sloeg bij een of andere innerlijke dialoog, en toen ze voor het huis van Brad en Bitsy vaart minderde, zei ze: 'Je hebt gelijk natuurlijk.'

'Ik?'

'Ik ben veel te kleinzerig over mijn vreemdelingschap.'

'Wat? Wacht. Dát heb ik niet gezegd.'

Maar ze knikte langzaam. 'Ik til er te zwaar aan,' zei ze. Ze had de auto nu tot stilstand gebracht, maar liet de motor lopen; dus maakte hij eruit op dat ze niet mee naar binnen ging. Ze bleef voor zich uit kijken, staarde door de voorruit. 'Je zou het ook zelfmedelijden kunnen noemen,' zei ze. 'Een trek die ik veracht.'

'Dat zou ik nooit zeggen! Jij hebt geen greintje zelfmedelijden.'

'Nee, kijk,' zei ze, 'je kunt over deze dingen in, in een, hoe zou je dat noemen, een denkpatroon belanden. Je kunt gaan geloven dat je leven wordt bepááld door je vreemdelingschap. Je denkt dat alles anders zou zijn als jij er maar bij hoorde. "Was ik maar thuis," zeg je, en je vergeet dat je er daarginds ook niet bij zou horen, na al die jaren. Het zou helemaal niet meer thuis zijn.'

Haar woorden troffen Dave als diepdroevig, maar haar stem klonk koel en haar profiel bleef onbewogen. Een gele gloed flikkerde telkens over haar gezicht wanneer gasten voorbijkwamen tussen de auto en de lamp bij het voordeurpad.

Dave zei: 'Maryam.' Ze keek om en observeerde hem van een afstand, leek het, haar uitdrukking welwillend maar beschouwelijk.

'Je hoort erbij,' zei hij. 'Je hoort er net zo bij als ik, of wie, Bitsy of... Het is net als met Kerstmis. We denken allemáál dat de anderen er meer bij horen.'

Eindelijk leek ze naar hem te luisteren. Ze zette haar hoofd schuin en hield haar ogen op de zijne gericht. Hij voelde zich opeens met zichzelf verlegen. Hij had niet zo plechtstatig willen klinken. 'Nou,' zei hij op een lichtere toon. 'Ga je nog mee naar binnen?'

Ze zei: 'O...'

'Toe,' zei hij. Hij reikte naar het contactsleuteltje en zette de motor uit. Ze protesteerde niet. 'Kom erin,' zei hij, en hij gaf haar het sleuteltje en toen leek het alsof de woorden iets meer begonnen te betekenen en hij zei: 'Kom erin, Maryam. Kom binnen,' en haar vingers sloten zich niet alleen om de sleutels maar ook om zijn vingers, en ze zaten daar met hun handen ineengeklemd en keken elkaar nuchter aan.

8

Nou. Ziba wist níet wat ze ervan moest denken. De mensen stelden haar voortdurend vragen – voornamelijk de vrouwen. Haar moeder en haar schoonzusters en Nahid, de vrouw van Sirous. 'Is Maryam... is ze...? Kan er een speciale réden zijn waarom ze altijd met de vader van die Bitsy is?'

Ze verscheen met hem op het nieuwjaarsfeest van de Hakimi's in maart – het echte, het geheel en al Iraanse dat Ziba's ouders elk jaar gaven in een groot hotel in Washington. Normaal gesproken zou ze het niet hebben bijgewoond. 'Chanom voelt zich te fijn voor ons simpele familiepartijtje,' mochten de verwanten graag tot elkaar zeggen, hoewel het in werkelijkheid niets simpels had, hetgeen vermoedelijk de reden was dat Maryam vroeger altijd haar leedwezen had betuigd. Het werd gehouden met heel veel pronk, veel muziek en drukte, en het duurde tot diep in de nacht. Maar dit jaar wás ze er, in een lange zwartzijden kaftan, afgezet met goudborduursel, haar zuiverzwarte wrong strak en glad naar achteren getrokken, haar gezicht een perfect, verpletterend ovaal, perfect opgemaakt, en naast haar stond Dave Dickinson, in een flodderig grijs pak, blauw overhemd en streepjesdas, misschien wel de eerste das waarmee Ziba hem had gezien, buiten die op de begrafenis van zijn vrouw. Hij was vrijwel de enige aanwezige Amerikaan. O, een paar van de jonge neven waren met blonde vrouwen getrouwd – die Iraanse hang naar blondines was onmiskenbaar – maar toch viel de man nog op door zijn bleekhuidige, verschoten uiterlijk. Niet dat hij er zo te zien hinder van had. Hij keek om zich heen met een uitdrukking van onverholen vreugde, bekeek de bewerkelijke versieringen en de muzikanten met hun santours en tanbours en de opgedirkte kinderen die in het wilde weg tussen de grote mensen door renden. Toen hij de stoet van gerechten zag, drukte hij zijn handen tegen elkaar alsof hij zijn blijdschap amper kon bedwingen. Dat maakte sommige gasten aan het lachen, en Ziba had haast met hem te doen, ofschoon hijzelf er niets van leek te merken.

Ze had geweten dat hij zou komen, maar alleen doordat haar ouders het haar op het laatste moment hadden verteld. Maryam zelf had niets gezegd. 'Heeft ze iets gezegd tegen jóu?' vroeg Ziba aan Sami, en Sami schudde zijn hoofd. Dat was nog voor het feest begon, maar toch kwam het als een schok Dave een uurtje later aan te treffen, te midden van de wervelende menigte. Hij stond onder een hoge marmeren boog, naast een gecanneleerde pilaar. Er was geen vijf centimeter ruimte tussen hem en Maryam. Daar lette Ziba secuur op. (Iedereen deed dat.) De hele avond kleefde hij als een schaduw aan Maryam, hoewel hij haar niet eenmaal aanraakte. Van haar kant leek Maryam niet meer dan een bekende van hem. Ze legde geen hand op de zijne wanneer ze hem aansprak, ze greep hem niet bij zijn arm toen ze op Sami en Ziba afstapte om hallo te zeggen. Het was dus nog vroeg in de relatie; een eerste of tweede afspraak. Of misschien helemaal geen afspraak; misschien een culturele expeditie, voortgekomen uit Daves nieuwsgierigheid. Of voor het gemak van Maryam, die zich in het donker achter het stuur niet prettig voelde. (Maar in dat geval: waarom dan niet gewoon met Sami en Ziba meegereden?)

Ziba belde Bitsy meteen de volgende dag. Bitsy zei dat hij er tegen haar met geen woord van gerept had.

In april, op Maryams eigen nieuwjaarspartijtje dat ze elk voorjaar gaf sinds de komst van de meisjes, zat Dave er al toen Sami en Ziba arriveerden. En die waren vróeg. Zoals altijd kwamen ze eerder om te helpen; niet dat Maryam ooit het kleinste detail aan haar aandacht liet ontsnappen. Het was Dave die hun iets te drinken aanbood, Dave die naar de deur ging toen Ziba's ouders aanbelden. Hoewel hij en Maryam ook nu fysiek gesproken afstand hielden en hij haar complimenteerde met het eten zoals elke toevallige gast had kunnen doen – naar de naam van een specerij vroeg en zo te zien geen eerstehandse voorkennis had van haar menu.

Bitsy zei, toen zij en Brad arriveerden: 'O, ben je daar, pa! We hebben je de hele morgen gebeld om te vragen of je een lift wilde.'

De hele mórgen? dacht Ziba. Hoe lang was hij er dan eigenlijk al?

Ziba's moeder zei later tegen haar dat ze Maryam rechtstreeks moest vragen wat er gaande was. 'Ze is je schoonmoeder!' zei ze over de telefoon. 'Je ziet haar vrijwel dagelijks! Vraag: "Moeten we onze bruiloftskleren al aanschaffen?"'

'Chanóm vragen?' zei Ziba.

In de regel maakte Ziba bezwaar wanneer haar familie Maryam achter haar rug 'Chanom' noemde. Het betekende niet meer dan 'madame', maar op die speciale toon van hen had het evengoed 'Hare Hoogheid' kunnen betekenen. Ziba veinsde afkeuring. Ze liet nooit merken hoe intimiderend zij Maryam altijd had gevonden. 'Heus, jullie moeten haar alleen leren kennen,' zei ze vaak, en ze hoopte van ganser harte dat dat er op een dag van zou komen. Nu echter erkende ze het: 'Dat zou ik haar niet dúrven vragen!'

Haar moeder zei: 'Nou, Sami dan. Ze zou het Sami toch zeker zeggen.'

Sami had tegen vragen niet het minste bezwaar, zei hij. Maar hij wachtte tot de volgende keer dat hij Maryam zelf zag, merkte Ziba op. Hij pakte niet de telefoon om direct tot de zaak te komen. (Hetgeen Ziba naliet aan te stippen. Er was een zekere kiesheid tussen hen, een zekere omfloerste aarzeling, als zijn moeder ter sprake kwam.) De eerstvolgende zondagmiddag, toen ze op weg naar een film bij Maryams huis stopten om Susan af te zetten, zei Sami: 'Hé, geen Dave? Mij lijkt het dat Dave tegenwoordig overal is waar ik kijk.'

'Geen Dave,' zei Maryam onverstoorbaar. 'Susan, kom eens mee naar de tuin. Ik moet besluiten wat voor bloemen ik ga planten.'

Zo uitgestreken als gemalen poppenstront; zei je dat niet zo?

'En áls ze een stel zijn,' waagde Ziba Sami te vragen toen ze weer in de auto zaten, 'wat zou jij daarvan vinden? Zou jij...'

'Ik zou het best vinden,' zei Sami.

'Want ik weet dat het vreemd zou zijn voor jou, je moeder zien met een nieuw iemand.'

'Ik zou haar alle geluk wensen. Ze verdient het tenslotte. Niet dat mijn vader zo makkelijk was om mee te leven.'

'Nee?' zei Ziba.

'O, nee.' Hij minderde vaart voor een kruispunt.

'Dat heb je nooit verteld.'

'O, maar hij was erg humeurig. Heel erg op-en-neer,' zei Sami. 'Het was niet te voorspellen, met hem. Als kind keek ik elke ochtend naar zijn gezicht om te zien of het een goede of een slechte dag ging worden.'

'Zo praat je moeder helemaal niet over hem!'

'Op goede dagen was hij best geschikt – dan vroeg hij naar mijn schoolwerk, bood aan met mijn werkstukjes te helpen. Op slechte dagen kon hij... in elkaar zinken. Dan werd hij knorrig en ontevreden; eiste constante bediening. "Maryam, waar is mijn dit?" en "Maryam, waar is mijn dat?" Moest hij zo nodig zijn speciale thee en zijn Engelse volkorenkoekjes. Veeleisend. Een heel veeléisende man. Ik wou altijd dat mamma meer voor zichzelf opkwam.'

Ziba zei: 'Zo.'

Ze vroeg zich af hoe het kwam dat Sami hier tot nu toe niet van had gerept. Mannen! dacht ze. En ze voelde een golf van waardering voor alle wijzen waarop hij verschilde van zijn vader. Er was niemand zo betrouwbaar, zo gelijkmatig van humeur en zo beminnelijk als Sami, en hij was zo consciëntieus met meehelpen in huis en met de kinderverzorging. De vrouwen in haar familie konden er niet over uit. Ze schoof zo dicht mogelijk op als haar gordel toestond en legde eventjes haar hoofd tegen zijn schouder. 'Dat moet voor jou ook zwaar zijn geweest,' zei ze.

Maar hij zei: 'Och, zo erg was het niet,' en toen: 'Hoe laat zei jij dat die film begon?'

Mannen.

In mei deed een nieuw voorwerp zijn intree in Maryams keuken: een elektrische ketel met een precies bijpassende theepot – beide van een modernistisch geborsteld staal. De bodem van de theepot had precies dezelfde omtrek als de bovenkant van de ketel. Niet langer hoefde ze de ene topzwaar op de andere te laten wiebelen. 'O! Waar komt die vandaan?' vroeg Ziba.

'Van die importzaak in Rockville,' zei Maryam.

'Ben je helemaal naar Rockville geweest?'

'Bitsy's vader heeft me gereden.'

'Ah.'

Ziba wachtte. Maryam paste een maatje thee af.

'Ik dacht dat je zo gesteld was op die antieke Japanse theepot van je,' zei Ziba ten slotte.

'Ja, klopt,' zei Maryam. 'Maar deze is ook mooi. En bovendien... was het een cadeautje.'

'Ah,' zei Ziba weer.

Maryam stond met haar rug naar haar toe, dus kon Ziba haar uitdrukking niet zien.

Het was nu een favoriet onderwerp, elke keer dat Ziba en Bitsy samenkwamen. Wat was er aan de hand? vroegen ze elkaar. En waarom moest het zo nodig geheim blijven? Beseften Maryam en Dave niet hoe opgetogen iedereen in beide families zou zijn om hen samen te zien uitgaan? Ze somden de weinige aanwijzingen op die ze hadden vergaard: Maryam was minder vaak beschikbaar om op te passen; Dave was betrapt op het draaien van een elpee met Iraanse muziek, gezongen door een vrouw die Shusha heette. 'Shusha!' zei Ziba. 'Maryams lievelingszangeres! En Maryam is de enige die ik ken die nog steeds geen cd-speler heeft!'

Hoewel, ze had nu toch een antwoordapparaat. Na al die keren dat Sami en Ziba haar ertoe hadden aangespoord! Maar ze leek niet te weten hoe ze ermee om moest gaan. Haar meldtekst kwam door onbekende oorzaak telkens terug bij de door de fabriek bijgeleverde, generieke begroeting – 'Gelieve... een... bericht... in... te... spreken' met een robotachtige mannenstem zonder intonatie. En toen kwam er op raadselachtige wijze een nieuwe meldtekst van haarzelf voor in de plaats, ook al had ze beweerd dat ze Sami's hulp nodig had om hem op te nemen. Hij verscheen op haar verzoek en ze zei vaag: 'O, hij doet alweer normaal, geloof ik. Maar bedankt,' alsof de nieuwe meldtekst zich als vanzelf had geïnstalleerd terwijl zij een andere kant op keek.

Dat moest Dave hebben gedaan. Trouwens, Dave moest het antwoordapparaat ook hebben gekocht – alweer een cadeau. Zij zei altijd dat een antwoordapparaat haar leven alleen maar ingewikkelder zou maken. 'Wat willen jullie ermee zeggen: dat het jullie te veel moeite is me twee keer te bellen als je me niet thuis treft?' vroeg ze dan. Een van die Maryamismen, die Hare-Hoogheidismen waarbij Ziba altijd een ogenblik haar ogen sloot.

'O,' zei Bitsy, 'ze hebben wel degelijk verkering.'

'Maar waarom het niet toegegeven dan?' vroeg Ziba.

'Misschien dat Maryam zich geneert. Mij heeft ze eens verteld dat ze er klaar mee was; misschien voelt ze zich beteuterd omdat ze van gedachten is veranderd.'

'Moeilijk voor te stellen, een Maryam die zich beteuterd voelt,' zei Ziba.

Ze glimlachten elkaar toe.

Er was een tijd dat Ziba in Bitsy's aanwezigheid pijnlijk verlegen was geweest. Bitsy had zoveel ouder en knapper geleken; ze was zo creatief; ze was zo geestdriftig betrokken bij de politiek en kringloopprogramma's en zo, en ze had van die onderbouwde opinies. Maar dat was voordat ze zich uitsloofde in excuses voor haar Amerikaansheid en haar Eerste-Wereldheid en haar 'wittebroodheid', zoals zij het noemde. Ze complimenteerde Ziba voortdurend met haar exotische verschijning en informeerde naar haar standpunt over diverse internationale kwesties. Niet dat Ziba nogal een standpunt hád, of iets wat afweek van wat ze las in de *Baltimore Sun*, als ze al de tijd ervoor kon vinden. Maar op de een of andere manier was haar desondanks een soort gezag verleend.

En nu, de laatste tijd, was ze Bitsy's morele steun geworden – haar toeverlaat, haast – naarmate er met de kleine Xiu-Mei diverse problemen rezen. Het zag ernaar uit dat Xiu-Mei moeite had met aarden. Ze was een schattig kindje, heel warm en lief, maar elke passerende bacil wist vat op haar te krijgen, en ze had sinds haar komst al tweemaal opgenomen moeten worden. Bitsy had het uitgezakte, van slaap beroofde voorkomen van de moeder van een pasgeborene. Soms liep ze om tien uur 's morgens nóg in haar badjas. Ze snauwde Jin-Ho af om kleinigheden en leek verslagen door haar eigen huis. Dus deed Ziba boodschappen voor haar, en haalde Jin-Ho op om bij vriendjes te spelen, en bood zoveel mogelijk geruststelling. 'Xiu-Mei is nu toch al zoveel groter dan toen je met haar thuiskwam!' zei ze. 'En moet je zien hoe ze aan je klit!'

In het begin had Xiu-Mei niet geweten hoe ze moest klitten. Mogelijk omdat ze nooit was vastgehouden. Ze kromde haar rug in een stijve, afwijzende houding als mensen probeerden haar op te pakken. Maar nu nestelde ze zich op Bitsy's schoot en omklemde een slip van haar mouw en observeerde intussen het toneel aandachtig boven haar roze plastic fopspeen. Die speen konden ze niet uit haar mond krijgen. Bitsy zei dat ze spijt had dat ze er ooit aan was begonnen, hoewel, wat hadden ze te kiezen gehad, met zo'n problematische thuisvlucht? 'Nu hebben we in elke kamer een speen,' zei ze, 'voor geval van nood, en drie of vier in haar bedje en wel een handvol in haar wagentje. Als ik haar voer, moet ik haar mond ontstoppen, er een hap in wippen en dan de speen weer terugstoppen, en al die tijd stribbelt ze tegen. Volgens mij is ze daardoor zo mager.'

Ze wás mager – mager en spichtig en klein voor haar leeftijd, en met veertien maanden was ze nog niet begonnen met kruipen. Maar niemand kon twijfelen aan haar verstand. Ze hield het ene gezicht en dan het andere zo nauwlettend in het oog alsof ze kon liplezen, en als Jin-Ho en Susan in de buurt speelden, werd ze extra waakzaam, volgde ze elke beweging met haar opwippende, schitterend zwarte ogen.

'Als ze maar even sliep,' zei Bitsy. 'Dan kon ik er hier greep op krijgen, geloof ik. Maar ze wil niet. Ik leg haar in bed en ze begint te gillen. Niet gewoon huilen – gillen, op zo'n hoge, schelle krijstoon. Soms denk ik 's avonds laat: er was iets wat ik had willen doen vandaag. Wat? Wát had ik nu willen doen? En dan weet ik het weer: mijn haar kammen.'

'Nu ik eraan denk,' zei Ziba. 'Weet je, het Aankomstfeest: ik vind dat we het dit jaar bij ons moeten houden.'

'Waarom? Het was vorig jaar bij jullie.'

'Ja, maar met Xiu-Mei en zo...'

‘Dat feest is pas over drie maanden,’ zei Bitsy. ‘Als het leven dán niet beter gaat, zit ik in een gesticht.’

‘Reden te meer om het bij ons te houden,’ zei Ziba, een grapje wagend. Maar Bitsy lachte niet mee.

Dus veranderde Ziba van onderwerp en vroeg of Bitsy dacht dat de meisjes al oud genoeg waren voor een kinderkamp deze zomer. ‘O, geen idee,’ zei Bitsy lusteloos. ‘Wie kan er iets van zeggen?’

Er was een tijd dat zij van alles te zeggen had gehad. Ziba miste die dagen.

Op een middag in juni deed Ziba de deur open en zag ze Maryam op haar veranda staan, in een getailleerde blouse en linnen rok, beige linnen pumps en met een fietshelm op. ‘Wat krijgen we nou!’ zei Ziba.

‘Sorry dat ik onaangekondigd verschijn,’ zei Maryam. ‘Mag ik binnenkomen?’ En toen liep ze door zonder op antwoord te wachten. De helm was zwart met oranje – het oranje in vlamvorm boven elk oor – en de kinriem accentueerde een kussentje van vlees onder haar kaak dat Ziba nooit was opgevallen. ‘Ik was boodschappen doen, zoals je ziet,’ zei ze, met een gebaar naar haar rok als om het te bewijzen, ‘en toen ik thuiskwam, dacht ik deze helm die ik had gekocht alvast te proberen. Ik wou weten hoe ik ermee om moest gaan.’

‘Heb je een fietshelm gekocht?’

‘Maar blijkbaar wist ik niet hoe hij werkte, want toen ik hem op had, kreeg ik hem niet meer af.’

Ziba voelde een lach opkomen. Ze hield haar gezicht in de plooi, maar Maryam zei toch: ‘Ja, weet ik; wat een vertoning! Maar ik dacht het liever jou te vragen dan naar een van de buren te gaan.’

‘Ja, natuurlijk,’ zei Ziba sussend. ‘Hier, laat eens kijken...’ Ze kwam naderbij om een plastic gesp aan de zijkant vast te pakken. Ze kneep erin, maar er gebeurde niets. Ze tastte naar een of ander knopje maar vond er geen.

Susan, die buiten achter het huis aan het spelen was geweest, kwam binnen met een gietertje en zei: 'Oe-oeh Marijune! Wat heb jij óp?'

'Gewoon, een fietshelm, liefje,' zei Maryam. 'Lukt het?' vroeg ze Ziba.

'Nee, maar laat me een ogenblikje. Ik weet zeker dat er iets moet...' Ziba voelde met haar vingers langs de rand van de kinriem. Ze rook de licht bittere eau de cologne die Maryam droeg, en de warmte van haar huid. 'Wat heb je precies vastgemaakt toen je hem opzette?' vroeg ze.

'Ik geloof die gesp, maar nu weet ik het niet meer. In de winkel had de jongen die me hielp hem in een mum los, maar nu kan ik niet... au.'

'Sorry,' zei Ziba. Ze had geprobeerd de riem over Maryams kin te trekken, maar het was duidelijk de bedoeling dat die bleef zitten waar hij zat. Wat wist zíj van die dingen? De enige sport die ze als meisje ooit had beoefend was volleybal – en dat in een *maghnae*, een dikke, zwarte aangesloten hoofddoek die haar oren omfloerste en haar borst bedekte. 'Ik moet iets over 't hoofd zien,' zei ze. 'Hier zit de gesp, hier zit de riem...'

'Waar is je fiets?' vroeg Susan aan Maryam.

'Ik heb geen fiets, Susie-june.'

'Waar heb je dan een helm voor nodig?'

'Ik had gedacht op iemands fiets te rijden.'

Susan rimpelde haar voorhoofd. Ziba ging achteruit en zei: 'Sami weet het wel.'

'Sami? Is die thuis?'

'Nee, maar ik verwacht hem elk moment. Kom binnen zitten en dan wachten we op hem.'

'O jeetje,' zei Maryam. Ze liep naar de spiegel in zijn vergulde lijst tegenover de voordeur. 'Denk je niet dat dít plastic dingetje...' zei ze, turend naar haar spiegelbeeld.

'Dat plastic dingetje heb ik al geprobeerd,' zei Ziba. 'Kom nu zitten, Maryam. Laat ik thee zetten. Of... kun je wel thee drinken met een helm op?'

'Weet ik niet,' zei Maryam. 'O, ik hoef ook geen thee! Misschien moeten we de riem gewoon doorknippen.'

'Zinloos om een splinternieuwe helm te vernielen. Kom binnen en wacht op Sami.'

Maryam volgde Ziba naar de huiskamer, maar ze leek er niet gelukkig mee.

'Is de fiets van Danielle?' vroeg Susan, achter Maryam aan lopend.

Daarvan schoot Ziba hardop in de lach, ten slotte – om het beeld van Danielle LeFaivre, de nuffigste van Maryams vriendinnen, koppig trappend op een fiets, in haar deux-pièces van Caroline Herrera en schoenen van vierhonderd dollar. Maryam zuchtte en ging op de bank zitten. 'Nee,' zei ze. 'Hij was van iemand anders.' Toen veranderde ze van onderwerp. 'Wat was je aan het gieten?' vroeg ze Susan. 'Komt er al iets op?'

'Nee, ik was wat aan het knoeien.'

'Ik heb gisteren bij de kwekerij een paar polletjes kattenkruid gekocht voor Moush,' vertelde Maryam. 'Ik dacht dat jij en ik ze konden planten, op dat plekje onder het keukenraam, de volgende keer dat je komt.'

'Is die fiets van Dave?' vroeg Ziba abrupt.

Toen had ze spijt omdat Maryam lang wachtte voor ze zei: 'Hij was van Connie.'

'O.'

'Dave was van plan dit weekend een fietstochtje met me te maken. Hij heeft Connies fiets nog in de garage staan, maar hij vond het veiliger niet op haar oude helm te vertrouwen.'

'O, groot gelijk!' zei Ziba. 'Net zoiets als autozitjes voor kinderen. Die hoor je ook niet over te doen. Die hebben een beperkte levensverwachting.'

Toen Sami de voordeur opendeed, had je gedacht dat ze allebei uit de nood waren gered; zo vlug keken ze om bij het geluid.

Sami was niet zo van zijn stuk gebracht als hij had moeten zijn, vond Ziba. Het enige wat hij zei toen hij binnenkwam, was: 'Ha, mam. Wat is er met de helm?'

'Ik vroeg me af of jij kon helpen hem af te zetten,' zei ze.

'O jazeker,' zei hij en hij kwam naar haar toe, deed iets met de riem dat een klikgeluid maakte, en lichtte de helm van haar hoofd.

'Dank je wel,' zei Maryam. 'En jij ook bedankt, Ziba, voor het proberen.' Ze stond op, stopte de helm onder haar arm en raapte haar tasje van de bank.

'Fijne fietstocht,' zei Ziba.

'Dank je,' zei Maryam nog eens, al in de vestibule.

Sami zei: 'Maar mam? Weet je straks hoe je hem weer loskrijgt?'

Ze zei: 'O, dat zoek ik wel uit. Dag.'

Ze leek niet gauw genoeg te kunnen wegkomen.

In juli ging Maryam naar Vermont voor haar jaarlijkse bezoek. Ze bracht Moush onder dak bij Sami en Ziba, en Ziba beloofde haar planten halverwege de week water te geven.

Ziba reed naar Maryams huis op een woensdagochtend nadat ze de meisjes bij het kinderkamp had afgeleverd. Toen ze het huis betrad, voelde ze zich een dief; de kleine, schemerige huiskamer had iets zo persoonlijks en intiems. Ze liet de voordeur achter zich openstaan, als om te bewijzen dat ze niets te verbergen had, en liep direct door naar de keuken. Er stonden één omgespoelde kop en schotel in de gootsteen, zag ze. Ze vulde de gieter die Maryam op het aanrecht had gezet en liep toen het huis door, stilstaand bij elke plant en de aarde bevoelend met haar vingertoppen. De meeste planten maakten het best; het was een zachte, vochtige week geweest.

Boven ging ze eerst naar de logeerkamer, waar ze zo vaak Susan te slapen had gelegd als ze op bezoek waren. Het tweepersoonsbed met de witte, gehaakte sprei, de commode met de paisleysjaal en de aardewerken pot met varens (die wél water behoefden) boden geen verrassingen. En Sami's oude kamer – nu een soort vergaarbak, een combinatie van naaikamer en notabetaalruimte en wat al niet – was kennelijk vlak voor Maryams vertrek op orde gebracht. Het bureau was leeg, en het dubbele bed met zijn jongensachtig geruite deken erover was ontdaan van het strijkgoed en naaiwerk dat Maryam daar vaak neerlegde.

Maryams kamer was minder vertrouwd, en bij het binnenkomen kon Ziba niet nalaten een blik te werpen op de spulletjes op de ladekast. Maar die waren dezelfde als vorig jaar: een beschilderd houten pennenetui in de vorm van een dikke sigaar, een Perzisch miniatuur op een standaard en een mozaïekdoos. Geen foto's, recente noch oude; die zouden zijn opgeborgen in het album in de boekenkast in de kamer beneden. Het leek alsof Maryam al lang geleden had besloten hoe haar wereld precies ingericht moest zijn, en geen reden zag die ooit nog te wijzigen.

Terwijl Ziba de klimop begoot die voor het raam hing, keek ze toevallig naar buiten en zag Dave Dickinson het pad op komen. Zo, wat deed díe hier? Ze liet de laatste druppels uit de gieter lopen en repte zich naar beneden. Toen zij bij de deur kwam, keek hij door de hor met een hand boven zijn ogen. 'Hallo?' zei hij. 'O, Ziba!'

'Ik geef de planten water,' legde ze uit.

'Ach, natuurlijk; had ik moeten weten.' Hij ging iets naar achteren en ze stapte de veranda op. (Ze vond niet dat ze hem binnen kon vragen zonder medeweten van Maryam.) Hij droeg een batisten overhemd en een kakibroek waarin hij geslapen had kunnen hebben, en zijn grijze krullenbol was warrig en leek vochtig. 'Ik zag de deur openstaan toen ik langsreed,' zei hij, 'en ik was bang dat er iets niet in orde was.'

Waarom hij zou 'langsrijden' in een woonstraat die nergens heen ging, verklaarde hij niet. En toen vroeg hij Ziba: 'Hebben jullie bericht van haar?' zonder zelfs te zeggen wie hij bedoelde.

'Nee, maar dat is niet ongewoon,' zei Ziba. 'Ze blijft maar een week weg, tenslotte.'

'Ik heb haar gesproken, meteen toen ze er was,' zei Dave.

'O ja?'

'Alleen om te weten dat ze veilig was aangekomen.'

Hij wendde zich af en keek de straat in. Hij zei losjes: 'Jíj hebt haar man niet gekend, zeker.'

Ziba zei: 'Ik?' De vraag was zo onverwacht dat ze zich afvroeg of ze hem soms fout vertaald had. 'Hemel, nee,' zei ze. 'Ik woonde niet eens in dit land toen hij stierf.'

'Ja, ik dacht al van niet...' Hij volgde het voorbijrammelen van een truck van het gazononderhoud. Toen wendde hij zich weer tot Ziba. Zijn warrige haar gaf hem iets schichtigs, alsof híj degene was die door dit gesprek was overvallen. 'Ze is zeker nog steeds sterk gehecht aan zijn nagedachtenis,' zei hij. 'Hij was vast een bijzondere man.'

Ziba overwoog hem te vertellen dat Kiyan humeurig en moeilijk was geweest. Bij nader inzien: nee, beter van niet.

'Maar hoe dan ook, je hebt misschien gemerkt dat ik op haar gesteld ben,' zei hij.

'Ehm, ja...'

'Of zelfs van haar hou.'

Om de een of andere reden voelde Ziba zich blozen. 'En, houdt Maryam ook van jou?' vroeg ze.

'Dat weet ik niet.'

Het interesseerde haar dat hij dacht dat het op zijn minst een mogelijkheid zou zijn. Ze zei: 'Maar je moet toch een vermoeden hebben.'

'Nee,' zei hij. 'Ik weet niet wat ik moet denken!'

Deze laatste woorden leken aan hem ontworsteld te zijn. Hij zweeg opeens, als van zichzelf geschrokken. Toen zei hij, rustiger: 'Ik weet niet wat ze van me verwacht. Ik weet niet hoe ik me moet houden. Ik vraag haar mee uit en we gaan ergens heen, eten of een film; ze lijkt mijn gezelschap op prijs te stellen, maar... 't is alsof we een glasruit tussen ons hebben. Ik weet niet wat ze voelt. Ik weet niet of ze zich nog, laten we zeggen, trouw voelt aan de nagedachtenis van haar man. Of misschien aan hem gebónden, door een of ander Iraans sociaal gebruik.'

'Nee,' zei Ziba. 'Zo'n soort gebruik is er niet.'

'Nou, iets anders dan? Iets als: moet ik Sami's permissie vragen voor ik haar het hof maak?'

Een proestlachje ontsnapte haar. Nu was het Daves beurt om te blozen. 'Sorry, maar wat weet ik ervan?' zei hij.

'Nee, of ik,' zei ze. 'Maryam behoort tot een totaal andere generatie. Maar ik kan je zeggen dat ze niet denkt dat je Sami's toestemming moet vragen.'

'Dan sta ik paf,' zei hij.

Dat woord had ze nog nooit gehoord, maar ze vond dat het goed overbracht wat hij wou zeggen.

'Kijk,' zei ze. 'Hoe moeilijk kan dit zijn? Jij mag haar, zij mag jou. Ze móet je wel mogen, want geloof me, als Maryam dat niet deed, zou ze je niet zo laten begaan. Dus wat is het probleem? Vroeg of laat komt het vast terecht.'

'Juist,' zei hij.

Ze zag dat ze hem toch teleurgesteld had, omdat hij haar zo goedig aankeek. Hij zei: 'Bedankt dat je me hebt laten zeuren...' en hij klopte op haar schouder, draaide zich om en liep het trapje af.

Bitsy zei: 'O, die árme pa.'

Want Ziba vertelde haar natuurlijk alles, zonder zelfs te wachten tot ze de meisjes thuisbracht van het kamp. Ze reed regelrecht van Maryams huis naar de Donaldsons, ramde op de bel en stormde naar binnen met de woorden: 'Eén keer raden!'

'Als hij maar niet gekwetst wordt,' zei Bitsy. Ze was Xiu-Mei aan het verschonen op het kleed in de woonkamer, maar was opgehouden toen ze Ziba's nieuwtje hoorde en ze zag niet eens dat Xiu-Mei naar de doos met bijdehandjes graaide.

'Waarom zou hij gekwetst worden?' vroeg Ziba.

'Nou, omdat hij zo naïef is, de arme goeierd. Hij heeft zo weinig ervaring.'

'Alsof Maryam zelf zo wereldwijs is,' zei Ziba.

'Nee, maar...'

'Voorzover wij weten is haar man de enige kerel met wie ze ooit is uit geweest.'

'Nee, maar – nu ja, je hebt natuurlijk gelijk,' zei Bitsy. Toch leek haar nog iets dwars te zitten.

'Ik dacht dat je blij zou zijn,' zei Ziba.

'O, dat ben ik ook! Eerlijk waar.' Ze heroverde eindelijk de doos met bijdehandjes en peuterde een prop bijdehandjes los uit Xiu-Meis knuistje. 'Maar ik zou heel wat blijer zijn als je vertelde dat ze hem als een gek achternaliep, hem elk ogenblik opbelde en om de hals viel.'

'Maryam heeft haar waardigheid,' zei Ziba stijfjes. 'Ze is een dame. In ons land gedragen dames zich niet zo.'

Het was vermoedelijk de eerste keer dat ze die zinsnede, 'in ons land', ooit had gebruikt. Altijd daarvoor had ze zo gretig gezegd dat dít haar land was, en ze wist niet waarom het nu anders zou zijn. Bitsy moest het hebben opgemerkt, want ze zei direct: 'O, ja, ze is een hoogstaande vrouw, en ik ben zó blij dat er een beetje schot in lijkt te komen.'

Toen veranderden ze beiden van onderwerp. Was Xiu-Mei niet een íetsepietsje molliger, wilde Ziba weten en Bitsy antwoordde, nu Ziba het zei, ze leek inderdaad wat dikker geworden en misschien moesten ze haar eens wegen. Ze gingen naar de badkamer boven, en Bitsy stapte op de weegschaal met Xiu-Mei op haar arm en stapte eraf en overhandigde Xiu-Mei aan Ziba en stapte terug op de weegschaal, en ze rekenden het uit. Ze waren heel uitgelaten en kwetterig.

Aan de muur boven de wc hing een ingelijste zwart-witfoto van een veel jongere Dave en Connie, met Bitsy en haar broer Abe, alle vier met woeste pruiken op en afzichtelijke boerenkielen aan. Dave droeg een snor-en-brilset à la Groucho Marx, Connie en Bitsy hadden enorme vooruitstekende nepgebitten, en vier van Abes tanden waren zwartgemaakt. Die foto was genomen in de zomer dat Mac zich had verloofd, wist Ziba. Connie had een afdruk aan Laura's ouders gestuurd met de mededeling dat de toekomstige schoonfamilie zich graag wilde voorstellen. Grapje natuurlijk, maar Ziba had net niet gauw genoeg gelachen toen het haar werd uitgelegd. Hoe konden mensen zichzelf zo licht opvatten, had ze zich afgevraagd.

En wie ter wereld zou een familiefoto boven de wc hangen?

Van sommige dingen van die Amerikanen zou ze altijd weer... paf staan.

Misschien dat een weekje van huis Maryam had leren waarderen wat Dave voor haar betekende. In elk geval werden ze na haar terugkeer uit Vermont vaker samen gezien, en dan leken ze ook sámen. Ze vulden elkaars verhalen aan, en herinnerden elkaar knus aan gezamenlijke belevenissen, en zaten zij aan zij en behoorlijk dicht tegen elkaar aan op de bank. Wanneer Maryam sprak, keek Dave glunderend de kamer rond alsof hij de anderen vroeg hem te volgen in zijn bewondering. Was Dave aan het woord, dan glimlachte Maryam ook, maar richtte haar blik bescheiden op haar schoot. Ze gedroegen zich als tieners, zei Sami tegen Ziba. Hij was blij zijn moeder zo gelukkig te zien, zei hij, maar het bezorgde hem wel een raar gevoel.

Het maakte dat Bitsy zich oud voelde, zei ze. Haar blijdschap kon niet groter zijn, maar: 'Heer, o heer, hoe lang is het geleden dat je zo oplichtte als een zeker iemand binnenkwam? Zeg nu zelf, Ziba.'

Dit was op het Aankomstfeest, dat inderdaad plaatsvond bij de Yazdans in plaats van bij de Donaldsons. Xiu-Mei had de week ervoor drie dagen in het ziekenhuis gelegen – met een soort darmverstopping, nu opgelost, goddank – en dus had Bitsy op het allerlaatst toegegeven. Ze bracht mee wat ze al had klaargemaakt, een stoofschotel en wat zelfgebakken brood, en Ziba en Maryam kwamen in het geweer en bereidden de rest in anderhalve dag.

Het lot wilde dat de gastenlijst dit jaar langer was dan hij al een tijdje was geweest. Er was zelfs een zeldzame vertegenwoordigster uit Maryams tak van de familie: haar schoonzuster Roya, die in de vs was om met haar vriendin Zuzu de zoon van Zuzu in Delaware te bezoeken. Zuzu had niet in haar eentje durven reizen, was het verhaal. Blijkbaar kon ze ook niet alleen in het huis van haar zoon blijven – of was Roya ook al bang voor alleen reizen – want Roya bracht Zuzu mee toen ze naar Baltimore kwam, en ze logeerden getweeën bij Maryam. In één opzicht kwam dat goed van pas: ze wijdden zich met liefde aan de spoedeisende toebereidselen van het eten, en Zuzu, die oorspronkelijk afkomstig was uit een stad aan de Kaspische Zee, maakte een indrukwekkende gevulde vis die het pronkstuk van de tafel vormde. Anderzijds waren het van die klassiek Iraanse vrouwen met hun scherpe ogen en neuzen, en begonnen ze geen tien minuten na aanvang van het feest al hun aandacht te fixeren op Dave Dickinson. Ze volgden nauwlettend elke beweging die hij maakte en ontzagen zich niet met elkaar te fluisteren na zijn onbeduidendste opmerking. Natuurlijk hadden ze naar een vertaling kunnen zoeken (geen van beiden sprak veel Engels), maar Ziba had zo'n vermoeden dat ze over hem kletsten. Ze zag met interesse dat ze geen voorafgaande kennis van hem leken te hebben; ze waren al drie dagen bij Maryam, maar moesten worden voorgesteld toen hij op het feest verscheen, en uit hun eerste, nonchalante reactie bleek duidelijk dat ze niet wisten dat hij enigerlei speciale betekenis had. Toen zei hij: 'Aha. *Salade olivieh!*' en wreef zich in de handen. Hij begon rond de tafel te lopen om de gerechten te inspecteren die al in twee lange rijen waren uitgestald. '*Fesenjun!*' zei hij, met een 'u' in de laatste lettergreep – wat minder stijf en intiemer klonk dan fesenjan. 'Is die van jou?' vroeg hij Maryam en ze knikte glimlachend, met haar lippen liefjes opeen, en dat was het moment waarop de vrouwen alleruiterst waakzaam werden.

'*Doogh!*' zei hij. 'Ik ben dol op doogh,' vertelde hij de beide vrouwen, en dat met enige trots, kennelijk vanuit de wetenschap dat de meeste Amerikanen griezelden van alleen al het idee van een koolzuurhoudende yoghurtdrank. Hij sprak de 'gh'-klank uit met een bewust lachwekkende moeite, nagenoeg gorgelend, in zijn poging diep genoeg in zijn keel te spreken; en jawel, de vrouwen lachten – of giechelden althans, waarbij elk een hand naar haar mond bracht en een blik met de ander wisselde. Hij lachte ook. Hij moest hebben gedacht dat hij prachtig contact met hen maakte. En Maryam kan hetzelfde hebben gedacht, want ze bleef glimlachen vanaf de andere kant van de tafel. Het was Ziba die ten slotte naar voren kwam en hem bij de elleboog pakte. 'Wacht tot je de baklava ziet,' waarschuwde ze hem. 'Heeft mijn moeder vanmorgen meegebracht.'

Maar dit deed de vrouwen alleen maar wederom een blik wisselen. ('Moet je zien hoe familiair Maryams schoondochter met hem omgaat!') Dave zei: 'Je moeder heeft haar baklava meegebracht? Ik snák naar haar baklava.' Tot de vrouwen zei hij: 'Ze maakt het bladerdeeg helemaal zelf. Niet te geloven zo zalig als dat is.'

Ze tuitten hun lippen, alsof ze iets taxeerden. Ze namen Maryam bedachtzaam op.

De baklava deed zelfs dienst als de Aankomsttaart. Ziba had hem vol Amerikaanse vlaggetjes gestoken en tegen het einde van de maaltijd op het buffet gezet. Ze liet de kaarsjes weg en bespaarde zich de moeite de meisjes de kamer uit te sturen. Wel stortte ze zich pardoes in 'She'll Be Coming Round the Mountain' en de anderen zongen mee – ook de meisjes zelf. Was Bitsy al teleurgesteld, dan liet ze het niet merken. Misschien was ze er te moe voor. Xiu-Mei sliep op haar schouder, met hangend hoofd en speen halverwege uit haar open lippen, en Bitsy wiegde haar op de maat van het lied. 'Toet toet!' joelden de meisjes. 'Hi babe!' Ze zongen harder dan alle anderen, alsof ze al die jaren op juist díe kans hadden gewacht.

En later draaide de videoband vrijwel onopgemerkt; de meeste mensen kenden hem zo goed. Jin-Ho ging in een hoekje zitten zwartepieten met twee nichtjes. Linwood en zijn vriendin werden helemaal smiespelig en snuffelig. Een paar van de vrouwen gingen aan het opruimen terwijl de andere gasten in groepjes stonden, enkel nu en dan een blik op het scherm wierpen en opmerkten hoe klein de meisjes vroeger waren of hoeveel meer haar Brad toen had, waarna ze hun gesprekken hervatten. Toen Ziba met een stapel borden voor de tv langs liep, hoefde ze alleen tegen Susan en Bitsy 'sorry' te zeggen. Susan keek naar de video vanaf haar zitplaats op het kleed. Bitsy, in de schommelstoel met Xiu-Mei, leek op een haar na in slaap. Maar toen vroeg Bitsy ineens: 'Weet je nog dat we vroeger tegen elkaar zeiden dat we voor geen prijs weer terug wilden naar die dag?'

'Jazeker,' zei Ziba.

'Maar nu denk ik dat ik in sommige opzichten wél terug zou willen. Ik had nog geen missers begaan. Ik was nog steeds de ideale moeder en Jin-Ho de ideale dochter. O, niet dat ik wil zeggen... ik bedoel niet dat...'

'Ik weet wat je wilt zeggen,' zei Ziba en ze had Bitsy omhelsd als ze haar handen niet vol taartbordjes had gehad.

'Hoe denk jij dat hun leven was voordat ze bij ons kwamen?' vroeg Bitsy, niet voor het eerst. 'Ze hadden al die maanden van ervaringen achter de rug, waar wij nooit iets van zullen weten. Ze zullen heus wel goed verzorgd zijn, maar o, het nekt me, het nékt me gewoon dat ik er niet was om Jin-Ho in mijn armen te houden toen ze voor het eerst haar ogen opendeed, op de dag dat ze geboren werd.'

Op de dag dat Susan werd geboren, zat Ziba aan de andere kant van de wereld zich af te vragen of ze van de baby van een volslagen vreemde zou kunnen houden, en ze had een halve nacht gehuild, een week of wat na Susans komst, zonder goed te weten waarom ze huilde, tot ze opeens had gedacht: maar waar is míjn baby gebleven?

Twee dingen die ze nooit hardop zou zeggen tegen wie dan ook – niet tegen Bitsy, zelfs niet tegen Sami.

Nu zei ze tegen Bitsy: 'Och, als je naar haar kijkt. Het is toch goed met haar gekomen?' Want Jin-Ho zat zich te verkneukelen, terwijl Deirdre, de kaart bestuderend die ze net getrokken had, radeloosheid mimede.

In de keuken trof Ziba haar moeder bezig met borden afkrabben. Roya en Zuzu schepten restjes in koeldozen en Maryam strikte de trekstrip om een plastic zak met afval. Dave zei: 'O, Maryam-june! Niet optillen! Laat mij!' en schoot toe om haar de zak te ontworstelen. Maryam richtte zich op en streek een haarsliert uit haar gezicht. Roya zette een slakom neer en wierp Zuzu een lange blik toe.

In september begon Susan in de kleuterklas. Ze was aangenomen op een particuliere school, verder weg in Baltimore County. Elke ochtend bracht Sami haar erheen, omdat hij daar in de buurt werkte, en op maandag, woensdag en vrijdag haalde Ziba haar op. Alleen liep het rooster van de kleuterschool om twaalf uur af, wat betekende dat op dinsdag en donderdag Maryam degene moest zijn die haar ophaalde. Maryam nam Susan mee naar huis, gaf haar te eten en hield haar bij zich tot Ziba uren later arriveerde. Ziba zei tegen Maryam dat ze vreesde haar te bezwaren, nu Maryam zo'n druk sociaal leven leidde, maar Maryam zei: 'Hoe bedoel je, druk?' Ziba gaf daar geen antwoord op.

Vaak wanneer Ziba bij Maryam aankwam, vond ze er Dave al aanwezig. Dan zat hij in de keuken terwijl Maryam het eten klaarmaakte en Susan met de kat speelde. (Later vroeg Ziba weleens aan Susan: 'Heeft Dave meegegeten tussen de middag?' en de meeste dagen zei Susan: 'Mmhmmm.' Onduidelijk of hij er zelfs nog langer had rondgehangen. De hele morgen? De hele vorige avond?)

Heel vertederend stond Dave nadrukkelijk op wanneer Ziba binnenkwam. 'Ha, dag! Fijn je te zien,' zei hij dan, en haalde een hand door zijn vacht van grijze krullen. Op tafel voor hem een beker koffie – hij dronk de klok rond koffie – en een rommelige stapel kranten. Hij las graag hardop voor uit de krant en leverde Maryam zijn commentaar. Zodra Ziba zich afwendde om Susan te begroeten, ging hij weer zitten en hervatte waar hij was gebleven. 'Moet je horen,' zei hij tegen Maryam. 'Hier is waarachtig een jógger aangehouden wegens te hard lopen op de openbare weg!' Maryam glimlachte en schonk zijn koffie bij uit de pot die ze voor hem warm hield. 'O, dank je wel!' zei hij. Hij liet nooit na zijn dankbaarheid te tonen – ook zo'n aandoenlijke eigenschap. Hoewel Ziba het krantenlezen soms wat vermoeiend vond worden. 'Buurtbewoners hebben geklaagd dat de exotische danseressen in de club optraden met onbedekte borsten,' las hij op een andere pagina. 'Onbedekt! Vind je dat geen mooie?' Maryam lachte zachtjes en spoelde haar Japanse theepot om. Waar was dat nieuwe elektrische geval gebleven? Ah: op het aanrecht naar achter geschoven, half verborgen achter een pak pita.

Susan zei dat een jongetje dat Henry heette haar een poepchinees met een poepsmoel had genoemd. 'O, dat is echt iets voor jongens,' zei Maryam en Dave riep enigszins dwingend: 'En hier protesteert een stelletje ouders tegen de tafels van vermenigvuldiging.' Het deed Ziba denken aan de manier waarop een kind aan de mouw van zijn moeder kan rukken wanneer ze aan de telefoon hangt, en zeuren om koekjes, melk of sap, klagen over buikpijn, álles zal doen om haar aandacht terug te winnen. 'Ze vinden dat de leergierigheid van scholieren afstompt door uit het hoofd leren,' zei Dave, 'en ze snappen niet waarom iemand een zin moet kunnen ontleden. Dat is uit de tijd, zeggen ze.' Hij liet de krant zakken om over zijn leesbril Susan ernstig aan te kijken. 'Je móet leren ontleden, jongedame. Laat niemand je iets anders wijsmaken.'

'Goed,' zei Susan.

'Als een zekere tv-nieuwslezer een zin kon ontleden, had hij niet op het journaal gezegd dat als vader van twee jonge kinderen, het land geteisterd werd door waterpokken.'

'Hè?'

Maryam stak de vlam aan onder haar ketel. 'Was het vandaag je dag met de luipaardvelmevrouw?' vroeg ze Ziba.

'Ja, en je raadt nooit wat ze nu weer had. Nu wilde ze gordijnen in tijgerstrepen in de ouderslaapkamer. Ik zeg: "Maar daar is het behang al in zebrastrepen!" Zegt zij: "Natuurlijk, 't is toch een themakamer." '

Maryam leunde tegen het aanrecht en sloeg haar armen over elkaar. Ze droeg een lang wit schort over haar zwarte pantalon; ze oogde fris en bijna te mager. 'Ik heb zo benauwd gedroomd vannacht,' zei ze. 'Jij doet me er net aan denken. Ik moest eraan denken door die zebrastrepen. Ik reed door een vreemde stad, op weg naar de dierentuin, en ik kon de auto niet kwijt. En ik zette hem ten slotte in een zijstraat. En toen zei ik tegen de parkeermevrouw: "O, ik ben vergeten waar hij staat!" Ik zei: "Moment, ik moet me er éven van verzekeren dat ik mijn auto kan terugvinden." Dus ik keer om en loop die straat uit, loop een andere straat in... maar ik kon de auto niet meer vinden. Alle straten zagen er hetzelfde uit.'

'Maryam, liefje?' zei Dave en hij liet zijn krant zakken. 'Ben je ergens extra ongerust over de laatste tijd?'

'Hè? Nee, niet dat ik...'

'Want dat zou ik een angstdroom noemen. Denk jij ook niet, Ziba?'

Ziba zei: 'Nou...'

'Ik moet wel naar Danielle morgenavond,' zei Maryam. 'En je weet hoe ver die buiten de stad woont.'

'Ah, dat is het,' antwoordde Dave. 'Je hebt een hekel aan 's nachts rijden! Je bent compleet nachtblind. Je raakt altijd de weg kwijt.'

'Niet altijd.'

'Ik rijd je wel.'

'Nee, nee...'

'Ik breng je! Ik sta altijd voor je klaar! Ik rijd je erheen en kom je op een afgesproken tijd weer halen.'

'Dat is onzinnig,' zei Maryam.
'Ach, laat hem, Mari-june,' zei Ziba.
'Ja, laat me, Mari-june. En daarbij,' zei Dave. Hij gaf Ziba een knipoog. 'Zo krijg ik misschien eindelijk de kans de beroemde Danielle te ontmoeten.'
'Heb je Danielle dan nog niet ontmoet?' vroeg Ziba.
'Ik heb niet één van haar vrienden ontmoet.'
'Maar Maryam! Je zou hem moeten voorstellen,' zei Ziba. 'Vraag hem binnen als hij je komt halen.'
Normaal zou ze niet zo vrijpostig zijn geweest, maar ze voelde plotseling een soort ongeduld dat bijna gelijkstond met boosheid. Zou je niet denken dat Maryam wat meer warmte mocht tonen? Ze hield van de man, zo te zien; waarom was ze dan zo halsstarrig, zo obstinaat, zo frustrérend!
Maar Maryam zei: 'Ik rijd mezelf wel, dank je,' en keerde zich om naar haar ketel.
Toen klaagde Susan dat Moush aan haar haar had getrokken, en zei Ziba wat ze dan gedacht had als ze haar vlechtjes voor zijn neus liet slingeren, en zei Dave: 'En moet je deze zien! Nu projecteren kerken de tekst van de gezangen op overheadschermen met van die verspringende balletjes. Er staat dat het de mensen te veel moeite is de notenbalken in de gezangboeken mee te lezen. God beware me! Te veel moeite!'
Maryam klakte met haar tong. Ziba zei Susan haar spullen bij elkaar te pakken, want ze moesten ervandoor.

Toen de Donaldsons in oktober het bladharkfeestje hielden, was Maryam van de partij. Na die ene, allereerste keer was ze verder weggebleven. ('Ik heb m'n eigen bladeren te harken,' zei ze altijd, hoewel de hare van eiken waren en nog nauwelijks verkleurd.) Maar daar stapte ze uit aan de rechterkant van Daves auto en zwaaide naar de anderen. Eerst liep ze het huis in om haar tasje en een fles wijn weg te zetten, en toen voegde ze zich bij Dave, die al was begonnen een gedeelte aan de voorkant te harken. De meisjes hielpen dit jaar ook mee, elk zwaaiend met een kindgrote hark en wedijverend om te zien wie de hoogste stapel kon maken. Xiu-Mei zat op een zeiltje dat Brad in de buurt had gespreid, en tastte naar de glimmende koperen nestels. Je kon wel zien dat ze weinig oefening had gehad in het gebruiken van haar handen. Ze bewogen zo onvast en onvoorspelbaar als die grijpspelletjes op strandboulevards.

Het was er een ideale dag voor – een winderige, heldere zaterdagmiddag, zo warm dat de mensen stukje bij beetje hun truien uitgooiden. Brads moeder, die er zoals altijd voor de decoratie bij stond, verzamelde de truien en legde ze op een hoopje bij Xiu-Mei. Bitsy staakte even het werk om binnen naar het eten te gaan kijken. Brads vader begon een saai vastgoedgesprek met Sami, en Dave liet zijn hark vallen om met de meisjes over iets te beraadslagen. Ziba kon niet horen wat hij zei. Het enige wat ze verstond was Sami die Lou vertelde hoe moeilijk de verzekeringsmaatschappijen tegenwoordig de aanschaf van een eigen huis maakten.

Bitsy kwam terug uit het huis met een grote kan en een stapel glazen. 'Wie wil er limonade?' riep ze, en de meisjes zeiden: 'Ik! Ik!' Ziba legde haar hark opzij en ging helpen, maar de mannen werkten door. Ook Maryam, tot Dave zei: 'Maryam? Wil je even stoppen voor limonade?'

'O,' zei ze, 'straks misschien.' Ze harkte langs de oprit met lome, langzame streken. Ze hield niet van zoete dranken, wist Ziba – niet dat ze ooit zo onbeleefd zou zijn dat te zeggen.

Dave liep naar Bitsy toe en nam een glas limonade van haar aan. Toen bukte hij en fluisterde iets tegen de meisjes. Jin-Ho zei: 'O,' en gaf haar glas terug aan Bitsy. Susan zei: 'Hier, mamma,' en schoof het hare naar Ziba. Ze volgden Dave over het grasveld naar Maryam toe. Bitsy trok haar wenkbrauwen op tegen Ziba, maar Ziba had geen idee.

'Maryam?' zei Dave. 'Wil je niet gaan zitten? Ik heb een glas limonade voor je.'

'O, dank je, maar..'

'Ga zitten, Mari-june! Ga zitten!' zei Susan, en Jin-Ho zei: 'Alsjeblieft! Alsjeblíeft, ga nou zitten.' Ze trokken aan haar armen en giechelden. Maryam keek vreemd op en geen wonder: de enige plaats om te zitten was direct op de grond. Maar ten slotte liet ze zich omlaag trekken, tot ze in kleermakerszit op een stukje mossig gras zat dat al bladvrij was gemaakt. Toen gaf Dave haar de limonade aan.

In de verte hoorde je Sami tegen Lou zeggen: 'Het is net of de verzekeringsmaatschappijen totaal vergeten zijn dat gokken hun taakomschrijving is. Ze weigeren een huis te verzekeren als het ooit van zijn leven ergens heeft gelekt, ook al is dat lek allang...'

Dave riep: 'Sami?'

Sami brak af en keek naar hem.

'Meisjes,' zei Dave.

Nog steeds giechelend visten de meisjes iets uit hun zakken. Ze drongen dichter op naar Maryam en gingen ermee aan de slag boven haar hoofd. Maryam zei: 'Wat...?' Ze probeerde hun handen weg te tikken, maar ze waren overal om haar heen, vier volhardende vuistjes die vlugge, drukke bewegingen maakten. ''t Is suiker!' riep Susan. 'We wrijven suiker!'

'Wat ter...'

'Maryam,' zei Dave. 'Wil je met me trouwen?'

Maryam staakte het maaien naar haar haren en keek hem aan. De meisjes waren nog ijverig in de weer, maar Dave zei: 'Oké, meiden, zo is het genoeg.' Met tegenzin deden ze een stapje naar achteren.

Maryam zei: 'Wat?'

'Dit is een formeel aanzoek,' zei hij en hij liet zich naast haar op zijn knieën vallen. 'Wil je mijn vrouw worden?'

In plaats van te antwoorden keek ze naar de meisjes. En jawel, die hadden hun handen vol suikerklontjes, de uniforme witte rechthoekjes uit de gele Domino-doos.

De suiker had kegelvormig moeten zijn. Dat was wat ze gebruikten in Iran: ruwe witte kegels van suiker, een of anderhalve hand hoog. En de mensen die ze fijnwreven hadden volwassen vrouwen moeten zijn die bekendstonden om hun gelukkige huwelijk, en ze hadden boven een sluier moeten wrijven zodat de kristallen niet Maryams haar zouden bespikkelen als een akelig geval van hoofdroos. En er werd nooit suiker gewreven bij een huwelijksaanzoek. Dat gebeurde alleen bij bruiloften.

Of Dave was deerlijk onnauwkeurig geïnformeerd, of hij had besloten de hele traditie te herscheppen. Er een draai aan te geven en die op te poetsen. Te amerikaniseren, zou je kunnen zeggen.

Maryam keek langs de meisjes naar de anderen: Bitsy lachend boven haar kan, Pat met haar handen ineengeslagen als in gebed, Sami en Lou met open mond, en Ziba zelf... hoe? Vermoedelijk met strakke kaken van de spanning, omdat het zo treurig zou zijn als Maryam nee zei tegen deze arme, lieve, dwaze man.

Maryam keek weer naar Dave. Ze zei: 'Ja.'

Iedereen juichte.

Op de zondag werd Ziba wakker met hoofdpijn van veel te veel champagne. Het was een rumoerige viering geworden, tot zo laat uitgelopen dat Maryam ten slotte zelf degene was geweest die er een eind aan had gemaakt. Tegen die tijd lagen beide meisjes diep in slaap op de bank, wat Ziba eerder zou hebben gemerkt als ze niet zo tipsy was geweest. Sami moest Susan naar de auto dragen. (Ook Ziba moest hij praktisch dragen.) Hij had zelf heel weinig gedronken omdat hij reed, en deze ochtend zat hij opgewekt – ja, zelfvoldaan – zijn sokken aan te trekken terwijl Ziba zei: 'O, o mijn hoofd,' en naar de wekker tuurde. Kwart over negen. 'O, god,' zei ze. 'Waar is Susan?'

'Beneden voor de televisie.'

'Ik voel me alsof ik een bowlingbal in mijn hoofd heb. Ik kijk de ene kant op – wham! En de andere kant – wham!'

'Wil je een aspirientje?'

'Ik ben bang dat ik het uitspuug.'

'Ik hád je gewaarschuwd,' zei Sami.

'Sami, niet eens beginnen, oké?'

Hij stond op en slofte op zijn sokkenvoeten naar de badkamer. Ze hoorde het medicijnkastje openschuiven. 'Eén of twee?' riep hij.

'Vier,' zei ze.

Ze hoorde water lopen.

'Ik hoop dat Maryam zich niet zo rot voelt,' zei ze.

'Zoveel heb ik haar niet zien drinken.'

'O, lékker, was ik de enige?'

'Nou, Brad wist 'm behoorlijk te raken, en mij leek dat Pat en Lou nogal...'

Beneden ging de bel.

Sami kwam de badkamer uit en keek haar vragend aan.

'Niet opendoen,' zei Ziba.

Maar even later riep Susan: 'Mamma? Mari-june is er.'

Ziba zei: 'O, god,' en viel terug op haar kussen.

'Ik ga wel,' zei Sami. Hij legde twee aspirines op het kastje naast een kartonnen bekertje water en ging de kamer uit. Na een pauze hoorde Ziba zijn opgewekt 'Ha, mam!' en toen mompel, mompel – normale ochtendstemmen waarvan Ziba zich nog beroerder voelde.

Ja, nou, er was geen ontkomen aan: ze zou zich moeten vertonen. Ze ging rechtop zitten om de aspirines in te nemen.

Toen hees ze zich uit bed en liep naar de kast om haar badjas te pakken.

Toen ze beneden kwam, zat Maryam al aan de keukentafel te kijken naar Sami, die de ketel vulde. Of Maryam nu wel of niet veel champagne had gedronken, ze had het betrokken, pipse voorkomen van iemand die te lang was opgebleven. Haar zwarte blazer maakte haar huid haast geel en ze droeg geen lippenstift.

'Morgen, Mari-june!' zei Ziba. Ze deed haar best om fris en energiek te klinken.

Maryam zei: 'Goeiemorgen, Ziba.' Toen zei ze: 'Ik zeg net tegen Sami dat ik me afgrijselijk voel.'

'O, werkelijk? Ik ook. Ik weet niet wat ik van...'

'Dit is de ergste vergissing van mijn leven.'

'Pardon?' zei Ziba.

Ze keek naar Sami. Hij stond opzij van het fornuis nu, te wachten tot het water kookte. 'Mam had geen ja willen zeggen,' vertelde hij.

'Ze had geen...?'

Maryam zei: 'Het was omdat ik...' Ze liet een lichte zucht van een lach horen, hoewel haar uitdrukking somber bleef. 'Omdat ik beleefd wilde zijn,' zei ze.

'Beleefd!' echode Ziba.

'Nou, wat had jij gedaan? Als iemand jou zo voor het blok zette en je vroeg waar iedereen bij was? Raar,' zei Maryam. 'Ik heb me altijd verwonderd over die publieke aanzoeken. De mannen die iemand ten huwelijk vragen op aanplakborden, of een vliegtuig huren om een sleepdoek te laten wapperen. Stel dat die vrouwen helemaal niet *willen* trouwen? Maar daar zitten ze, in de val. Publiek te kijk, dus wat kunnen ze anders dan ja zeggen?'

Ziba was sprakeloos. Na een ogenblik schraapte Sami zijn keel en zei: 'Ja, maar eh, ik heb altijd aangenomen dat die stellen vooraf een soort verstandhouding hebben bereikt, zodat die mannen zich vrij zeker voelen van het antwoord. Wou je zeggen dat jij en Dave het onderwerp nooit hebben besproken?'

'Nooit,' zei Maryam. Toen aarzelde ze. 'Of althans, nooit met zo veel woorden.'

Sami hield zijn hoofd scheef.

'Het klopt dat we al een tijdje... een stel zijn,' zei ze. 'Ik geef toe dat hij veel voor me betekent. En mijn eerste reactie gisteren was "ja"; dat zal ik niet ontkennen. Maar geen twee minuten later dacht ik: Here God, wat heb ik gedaan?'

Ze keek Ziba aan toen ze dit zei. In plaats van te reageren zakte Ziba op de stoel tegenover haar. Ze wist niet of de holte in haar maag van haar kater kwam of van verslagenheid.

'Hij is zo Amerikaans,' zei Maryam, en ze sloeg haar armen om zich heen alsof ze het koud had. 'Hij neemt zo veel ruimte in beslag. Hij lijkt niet in staat een kamer met rust te laten; hij moet er aldoor iets aan veranderen, de ventilator aanzetten of de thermostaat hoger of een plaat draaien of de gordijnen opendoen. Hij heeft mijn leven volgepropt met mobieltjes en antwoordapparaten en een kakkineuze theepot waarin mijn thee naar metaal smaakt.'

'Maar Mari-june,' waagde Ziba te zeggen. 'Dat is niet Amerikaans, dat is gewoon... des mans.' Toen wierp ze een vlugge blik naar Sami, maar die was te gefocust op zijn moeder om zich eraan te storen.

'Nee, 't is Amerikaans,' zei Maryam. 'Ik kan niet uitleggen waarom, maar het is zo. Amerikanen zijn allemaal meer dan levensgroot. Je denkt dat je als je met ze optrekt, zelf ook groter wordt. Maar dan zie je dat zij jou doen krimpen; zij maken zich breed en verdringen je. Ik vóelde mezelf wegglijden. Dat dacht ik al een hele tijd! En toen, nog voor ik dat kon zeggen, deed hij dít, en plein public.'

Ze sprak op een ongewoon gekunstelde manier, merkte Ziba op, en met een sterker accent, wellicht om te bewijzen dat zijzelf niet in het minst Amerikaans was – dat ze het tegenovergestelde van Amerikaans was. En door die ineengedoken houding, zo niets voor haar, leek ze inderdaad gekrompen.

'Al die heisa over onze tradities,' zei ze. 'Onze keuken, onze liederen, onze feestdagen. Alsof hij ze steelt!'

'O, maar mam,' zei Sami. 'Dat is juist een góeie trek, zijn interesse voor onze cultuur.'

'Hij neemt bezit van ons,' zei ze zonder hem te horen. 'Trekt bij ons in. Hij geeft me het gevoel dat ik niet mijn eigen, individuele ik heb. Wat was die suikerceremonie anders dan jatwerk? Omdat hij haar overnam en toen veranderde, er een draai aan gaf om haar passend te maken voor zijn eigen doel.'

Ook al had ze bijna dezelfde gedachte gehad, Ziba zei toch: 'O, Maryam, hij wilde enkel laten zien dat hij onze manier van doen respecteert.' Ze schoot opeens vol deernis met hem, herinnerde zich Dave en zijn gretig, open gezicht. 'Je kunt geen bezwaar maken tegen zijn Amerikaansheid en hem dan kritiseren omdat hij probeert Iraans te doen. Dat is niet logisch.'

'Het is misschien niet logisch, maar wel wat ik ervan denk,' zei Maryam.

Het water kookte en Sami draaide zich om en nam het van het gas. Ziba snapte niet hoe hij dit zo kalm kon opnemen. Ze vroeg Maryam: 'Kun je het niet een beetje de tijd geven? Misschien is het enkel een geval van, hoe heet dat? Nattevoetenvrees.'

'Ik héb het de tijd gegeven,' zei Maryam. 'Anders had ik het hem gisteravond al gezegd. Maar nee, het enige wat ik gisteren heb gezegd was dat het laat was en ik moe; hij moest me thuis afzetten en dan zag ik hem morgen weer. En toen ben ik vanmorgen eerst naar jullie toe gekomen om de situatie uit te leggen, omdat ik weet dat iedereen kwaad op me zal zijn. Jullie allemaal, en ik neem het jullie niet kwalijk. Het zal een stroefheid veroorzaken in jullie vriendschap met Brad en Bitsy.'

'O, daar hoef je niet bang voor te zijn,' zei Sami, al was Ziba zelf daar juist wél bang voor. Nu hadden ze op het punt gestaan de gelederen te sluiten, één grote gelukkige familie te worden! Zouden zij vieren nu opeens geen vrienden meer zijn? En wat zouden ze zeggen tegen de meisjes?

Maar Sami zei nu: 'Kun je niet met 'm trouwen, dan kun je niet. Klaar als een klontje.'

'Dank je, Sami-jon,' zei Maryam.

Ze keek Ziba aan, maar Ziba zei niets.

Toen zei Maryam dat ze weg moest – 'Ik wil dit achter de rug hebben,' zei ze – en sloeg een kopje thee af en pakte haar tasje. 'Dag, Susan,' riep ze toen ze langs de huiskamer kwam. Sami liep mee, maar omdat hij geen schoenen aan had, bracht hij haar niet tot aan de auto. Hij bleef staan bij de voordeur met Ziba op enige afstand erachter. 'Rijd voorzichtig,' zei hij. Ziba hield zich stil. Ze kon haar verontwaardiging niet bedwingen. Niets van dit alles had mogen gebeuren, had ze willen zeggen. Ze kon het wel schreeuwen. Dit alles was zo onnodig en zo wreed, en er was geen excuus voor ook maar iets in Maryams gedrag, van begin tot eind.

Maryam daalde het trapje af, liep naar de straat met haar tasje dicht tegen zich aan geklemd. Ze leek veel kleiner dan anders. In haar zwarte blazer en slanke zwarte pantalon was ze een eenzaam, smal figuurtje, recht van rug en tenger en volstrekt alleen.

9

Jin-Ho's kleine zusje had zowat honderd uur per dag een fopspeen in haar mond. De enige keer dat hij eruit kwam was als ze at, maar ze hield niet echt van eten, dus duurde dat niet lang. Doordat ze niet at was ze een ietsepietsig ukkepukje. Ze was tweeënhalf, maar Jin-Ho kon haar nog steeds optillen. Dus zei Jin-Ho's moeder dat ze haar van de speen af moesten helpen. Dan zou Xiu-Mei misschien meer zin in eten krijgen.

Alleen werkte dat niet. 'Binky! Binky!' krijste Xiu-Mei. (Zo noemde zij een speen, want zo noemde oma Pat ze.) Jin-Ho's moeder zei: 'De binky is wég, schatje,' maar Xiu-Mei werd niet stil. Ze bleef maar gillen, en Jin-Ho's moeder ging met hoofdpijn naar boven en deed de deur van de slaapkamer dicht. Toen liep Jin-Ho's vader met Xiu-Mei op zijn arm door het huis en zong voor haar een liedje dat heette 'Big Girls Don't Cry', maar ze bleef gillen. Ten slotte zei hij een lelijk woord en legde haar niet erg zachtjes op de bank en ging naar de keuken. Jin-Ho ging mee omdat ze van het gegil pijn in haar oren kreeg. Ze kleurde haar werkboek in terwijl haar vader de vaatwasser leeghaalde. Hij maakte een heleboel lawaai, genoeg om het lawaai van Xiu-Mei te overstemmen, en nu en dan zong hij er verstrooid een ander stukje van zijn liedje bij. '*Bi-ig... girls... do-n't... cry*,' zong hij met een hoge, iele, meisjesachtige stem. Meestal wanneer Jin-Ho's ouders het zongen werd ze er gek van, omdat ze net niet precies op de noten terechtkwamen. Deze keer was het goed, omdat hij het voor de grap deed. 'Do-on't cry-y,' zong hij, en het 'don't' ging zó laag dat hij zijn kin moest intrekken om erbij te kunnen.

Toen hield Xiu-Mei op met krijsen. Jin-Ho's vader draaide zich om van de vaatwasser en keek Jin-Ho aan. Het was heel erg stil. Hij liep op zijn tenen terug naar de huiskamer en Jin-Ho gleed van haar stoel en sloop achter hem aan.

Xiu-Mei zat op de bank te lezen in haar liefste kartonboekje, driftig sabbelend op een speen die ze tussen de kussens moest hebben gevonden.

Want ze had er niet maar één; ze had er massa's. Ze had er misschien wel duizend. Ze had er wel tien in elke kamer en nog meer in haar wagen en nog meer in haar bedje en nog meer in allebei de auto's, zodat ze nooit opeens zonder zou zitten. Jin-Ho's moeder had ze eerder die ochtend met handenvol bij elkaar geraapt, maar ze stuk voor stuk te pakken krijgen was niet te doen.

Dus die middag tijdens het slaapje van Xiu-Mei kwam Jin-Ho's moeder met een nieuw plan. Ze zouden een feest geven. Zodra Xiu-Mei wakker werd, vertelden ze allemaal: 'Xiu-Mei, één keer raden! Aanstaande zaterdag hebben we een reuzefeest en dan komt de Binkyfee aangevlogen en die neemt ál je binky's mee en laat een prachtig cadeau voor je achter.' Zelfs Jin-Ho zei dat tegen haar. (Ze moest het aanprijzen, zei haar moeder.) 'Xiu-Mei, nog maar zes dagen tot ze komt!' Xiu-Mei keek hen alleen maar aan en maakte een hijsgeluidje op haar speen. Ze zei nooit veel, want meestal had ze haar mond vol.

'Wat krijgt ze voor cadeau?' vroeg Jin-Ho, maar haar moeder zei: 'O, dat is geheim,' wat wel zou betekenen dat ze het niet wist. Jin-Ho was niet gek. Als de Binkyfee kon vliegen, dan moest ze met iets komen dat gewone mensen zich niet eens konden voorstellen.

'Heb ík een cadeau gekregen van de Binkyfee?' vroeg ze haar moeder.

Haar moeder zei: 'Nou, nee, eigenlijk niet, want jij hebt

nooit een speen gehad. Daar was de Binkyfee zó van onder de indruk! Ze had er echt grote bewondering voor.'

'Ik had liever een cadeau gehad,' zei Jin-Ho.

Haar moeder lachte alsof Jin-Ho een grapje had gemaakt, al was dat niet zo.

'En hoe weet ze wanneer ze moet komen?' vroeg Jin-Ho.

'Nou, vanzelf, ze is een toverfee.'

'Waarom kwam ze dan niet vanmorgen, zodat jij de binky's niet alleen hoefde weg te halen?'

'O, dat was gewoon... een communicatiestoornis,' zei haar moeder.

'En als je zaterdag weer een communicatiestoornis hebt en...?'

'Het komt in orde, oké?' zei haar moeder. 'Reken maar op mij. Kun je van me aannemen.'

'Maar als het vanmorgen niet in orde...'

'Jin-Ho,' zei haar moeder, 'zo is het genoeg! We sturen de fee een brief. Ben je dan tevreden?'

'Het lijkt me veiliger,' zei Jin-Ho.

Dus ging haar moeder voor de computer zitten en printte een speciale kaart van een ooievaar met een baby, omdat ze geen plaatje van een speen kon vinden. Binnenin schreef ze in hoofdletters die Jin-Ho zelf kon lezen: ZATERDAG 20 SEPTEMBER 2003, OM 15.00 U, KOMT U ALSTUBLIEFT XIUMEIS BINKY'S HALEN. Ze deed de kaart in een bankenvelop, en toen ze die avond kip grilden op de patio, legde ze de envelop op de barbecue en bleven ze kijken tot hij in rook was opgegaan. Jin-Ho's vader zei: 'Tjezus, Bitsy,' en schoof met zijn tang een drumstick weg van de zwarte vlokjes papier. Jin-Ho's moeder zei: 'Weet ik! Wéét ik! Hoef je mij niet te vertellen!' En toen plofte ze op een ligbed. 'Hoe heb ik me hierin gewerkt?' zei ze tegen hem.

Maar daarna kikkerde ze weer op. 'Kom eens bij me zitten,

schatje,' zei ze tegen Xiu-Mei, en Xiu-Mei waggelde naar haar toe en klom op haar schoot. Haar speen was een gele vanavond, net een acht op zijn kant. 'Er was eens,' begon Jin-Ho's moeder, 'een piepklein sprankelend toverfeetje dat de Binkyfee werd genoemd.'

'Als we hier maar geen spijt van krijgen,' zei de vader van Jin-Ho.

Wie zouden ze vragen? Iedereen die wilde komen, zei Jin-Ho's vader. Ze praatten erover onder het eten. Hij zei: 'Vraag voor mijn part de postbode, als je wilt. Vraag de vuilnismannen.'

'Ja! Alphonse!' zei Jin-Ho.

'Wie is Alphonse?'

'Een van de vuilnismannen.'

'We vragen natuurlijk mijn vader,' zei Jin-Ho's moeder. 'En jouw ouders. En mijn broers met hun gezin. Och, 't is een reden om bij elkaar te komen! De speenkwestie is eigenlijk bijzaak. En de Copelands, want de kleine Lucy zal gezelschap zijn voor Xiu-Mei en misschien... wat vind jij? De Yazdans? Of niet?'

Ze keek Jin-Ho's vader aan, maar Jin-Ho was degene die antwoord gaf. Ze zei: 'De Yazdans komen altíjd al! Ik moet altijd spelen met die bazige Susan.'

'Ze komen juist níet altijd,' zei haar vader. 'We hebben ze al bijna een maand niet gezien. We moeten het niet te moeilijk maken, Bitsy. Ik vind dat we ze horen te vragen.'

'Nou, aan mij ligt het niet dat we ze niet zien,' zei Jin-Ho's moeder. Ze gaf Xiu-Mei een vleugeltje aan. Xiu-Mei mocht aan tafel niet meer op haar speen sabbelen, maar evengoed draaide ze het vleugeltje zus en draaide ze het vleugeltje zo, en legde het toen op haar bord. 'Weet je, op de een of andere manier doet Ziba anders tegen me, sinds de breuk,' zei Jin-Ho's moeder. 'Ze leek me... ik weet niet. Gespannen.'

'Ze is ongerust, meer niet. Ze is bang dat je 't haar aanrekent.'

'Maar dat is idioot. Ze weet dat ik geen onredelijk mens ben. Waarom zou ik háár iets verwijten wat haar schoonmoeder heeft gedaan?'

Maryam, bedoelde ze. De oma van Susan. Die op een keer zou gaan trouwen met de opa van Jin-Ho; en als ze dat had gedaan, dan was ze ook de oma van Jin-Ho geworden. (Jin-Ho's vader had erop gewezen dat Jin-Ho's moeder dan ook Jin-Ho's tante was geweest. 'Dan kun je je moeder "tante Bitsy" gaan noemen,' had hij gezegd. Jin-Ho had gezegd: 'Hè? Dat snap ik niet.') Maar Maryam had zich bedacht, en nu zagen ze haar niet meer. In de lente gaf ze geen nieuwjaarsdiner en met het Aankomstfeest dit jaar was ze de stad uit. 'Toevállig net' de stad uit, had Jin-Ho's moeder gezegd. Jin-Ho wou dat zíj de stad uit had kunnen zijn. Ze haatte Aankomstfeesten.

'Ik heb een idee,' zei Jin-Ho's vader. Hij had het nu tegen Jin-Ho. 'We vragen wel de Yazdans, maar we vragen een vriendinnetje uit je klas erbij, zodat jij iemand hebt om mee te spelen die niet zo bazig is.'

'O! Brad?' zei Jin-Ho's moeder. 'Waarom zou je mijn gastenlijst zo ingewikkeld maken? Dat maakt het alleen nóg ingewikkelder!'

'Toe, schat, je weet hoe het ging toen je klein was – en je ouders je steevast de kinderen van hun vrienden opdrongen, ook al waren die kinderen nog zulke dombo's.'

'Susan Yazdan is geen dombo!'

'Wat ik bedoel is...'

'Dan vraag ik Athena,' zei Jin-Ho beslist.

Jin-Ho's moeder zei: 'O.'

Athena was Afrikaans-Amerikaans, waar Jin-Ho's moeder erg vóór was.

'Nou, goed,' zei ze tegen Jin-Ho. 'Maar dan moet je beloven

dat je Susan niet het gevoel geeft dat ze wordt buitengesloten. Ze is een gast. Beloofd?'

'Goed.'

Trouwens, het was net andersom. Susan was degene die iemand een buitengesloten gevoel kon bezorgen.

Jin-Ho's moeder zei: 'Schatje, op een dag zul je nog hechten aan die vriendschap. Ik weet dat je dat nu niet denkt, maar later wel. Op een dag reizen jullie misschien zelfs naar Korea om jullie biologische moeder op te zoeken.'

'Waarom zouden we dat willen?' vroeg Jin-Ho.

'Dat mag! Dat zouden wij niet erg vinden! We zouden jullie steunen en aanmoedigen!'

'Om terug te komen op het onderwerp...' zei Jin-Ho's vader.

Jin-Ho dacht er niet aan naar Korea te reizen. Ze hield geeneens van het eten uit Korea. Ze hield niet van die kostuums met die stijve, prikkende naden aan de binnenkant en ze had nog nooit van haar leven, niet één keer, naar die stomme video gekeken.

Jin-Ho's opa zei dat ze dit geleidelijker moesten doen. 'Het is net als stoppen met roken,' zei hij. 'Je kunt niet van Xiu-Mei verwachten dat ze in één dag afkickt.'

'Ja, ik snap wat je bedoelt,' zei Jin-Ho's moeder. 'Misschien heb je gelijk.'

Ze zaten in de tv-kamer. Het was maandagmiddag en ze was de was aan het vouwen terwijl ze wachtten tot Xiu-Mei wakker werd uit haar slaapje. 'Zo,' zei ze, 'even kijken hoe we dit kunnen aanpakken. Als ik nu vandaag zeg: geen binky's meer in de auto. Alleen als we thuis zijn, zeg ik, maar niet buitenshuis.'

'Dan moet je alle binky's van de achterbank halen,' zei Jin-Ho.

'Ja ja, weet ik... Ze zijn overal! Ik snap niet dat ik die verdomde krengen werkelijk zelf ben gaan kópen!'

Ze sloeg een sloop uit met een klap en vouwde het dubbel. 'En morgen,' zei ze, 'dan zeg ik: en ook geen binky's in de tuin. Je weet hoe zalig ze de schommel vindt. Ze zal het zonder binky moeten doen als ze wil gaan schommelen, zal ik zeggen, en woensdag mag ze haar binky's overal hebben behalve in bed. En dan donderdag niet als ze 's middags slaapt, en haar laatste binky krijgt ze dan vrijdagavond voor het feest van zaterdag.'

'Ik dacht eerder aan een maand of twee,' zei Jin-Ho's opa. 'Waarom precies heb je zo'n haast?'

'Ik kan geen maand wachten! Ik kan er niet meer tégen! Ik word stapelgek van die krengen!'

Jin-Ho en haar opa keken elkaar aan. Soms werd Jin-Ho's moeder inderdaad een beetje gek.

'Op school hebben we vandaag planeten gehad,' zei Jin-Ho.

'O já?' zei haar opa op zo'n extra levendige toon. 'En Jin-Ho, welke planeet vind jij het mooist?'

'Pluto, want die lijkt een beetje alleen.'

'Ik zou ertegen kunnen als ze beter at,' zei Jin-Ho's moeder. 'Maar volgens mij vindt ze haar speen zo lekker dat ze aan eten geen behoefte voelt. Het is ontmoedigend, een kind hebben dat niet wil eten! En ik maak toch van die gezonde maaltijden, een en al volkoren en scharrel en onbespoten, en zij... versmaadt me!'

Jin-Ho's opa bukte zich om zijn regenhoedje vanonder zijn stoel te rapen. Het had gemiezerd toen hij aankwam, hoewel het nu opgehouden leek. Toen hij opstond, zei hij: 'Bitsy, ik geef je één ding in overweging. Heb je ooit een tiener gezien die nog een speen heeft? Denk eens na.'

'Ja! Ja!' zei Jin-Ho. 'Ik wél!'

'Jij wel?'

'De meisjes van Western High,' zei ze. 'Die dragen soms gouden spenen aan een kettinkje om hun hals.'

'Nou, dank je wel dat je ons daar attent op maakt,' zei haar opa. 'Maar, Bitsy, je snapt wat ik bedoel. Vroeg of laat houdt Xiu-Mei er uit zichzelf mee op.'

Toen vertrok hij overhaast, alsof hij het antwoord van Jin-Ho's moeder niet wilde horen.

Vroeger kwam Jin-Ho's opa niet zo vaak op bezoek, maar nadat Maryam zich had bedacht, liep hij bijna elke dag aan om eindeloos te praten en te praten tegen Jin-Ho's moeder. Dan kon hij beginnen over politiek of zijn vrijwilligerswerk als repetitor of een tv-programma dat hij had gezien, maar voor je 't wist was hij overgegaan op Maryam. 'Soms loop ik naar huis,' zei hij dan, 'terug van jouw huis of de brievenbus of wat ook, en vlak voordat ik het blok op kom denk ik, stel dat ze daar op mij staat te wachten? Ze zou op de stoep kunnen staan, om te zeggen dat ze er spijt van had en niet wist wat haar bezield had en me te smeken haar te vergeven. Ik kijk niet op als ik de hoek om sla, want ik wil niet dat ze denkt dat ik haar verwacht. Ik voel me een beetje bevangen, want ik weet dat zij naar mij kan kijken. Ik heb zo'n gevoel dat mijn houding niet helemaal natuurlijk lijkt. Ik wil nonchalant doen, maar ook weer niet té nonchalant, hè. Ze moet niet denken dat ik zo onbezorgd ben; ze moet niet denken dat ze me geen kwaad heeft gedaan.'

Als hij zo praatte, klopte Jin-Ho's moeder eerst op zijn hand of gaf ze een zacht murmelgeluidje, maar zo'n beetje gehaast, alsof dat deel haar niet gauw genoeg voorbijging. Dan begon zij over Maryam. 'Waarom je nog aan haar denkt, pa, waarom je ooit aan haar gedácht hebt, dat kan ik me oprecht niet voorstellen. Ze is het niet waard! Ze was gemeen! O, niet dat ik het haar kwalijk had genomen als ze gewoon had gezegd: 'Nee, dank je.' Het was immers pas een paar maanden aan tussen jullie. En trouwens, veel vrouwen van die leeftijd denken eenvoudigweg dat ze niet kúnnen hertrouwen vanwege de ziekteverzekering of de pensioenuitkering van hun overleden man, of zoiets. Plus dat je van niet al te best inzicht getuigde door haar ermee te overvallen; zeg nu zelf. Zo zonder enige waarschuwing, en plein public. Maar zij had meteen duidelijk moeten zijn – het onderwerp tactvol afdoen, wegwuiven, losjes opnemen. Maar wat zegt ze, ze zegt ja. En wij hebben het gevierd! Al die toosten uitgebracht! Jin-Ho en Susan gingen al uitvogelen hoe ze familie zouden worden! En toen, bam. Gewoon... bam. Ze zet je aan de deur.'

'Nou, niet precies aan de...'

'Waarom kon ze je tenminste niet blijven zien? Jullie hadden best nog samen uit kunnen gaan, hoor. Het hoefde niet alles of niets te wezen.'

'Ah. Nu ja, strikt genomen,' zei Jin-Ho's opa. 'Ik meen dat dat meer mijn beslissing was dan...'

'Van meet af aan vond ik haar een heel koud mens. Dat kan ik wel zeggen nu het voorbij is. Heel koud en afstandelijk,' zei Jin-Ho's moeder.

'Ze is gewoon een vrouw die haar grenzen heeft, liefje.'

'Als ze zo hecht aan haar grenzen, waarom is ze dan ooit geïmmigreerd?'

'Bitsy, alsjeblieft! Straks zeg je nog dat ze dit land maar moet slikken of stikken!'

'Ik heb het niet over landen. Ik heb het over een fundamentele... karakterfout.'

Jin-Ho was altijd bang dat haar moeder haar opa zou kwetsen als ze zo afgaf op Maryam. Maar hij bleef op bezoek komen, dus zou het wel goed zijn.

Na het middagslaapje van Xiu-Mei ging hun moeder met hen beiden boodschappen doen zonder één speen. Xiu-Mei huilde de hele weg ernaartoe. Ze huilde ook in de winkel, maar Jin-Ho's moeder gaf haar een banaan en dat hielp iets. Ze bleef snuffen, maar ze at een stuk van de banaan. Toen ze op weg naar huis weer begon te huilen, deed Jin-Ho's moeder net of ze niets merkte en praatte er dwars doorheen over het feest. 'Ik heb gekleurde suiker en chocoladehagelslag, en van die zilveren muisjes... Ik denk dat kleine cakejes beter zijn dan één hele grote taart, vind je ook niet?'

Jin-Ho zei: 'Mmhmm,' met haar vingers in haar oren.

Zodra ze thuis waren, raapte Xiu-Mei een speen vanonder de radiator in de vestibule en ging in de tv-kamer zitten mokken.

Dinsdag, toen Jin-Ho's carpoolauto haar afzette na school, vond ze haar moeder op de stoep in haar dikke Ierse trui. 'Waarom zit je híer?' vroeg Jin-Ho en haar moeder zei: 'Ik wacht op jou natuurlijk.' Maar daar zou ze anders nooit zitten wachten. En toen zei ze: 'Ik dacht, misschien konden we ons vieruurtje vandaag op de patio eten,' wat raar was, want het was echt herfstweer – wel zonnig maar toch zo fris dat Jin-Ho een jackje droeg. Maar het werd duidelijk toen haar moeder het blad klaar had om naar buiten te brengen. 'Kom je, Xiu-Mei?' vroeg ze. Xiu-Mei reed haar mamma- en babykangoeroe in haar paarse poppenwinkelwagentje door de keuken. 'Maar dan moet je binky binnenblijven,' zei haar moeder, en Xiu-Mei bleef stokstijf staan en zei: 'Nee!' waardoor haar binky op de grond viel. Ze bukte om hem op te rapen, ramde hem weer in haar mond en begon weer haar wagentje te duwen. Ze moesten zonder haar buiten gaan zitten.

Bij hun vieruurtje – pindakaaskoekjes en appelsap – praatte Jin-Ho's moeder verder over het feest. Ze was niet gerust op de toon van het weerbericht: er was een orkaan onderweg naar de kust. 'Deze ene keer is het weer van belang,' zei ze, 'want ik heb een heel goeie oplossing bedacht voor de binky's. We binden ze vast aan heliumballonnen en laten ze dan in de lucht wegvliegen. Wordt dat niet prachtig? Dan gaan we het huis in en vinden het cadeau dat de fee heeft achtergelaten.'

'Kan een orkaan ons wegblazen?' vroeg Jin-Ho. (Ze had pas *De tovenaar van Oz* op tv gezien.)

'Niet zó ver van de zee, nee, dat niet, maar hij kan wel veel regen meebrengen. We moeten maar hopen dat hij tegen die tijd voorbij is. Hij is voorspeld voor donderdag, wat ons twee dagen geeft om bij te komen, maar sinds wanneer hebben ze er bij het Weerkundig Bureau benul van?'

Toen keek ze om naar het huis en riep: 'Xiu-Mei? Heb je je bedacht? Lekkere pindakaaskoekjes, schatje!'

Ze hadden de achterdeur op een kier gelaten, dus Xiu-Mei moest haar gehoord hebben, maar ze zei niks. Het enige geluid was het piep-piep van haar karretje. Jin-Ho's moeder zuchtte en reikte naar haar appelsap. Ze trok haar mouw als een want over haar vingers voor ze haar glas vastpakte.

Woensdag was de Dag van Buiten Bed Geen Binky's. Jin-Ho's vader zei dat het enige wat híj ervan kon zeggen was dat hij allemachtig blij was dat hij een baan had om naartoe te gaan. Toen ging hij een halfuur vroeger van huis. En Jin-Ho was blij dat zij naar school kon, want ze zag al hoe het ervoor stond. Toen buiten de carpoolauto toeterde, had Xiu-Mei het hele huis grondig doorzocht en geen enkele speen gevonden. Die zaten allemaal in een doos van de drankwinkel boven op de koelkast, maar dat wist ze niet. Ze rolde zich onder de keukentafel tot een bal in elkaar en begon heel hard te huilen. Jin-Ho's moeder was in de badkamer met de deur dicht. Jin-

Ho riep: 'Dag mamma', en na een ogenblikje riep haar moeder terug: 'Dag lieverd, heb het fijn.' Als je haar stem zo hoorde, was het net of zij ook huilde.

Dus zag Jin-Ho nogal op tegen thuiskomen. Maar toen ze binnenkwam was het rustig in huis – een gezellig zoemende rust, geen mokkende rust. Ze vond haar moeder voor het fornuis, roerend in chocolademelk, en haar opa aan tafel met de kranten en Xiu-Mei in haar kinderzitje, sabbelend op een speen.

'Ha, ben je daar, juffer Dickinson-Donaldson,' zei haar opa, en Jin-Ho zei: 'Dag opa,' en keek secuur niet in de richting van Xiu-Mei, want de grote mensen hadden misschien de speen niet in de gaten en zij was niet van plan erop te wijzen.

Maar toen zei haar moeder: 'Zoals je ziet hebben we de regels een beetje veranderd.'

Jin-Ho zei: 'Mmhmm,' en klom op een stoel.

'Ik zeg net tegen je moeder,' zei haar opa, 'als je Binkyfeest de grote afstandsscène is, waarom zou je dan Xiu-Mei voortijdig al die ellende laten doormaken? Toch, Xiu-Mei?'

Xiu-Mei sabbelde driftig op haar speen.

'We moeten gewoon het eigenlijke moment afwachten,' zei hij. 'Ik weet dat ik eerder een terugschroevende aanpak heb voorgesteld, maar ik heb me bedacht,' en toen gaf hij Jin-Ho een duwtje met zijn elleboog en zei: 'Consequentheid is het spookbeeld van kleine geesten.'

Jin-Ho zei: 'Oké...'

'Ralph Waldo Emerson.'

'Hoewel,' zei Jin-Ho's moeder, zich van het fornuis afwendend, 'zaterdag is toch nog Binkydag! Niet vergeten, Xiu-Mei! Zaterdag is nog steeds de dag dat de Binkyfee komt, dat weet je toch wel?'

'O, liefje, laat het rusten,' zei Jin-Ho's opa.

'Ik wil alleen niet dat ze denkt...'

Maar hij zei: 'Zo! Jin-Ho! Wat heb jij vandaag op school gedaan?' en daarmee was het uit.

Vieruurtje was chocola en alfabetkoekjes. Jin-Ho viste verschillende koekjes uit de trommel en legde ze voor Xiu-Mei neer. 'Zie je? Een A,' zei ze, en Xiu-Mei nam haar speen lang genoeg uit haar mond om 'A' te zeggen.

'Goed zo,' zei Jin-Ho. Ze voelde zich blij en opgelucht, alsof Xiu-Mei net terug was van een heel lange reis. 'En dit is een B. En nog een A. En een C. En alweer een A.' Er leken alleen maar A, B en C's te zijn. Ze doorzocht de trommel, spoorde een X op om Xiu-Mei haar voorletter te laten zien.

Jin-Ho's opa zei nu tegen haar moeder dat hij gek was geweest. 'Misschien was het gewoon te lang geleden dat ik me op het vrijerspad begaf,' zei hij. 'Ik bedoel, wat dacht ik wel? Ik zie de indruk die ik moet hebben gegeven, toen ik van tevoren die champagne in je koelkast stopte als een volslagen idioot, zo zeker van mezelf, zo verduveld zeker dat ze ja zou zeggen...'

'Nu, ze zéi toch ook ja,' zei Jin-Ho's moeder. 'Je was helemaal geen idioot! Ze zei ja, in klare taal, en we hébben die champagne gedronken. Het was pas later dat...'

'Weet je, haar Engels lijkt veel beter dan het is,' zei Jin-Ho's opa. 'Is dat je ooit opgevallen? Ze stuurde eens een brief vanuit Vermont, en dat was de eerste keer dat ik besefte dat ze vaak geen lidwoorden zet waar ze ze moet zetten. "Ik heb heel leuke tijd," schreef ze, en: "Morgen gaan we naar antiekwinkel." Dat is best te begrijpen, als je bent opgegroeid in een taal die geen 'een' of 'de' kent, maar het impliceert toch, ik weet niet, een weerstand. Een tegenzin om haar eigen cultuur te verlaten. Ik vermoed dat het dat is wat er misging tussen ons tweeën. De taal was een symptoom, en ik had er attenter op moeten zijn.'

Ze zei ook geen s'en of n'en bij sommige dingen, was Jin-

Ho opgevallen. 'Te veel cracker bederven je avondeten,' kon ze zeggen. Maar Jin-Ho vertelde dat niet, omdat zij van Maryam hield en wilde dat haar opa dat ook deed.

'Het heeft niks met taal te maken,' zei Jin-Ho's moeder. 'Het ligt aan haar. Ze heeft zo'n instelling dat zij alles beter weet dan wij. Het zou me geenszins verbazen als ze beweerde dat er in die zinnen ook geen lidwoord hóórt te staan.'

'Best mogelijk,' beaamde Jin-Ho's opa. 'Als je eraan denkt... zoals ze wel het Iraanse nieuwjaar vierde, maar het onze nooit, en iedereen 'june' en 'jon' noemde, en die harem in de keuken, die voor elke gelegenheid rijst kookte... Kijk, soms heb ik het idee dat het meeste aanpassen in dit land door de Amerikanen wordt gedaan. Heb jij dat weleens?'

'Maar dat is niet wat ik tegen haar heb,' zei Jin-Ho's moeder. 'Wat ik tegen haar heb, is dat ze zo ongrijpbaar is. O, ik haat het dat de wereld ongrijpbaarheid zo aantrekkelijk vindt! Ongrijpbare mensen zijn om gek van te worden! Waarom snapt niemand dat?'

'Dacht ze dat ikzelf niet nu en dan míjn twijfels had?' vroeg Jin-Ho's opa. 'Ik had kort daarvoor mijn vrouw verloren – en heel wat korter dan zij haar man verloren had. Ik spande me hard in om opnieuw te beginnen. Dat viel lang niet altijd mee, geloof me.'

'Je bent er goed afgekomen,' zei Jin-Ho's moeder. 'Geeft niet, pa. Er komt vast iemand anders.'

'Ik wil niemand anders,' zei hij.

Toen moest hij hebben gedacht dat hij de verkeerde indruk had gewekt, want hij zei: 'Wie dan ook, bedoel ik. Ik wil niemand, punt uit.'

Jin-Ho's moeder klopte op zijn hand.

Iedereen zou op het feest komen behalve opa Lou en oma Pat. Ze hadden een andere uitnodiging aangenomen en ze weigerden van plan te veranderen. Jin-Ho's moeder zei dat ze dat niet kon begrijpen. 'Waar liggen hun prioritéiten?' vroeg ze. 'Tussen een of ander willekeurig echtpaar en hun eigen kleindochter...'

'Het is geen willekeurig echtpaar, het zijn hun beste vrienden,' zei Jin-Ho's vader. 'En hun vrienden vieren een gouden bruiloft, terwijl hun kleindochter alleen afstand van haar speen doet.'

'Nou, ik weet niet waarom ik me nog druk maak. Ik begin nu te denken dat deze hele partij gedoemd is, afgaand op wat ze op de radio zeggen. Als orkaan Isabel heeft toegeslagen, dobberen wij in de Binnenhaven rond.'

'En je zei dat we niet konden wegwaaien!' zei Jin-Ho tegen haar moeder. 'Jij zei, we zaten te ver van de zee!'

'Nee, nee, natuurlijk waaien we niet weg. Er is niks om bang voor te zijn. Ik overdreef maar wat,' zei Jin-Ho's moeder.

Maar die avond sleepten zij en Jin-Ho's vader al het patiomeubilair naar de garage, voor de zekerheid.

Misschien overdreef de nieuwslezer ook wel, want hij zei dat ze op donderdag getroffen zouden worden, en die donderdag was het prachtig weer. Jin-Ho ging net als altijd naar school, kwam net als altijd thuis, kreeg haar vieruurtje. Toch werd de lucht donkerder, later in de middag, en was er wat wind en een spatje regen. Toen Jin-Ho's vader thuiskwam van zijn werk zei hij: 'Het wakkert al aan buiten.' Jin-Ho kreeg zo'n kriebelig en opgewonden gevoel, net als op kerstavond. Tijdens het eten wrong ze zich telkens achterstevoren op haar stoel om uit het keukenraam te kijken. De hemel had een griezelige lavendeltint en de bomen klapten hun bladeren verkeerd om dicht. 'Je mag wel duimen voor onze iepen,' zei haar vader. 'Zoveel als ik aan die dingen heb uitgegeven, voor 't zelfde geld had ik ze kunnen laten studeren.' Jin-Ho giechelde toen ze zich dat voorstelde.

Toen ging het licht uit.

Xiu-Mei begon te huilen.

Jin-Ho's moeder zei: 'Niks aan de hand! Geen reden voor paniek!' en ze stond op en haalde de kaarsen uit het buffet in de eetkamer. Jin-Ho's vader stak ze aan met het pistoolding waarmee ze de ene slechte pit op het fornuis aanstaken – twee kaarsen op tafel en nog twee op het aanrecht. Ieders gezicht leek flakkerend en anders dan anders. Xiu-Mei wuifde almaar met één hand en eerst snapten ze niet waarom, maar toen zagen ze dat ze experimenteerde met de schaduwen op de muur.

'Is dit niet énig?' zei Jin-Ho's moeder. 'Het lijkt wel kamperen! En lang zal het niet duren. Het energiebedrijf maakt het in een wip weer in orde.'

Maar ze bleven de hele avond in het donker. Ze lazen prentenboeken bij kaarslicht, en met bedtijd klommen ze de trap op met de zaklantaarn uit het laatje in de keuken. Ze lieten de zaklantaarn brandend en rechtop achter, op Xiu-Meis commode, zodat ze niet bang zou worden, maar ze huilde toch en Jin-Ho zelf was ook een beetje benauwd. Dus eindigde het ermee dat ze bij hun ouders sliepen. Met hun vieren op een rij lagen ze in het bed dat gelukkig kingsize was. Buiten loeide de wind; de bomen maakten krakende geluiden en om de haverklap slingerde zich een handvol regen tegen de ruiten. Jin-Ho's moeder had een raam op een kiertje gelaten, omdat ze ergens had gelezen dat anders het huis kon imploderen. Jin-Ho's vader zei nee, dat was met tornado's, en ze kibbelden er een tijdje over totdat Jin-Ho's moeder in slaap viel. Niet lang daarna hoorde Jin-Ho haar vader uit bed komen en op zijn tenen naar het raam lopen om het dicht te doen. Toen kwam hij terug en ging ook slapen. Xiu-Mei sliep allang, al sabbelde ze nu en dan nog flauwtjes op haar speen. Buiten ging de wind maar door en door tot Jin-Ho zich kwaad op hem ging voelen. Meer dan eens hoorde ze sirenes. Ze vroeg zich af of hun huis al in de haven dreef. Tot nu toe voelde het toch best stevig.

Toen was het ochtend en was zij de enige daar. Het raam aan haar kant was dichtgeklit met bladeren die de kamer een groenige tint gaven, hoewel het weer zonnig leek. Ze klom uit bed om beter te kijken, maar zag niets; dus liep ze naar het andere raam en keek daar doorheen. De voortuin was één massa boomarmen. Een reusachtige oude eik aan de overkant van de straat lag op zijn zij tot ver in hun tuin, en verborg bijna totaal haar vaders stationcar. Die had hij gisteravond aan de voorkant gezet, omdat de patiomeubels zijn helft van de garage in beslag namen. Je zag alleen nog maar een paar plekjes van het grijze dak van de stationcar onder de takken.

Beneden was Jin-Ho's moeder brood aan het roosteren door een boterham boven het fornuis te houden met een keukentang. Xiu-Mei roerde in een kom met Cheerio's en haar vader stond te telefoneren. 'Nou, fijn zo,' zei hij. 'Dan hebben jullie meer geluk dan wij! Zo te zien kan het dagen duren voor we weer stroom hebben.' Hij luisterde even en zei toen: 'Bedankt, ma. Maar zelfs al zouden we het halen tot daar, een van de auto's ligt in de prak en de andere zit vast in de garage, met een iep dwars over de oprit. We zullen de dingen moeten laten waar ze zijn en de vriezerdeur dichthouden, denk ik zo.'

Hij was in pyjama en de roodgeruite badjas die hij normaal voor het weekend bewaarde. Toen hij ophing, vroeg Jin-Ho: 'Ga je niet naar je werk?' en hij zei: 'O, liefje, ik betwijfel of een van mijn leerlingen vandaag komt opdagen.'

'Moet ik naar school?'

'Ik denk niet dat die open is. En dan nog, hoe zou je er komen?'

Jin-Ho's moeder kwam naar de tafel met het stuk toast, dat zwarte strepen had en vies rook. 'Dat wil ik niet,' zei Jin-Ho, en haar moeder zei: 'Mooi, want ik heb liever dat je iets van vlokken eet. De melk moet op voordat hij zuur wordt.'

'Wanneer gaat het energiebedrijf onze stroom in orde maken?' vroeg Jin-Ho.

'Dat weet ik niet, schat. Er zitten duizenden en duizenden mensen allemaal in hetzelfde schuitje, volgens het radiootje van je pappa.'

'Ben je nu niet blij dat ik dat gekocht heb?' vroeg Jin-Ho's vader aan haar moeder. 'Ik zei toch dat het van pas kon komen.'

Hij viel als een baksteen voor gadgets. Het was de oorzaak van heel wat ruzies tussen hen tweeën.

Van het ontbijt tot de lunch werkte het hele gezin mee aan het opruimen van de tuin. Natuurlijk konden ze niets doen aan de eik van de Cromwells, die dwars over de hele straat al het verkeer de weg versperde, of aan de iep die voor de garage lag. Maar ze verzamelden wel de kleinere takken en de bebladerde uitlopers die er nog groen en nat en gezond uitzagen, en stopten ze in vuilniszakken en sjouwden ze naar het achterom. Jin-Ho vond een vogelnestje. Alleen zaten er geen vogels in. Zij had de zorg voor de kleinste twijgjes, die ze in een emmer deed die haar vader van tijd tot tijd leegde. Aan weerskanten van hen waren ook de buren aan het schoonmaken, en mensen riepen zo'n beetje gemoedelijk over en weer tegen elkaar. Mevrouw Sansom zei dat verder op het blok één huis nog stroom had. Ze lieten hun buren ellenlange verlengsnoeren aansluiten om hun ijskasten van stroom te voorzien. 'Als het energiebedrijf vanavond de boel niet aan de praat heeft,' zei ze, 'dan stel ik voor dat we al ons bederfelijke voedsel bij elkaar doen en een hele grote buurtbarbecue houden op onze grills.' Jin-Ho vond dat veel leuker klinken dan thuis het eten opmaken. Ze hoopte dat het energiebedrijf de boel níet aan de praat kreeg. Het was koel en winderig en lekker weer buiten, met een frisse geur in de lucht, en ze had nog nooit zo veel buren tegelijk in hun tuin gezien.

Tussen de middag aten ze een omelet om de eieren op te maken. Toen werd Xiu-Mei neergelegd voor haar dutje, en keek Jin-Ho uit het raam van de slaapkamer van haar ouders naar de bomenmannen die werkten aan de eik in de straat. Hun zagen klonken nijdig, als horzels. Ze zaagden een doorgang voor auto's dwars door het midden van de stam, maar lieten de voet in de tuin van de Cromwells liggen, klauwend met zijn wortels in de lucht, en de kruin in die van de Donaldsons, dicht bebladerd en ruig, nog steeds hun stationcar toedekkend. Jin-Ho's vader zei dat ze daar later naar zouden moeten kijken, wanneer er geen noodtoestand was. Hij nam Jin-Ho mee naar buiten om de jaarringen te tellen, toen de mannen weg waren. Meneer Sansom telde mee. Het was niet eens zo makkelijk als je had gedacht, omdat de ene ring soms overging in een andere en ze aldoor de tel kwijtraakten. De stam had een sterke, scherpe, wrange geur waarvan Jin-Ho het water in haar mond kreeg.

Nu maakte haar moeder zich ernstig ongerust over haar ingevroren voedsel. Ze had een voorraad stoofschotels in de vriezer, die haar een boel tijd hadden gekost om klaar te maken, zei ze. Jin-Ho zei: 'Geeft niet; dan nemen we ze mee naar de barbecue om te grillen,' maar haar moeder zei: 'Spinazielasagne kun je niet grillen, Jin-Ho.' Je hoorde haar niet meer over hoe leuk dit was en ze was opgehouden met 'Denk aan die arme Irakezen', en maar goed ook, vond Jin-Ho.

Uiteindelijk kwam er toch geen buurtbarbecue. Mevrouw Sansom moest hebben vergeten dat ze het geopperd had. Toen de schemer viel, verdwenen de buren naar binnen en het enige wat Jin-Ho nog van ze zag was het schijnsel van een kaars, hier en daar voor een raam.

Jin-Ho's moeder ging met de zaklantaarn naar de kelder

en kwam terug met een stoofschotel. 'Ik heb de vriezerdeur opengedaan en meteen weer dichtgezwiept,' zei ze. 'Dan zal de temperatuur toch niet zóveel zijn gestegen?' Ze zette hem meteen in de oven, maar omdat hij niet ontdooid was, duurde het eindeloos voor hij was opgewarmd. Ze wachtten en wachtten en wachtten, en lazen weer boeken bij kaarslicht omdat er niets anders te doen was. Meteen na het eten, dat pas tegen achten begon, gingen ze allemaal naar bed in het kingsizebed. Jin-Ho's moeder waste niet eens af. 'Doe ik morgenochtend wel, wanneer ik iets kan zien,' zei ze.

'Zo moeten de mensen vroeger hebben geleefd,' zei Jin-Ho's vader. 'Hun leven richtend naar het op- en ondergaan van de zon.'

Jin-Ho's moeder zei: 'Het zal wel.'

Ze gingen ook niet in bad, al was dat nu al twee dagen geleden. Dat was nog zoiets dat tot morgen zou moeten wachten.

En waarom zouden ze vroeg opstaan als ze niet genoeg zagen om iets te doen? Ze sliepen tot zo laat dat Jin-Ho's opa hen moest wekken door op de deur te bonzen. 'Hallo? Hallo?' schreeuwde hij omdat de bel het niet deed. Jin-Ho's moeder ging opendoen terwijl de anderen zich aankleedden. Niemand had het over wassen. Toen Jin-Ho beneden kwam, zat haar opa in de keuken te kijken terwijl haar moeder het brood roosterde. 'Jin-jin!' zei hij. 'En, hoe bevalt het behelpen?'

'Het wordt saai,' antwoordde ze.

'Doe maar net alsof je in koloniale tijden leeft, schatje. Dat is wat ík doe.'

Naast hem op tafel lag een pak wegwerpluiers. Jin-Ho's moeder was tegen wegwerpluiers, maar ze was nu haast door de katoenen luiers heen. Ook had hij drie kartonnen bekers koffie uit de winkel bij zich, en een literpak van Xiu-Meis speciale melk en een raketachtig zilveren voorwerp, nog groter dan Jin-Ho, dat net binnen de keukendeur stond. 'Wat is dat?' vroeg ze.

'Helium.'

'Helium?'

'Voor de ballonnen waar we de binky's aan vastbinden.'

'De binky's?' zei ze. 'Het Binkyfeest!' Dat was ze helemaal vergeten.

'Je kent je moeder,' zei hij. 'Dat is een heel vasthoudende tante.'

'Ik heb gezegd dat vandaag de dag was dat ze met haar binky's zou stoppen en dan ís het ook vandaag,' zei Jin-Ho's moeder zonder zich van het fornuis af te wenden. 'We willen niet dat Xiu-Mei denkt dat ik inconsequent ben.'

'Consequentheid is het spookbeeld van...'

'Pa, ik wil het niet horen.'

'Oké! Oké!' Hij hief allebei zijn handen.

'Sami en Ziba brengen koude dranken mee, en de rest is toch al op kamertemperatuur... Cake, koekjes... het ijs heb ik geschrapt. Wat hebben we dan nog nodig?'

'Nu ja, het kleinigheidje van hier komen. De straten in de stad zijn voor de helft versperd door omgewaaide bomen, of door neergekomen stroomdraden waar de vonken uit spatten, of door allebei. Honderden verkeerslichten zijn uit. De politie raadt de mensen aan van de weg te blijven, tenzij het om een levensbedreigend noodgeval gaat.'

'Al onze gasten denken wel dat ze het halen, behalve Mac. Dat bruggetje onder aan zijn oprit is weg. Maar ik heb gezegd dat hij moet proberen het stroompje met zijn auto over te steken, want zo diep is het heus niet.'

Jin-Ho's opa begon te lachen. Eerst was het een soort snorrig geluid, maar van lieverlee kreeg het vat op hem tot hij naar adem hapte en zijn ogen afveegde met de manchet van zijn trui. 'Wat,' zei Jin-Ho's moeder. Ze had zich afgewend van het fornuis om naar hem te kijken, nog met de toast in haar tang. 'Wat is er? Wat is er zo grappig?'

Maar in plaats van op antwoord te wachten, richtte ze zich tot Jin-Ho en zei: 'Waar is in 's hemelsnaam je váder?' alsof Jin-Ho degene was op wie ze kwaad was.

'Hij is Xiu-Mei aan het aankleden,' zei Jin-Ho.

'Nou, zeg 'm maar dat we hier koffie hebben en dat hij moet opschieten als-ie niet wil dat het koud wordt.'

Toen Jin-Ho de keuken uit ging was haar opa zijn neus aan het snuiten in zijn grote witte zakdoek.

Het vullen van de heliumballonnen was zwaar werk. Jin-Ho's vader en haar opa deden het, en ze werden er heel kribbig van omdat er om de haverklap een ballon van het mondstuk schoot en door de keuken ging zoeven en iedereen zich dan halfdood schrok. 'Bitsy, kun je die kinderen hier wéghalen alsjeblieft,' zei Jin-Ho's vader ten slotte, al was het niet hún schuld. Jin-Ho hielp zelfs mee. Zij en haar moeder bonden binky's aan de touwtjes van de ballonnen die al gevuld waren. Maar haar moeder zei: 'Oké, meisjes, dan gaan we nu jullie in bad doen.' Toen ze vertrokken, hoorde Jin-Ho haar vader zeggen: 'Andere mensen zouden gewoon twaalf stuks gevulde ballonnen van een ballonnenwinkel laten komen, maar wij niet. O nee, nee. Wíj moeten zo nodig onze eigen heliumfles huren en onze ballonnen zelf vullen.'

'Als het een kwestie was van maar twaalf stuks ballonnen, dan zou ik dat ook doen,' zei Jin-Ho's moeder toen ze de trap op klommen. Alsof ze dacht dat Jin-Ho degene was die bezwaren had gemaakt. 'Maar we moeten zevenenveertig binky's oplaten. Nee, áchtenveertig, want Xiu-Mei heeft er nog een. Brad!' riep ze naar beneden. ''t Is geen zevenenveertig wat we nodig hebben, maar achtenveertig.'

'Ondenkbaar dat we maar een of twee symbolische binky's

zouden oplaten, en de rest bij het huisvuil begraven,' zei Jin-Ho's vader tegen haar opa.

Haar moeder rolde met haar ogen. Jin-Ho rolde ook met de hare, want een of twee binky's zou saai zijn. Achtenveertig, dan had je wat te zien. Die zouden de hele lucht bedekken.

'En Xiu-Mei, dit gaat er gebeuren,' zei haar moeder op een verhaaltjes-vertellende toon. 'Iedereen op het feest neemt een paar ballonnen en gaat ermee naar buiten. Even kijken: met negentien mensen... of zeventien dan... Nu ja, een paar van ons nemen er dan meer dan twee. Jij bijvoorbeeld, omdat jij de eregast bent. Jij zou drie ballonnen mogen nemen.'

'Vier,' zei Xiu-Mei.

'Vier dan. Je mag...'

'Vijf. Zes,' zei Xiu-Mei. Kennelijk was ze alleen de getallen aan het oefenen. Maar ze kende ze nog maar tot zes; dus bleef het daarbij. Ze stak haar armen omhoog om haar moeder haar shirt te laten uittrekken. Het water stroomde al in het bad en de spiegel raakte beslagen.

'En dan zeggen we: "Op de plaatsen, klaar, af!" en laten we allemaal onze ballonnen los, precies op hetzelfde moment, en dan vliegen de binky's omhoog, omhoog, omhoog... ver, ver weg en dan kijkt de Binkyfee over de rand van een wolk en zegt: "O jee, daar is iemand haar binky ontgroeid! Ik zie dat ik zal moeten..."'

'Ik is niet mijn binky ontgroeid,' zei Xiu-Mei. Ze nam de binky uit haar mond zodat ze extra duidelijk kon spreken en stopte hem toen weer terug.

'"Ik zal naar beneden moeten en die iemand daar een prachtig cadeau brengen," zal de Binkyfee zeggen. En dan gaat ze naar haar schatkamer...'

'Ik is niet mijn binky ontgroeid.'

'Stap in bad, Xiu-Mei.'

'Het is te heet,' zei Xiu-Mei.

'Het is niet te heet! Je hebt het nog niet eens gevoeld! Je bent gewoon dwars! Hè, jeetje... Jin-Ho, ga in bad alsjeblieft...'

Jin-Ho was zich nog aan het uitkleden, maar maakte er nu haast mee. Haar moeder liet Xiu-Mei in het water zakken. Zodra ze zat, legde Xiu-Mei haar binky in het zeepbakje omdat ze altijd huilde als haar haar gewassen werd en ze moeilijk tegelijkertijd kon huilen en op een binky kluiven. Jin-Ho klom er na haar in, zich vasthoudend aan haar moeders schouders om haar evenwicht te bewaren. 'Mam,' zei ze, met haar mond heel dicht bij haar moeders oor.

'Wat is er, kind?'

'Wat denk jij dat haar cadeau is?'

'Ja, dat zullen we moeten afwachten, hè?'

'Denk je dat het een American Girl-pop is, compleet met assesswares?'

'"Accessoires", bedoel je, al is dat geen woord waar jij op jouw leeftijd iets aan zou hebben. En nee, ik denk niet dat het dat is. Volgens mij is de Binkyfee te slim om zich te laten inpakken door speelgoed dat schaamteloos consumentisme bevordert.'

'Maar Zíba is slim en zij heeft er een voor Susan gekocht.'

Haar moeder liet een zucht ontsnappen die haar haar tot boven haar voorhoofd blies. Toen zei ze: 'Jin-Ho, de mooiste pop die Susan heeft, in mijn ogen, is die kleine Koerdische pop van haar. Die pop op haar kastje, met de lange rode sluier.'

'Maar die Koerdische pop heeft geen ak-sesswares,' zei Jin-Ho.

'Niet vergeten achter je oren te wassen,' zei haar moeder. Toen stond ze op en ging aan het lichtknopje draaien. Dat deed ze de hele dag al. Alleen gebeurde er niets.

Onder het afdrogen praatte Jin-Ho's moeder verder over het feest. Ze zei: 'Het cadeau zal voor de haard staan, Xiu-Mei, want de Binkyfee komt door de schoorsteen, net als de kerstman, en dan zal iedereen zich eromheen verzamelen om het jou te zien openmaken. Opa, en oom Abe, en heel misschien oom Mac, de Yazdans... en Lucy komt ook! Je vriendinnetje Lucy zal hier ook zijn!'

'Lucy heb haar binky?' vroeg Xiu-Mei.

Haar moeder zei: 'O.' Toen zei ze: 'Och, ja misschien. Maar dat is omdat Lucy jonger is dan jij. Wel een hele maand jonger! Praktisch een baby! Wedden dat ze als ze jouw cadeau ziet zegt: "Ik ga míjn binky ook wegdoen."'

Xiu-Mei zette haar voortanden hard op elkaar. Haar binky maakte een geluid als een deur die piepte.

Toen ze eindelijk weer beneden kwamen, waren alle ballonnen opgeblazen en zweefden ze onder het plafond in de huiskamer met hun lange staarten loodrecht naar beneden en met roze, blauwe en gele binky's aan de einden vastgebonden. Xiu-Mei moest gedacht hebben dat een droom in vervulling was gegaan, omdat ze door de kamer begon te hollen en beide handjes ernaar uitstrekte. Sommige kon ze aanraken en laten slingeren, maar voor de meeste was ze niet groot genoeg. Haar moeder zei: 'Zal het niet prachtig zijn als ze in de lucht opstijgen?' Xiu-Mei gaf geen antwoord.

Terwijl Jin-Ho's moeder cakejes glazuurde in de keuken, gingen Jin-Ho en haar opa naar de delicatessenwinkel om iets voor de lunch te halen. Op de een of andere manier was het Jin-Ho gelukt de orkaan te vergeten, en het was schrikken toen ze zag wat er was gebeurd – de afgerukte takken overal, rafelige witte repen hout op de boomstammen, en hier en daar een lap blauw plastic over een beschadigd dak. Twee keer moesten ze een andere weg nemen omdat een straat was afgesloten. Haast niet een van de verkeerslichten deed het, dus reden ze extra langzaam over kruispunten en keek haar opa naar beide kanten uit en floot ondertussen zomaar een wijsje, wat hij altijd deed als hij zich op iets concentreerde. De dode lichten deden Jin-Ho denken aan de uitgestoken ogen van een pop – datzelfde holle en wezenloze. Het was bijna zo warm als in de zomer en de mannen die aan de bomen zaagden zweetten door hun shirts.

'Je moeder heeft wel heel creatieve ideeën, hè,' zei haar opa. 'Ik weet dat het soms lijkt alsof ze een béétje te ver gaat, maar ze heeft tenminste... inzet. Interesse. Je moet toegeven dat ze hart voor de zaak heeft, ja toch?'

Jin-Ho zei: 'Mmhmm.' Ze keek naar een boom die volmaakt in de vorm was omgevallen, alsof iemand hem zachtjes op zijn zij had gelegd. Ze vroeg zich af of je hem in het gat kon terugplanten, zoals Brian z'n tand was teruggeplant, nadat hij hem eruit had gestoten toen hij op school van het klimrek was gesprongen. Zijn moeder had de tand in de melk gelegd en meegenomen naar de tandarts. Hoe wisten moeders die dingen?

Toen ze weer thuiskwamen, was alles klaar in de eetkamer – een gebloemd tafellaken op tafel en schalen met cakejes en koekjes en kommetjes met pepermuntjes in dezelfde zachte kleuren als de binky's. Ze lunchten in de keuken. Jin-Ho's moeder at haast niets, omdat ze in de rats zat vanwege het weerbericht. Het zou opnieuw gaan regenen. Ze keek telkens naar de lucht, die puur stralend blauw was, en vroeg iedereen hoe ze dachten ballonnen op te laten in een stortbui. Jin-Ho's vader zei dat ze zich geen zorgen voor morgen moest maken tot morgen haar zorgen bracht. Het was een van zijn favoriete gezegden.

Na de lunch deed Xiu-Mei haar middagslaapje en gingen Jin-Ho en haar moeder zich verkleden voor het feest. Jin-Ho deed een rood T-shirtje aan en haar nieuwe geborduurde spijkerbroek en liep toen naar de kamer van haar moeder om te zien hoe ze zou kijken. Ze wist dat een geborduurde spijkerbroek niet erg Koreaans was. Maar haar moeder zei alleen: 'Je ziet er mooi uit, schat,' zonder teken van afkeuring. En ze deed Xiu-Mei ook een spijkerbroek aan, toen Xiu-Mei wakker werd; dus zou het wel goed zijn.

Xiu-Mei sliep niet half lang genoeg. Misschien was ze opgewonden over het feest. Of anders van streek. En ze wilde niet haar babybekertje met sap opdrinken, maar zat in een hoopje op een keukenstoel bozig te gluren en op haar speen te zuigen.

De eerste gasten waren de Yazdans. Dat was omdat zij voor het drinken hadden gezorgd, en Sami en Ziba sjouwden een koeldoos van piepschuim tussen zich in en iedereen ging de straat op zodat Jin-Ho's vader Ziba's kant van haar over kon nemen. 'Vanmorgen flikkerden onze lampen,' zei Ziba, 'en ik dacht: O néé! Stel dat ónze ijskast het begeeft? Maar het duurde maar even.'

Ze droeg een *bellbottom* jeans en een gebreid zwart topje dat een stukje van haar buik bloot liet. Ze zag er beeldschoon uit. Haar paardenstaart stak recht achter haar hoofd uit als een enorme druiventros, datzelfde soort paarsige zwart.

Stel dat die adoptiemensen ontdekten dat ze een vergissing hadden gemaakt. Dat ze de baby's aan de verkeerde moeders hadden meegegeven. Dat ze zouden zeggen dat het ze erg speet, maar dat de meisjes moesten worden omgeruild. Jin-Ho zou Ziba krijgen, en Susan kreeg Bitsy in haar mouwloze zakjurk en haar sandalen die de knobbels op haar tenen lieten zien.

Zou het niet vreselijk zijn als moeders gedachten konden lezen?

Jin-Ho had gehoopt dat Susan haar American Girl-pop zou meebrengen, maar nee. Susan hield eigenlijk niet van poppen, leek het. Doodzonde. Wel zwiepte ze een jojo uit haar zak – daar speelden ze zeker mee op die privé-school

– en liet hem sierlijk op en neer tollen onder het lopen. Intussen vertelde Jin-Ho's moeder aan Ziba over al haar ingevroren voedsel. ''t Is net als de stadia van rouw,' zei ze. 'De eerste dag ontkenning: misschien komt de stroom terug voordat er schade is gedaan. En dan verdriet, de tweede dag. Je zakt weg in een poel van wanhoop en neemt geestelijk afscheid van al je stoofpotten.'

'Ik krijg ook een vriendinnetje hier,' vertelde Jin-Ho aan Susan.

Susan zei: 'Zo?'

'Ze heet Athena, en haar en mij gaan elk speelkwartier van de glijbaan af.'

Maar Jin-Ho's moeder kwam ertussen om te zeggen: 'Maar ze is niet zo'n oude vriendin als jij, hoor Susan! Jij en Jin-Ho zijn al véél langer maatjes!'

Ze had er slag van naar twee gesprekken tegelijk te luisteren.

'O, en misschien waren jullie moeders al maatjes!' zei ze. 'Misschien waren jullie biologische moeders elkaars beste vriendin in Korea.'

Jin-Ho paste heel goed op dat haar ogen niet die van Susan ontmoetten.

Had je dat nu gedacht: toen Athena arriveerde – uit de auto van haar ouders stapte, net toen de rest op weg ging naar het huis – bleek ze het type dat haar tong verloor in de buurt van grote mensen. Ze bleef stokstijf staan toen ze ze allemaal zag en stopte een vinger in haar mond. Jin-Ho riep: 'Athena! Hoi!' maar Athena bleef staan, in een wit jurkje met roesjes en met een ingepakt cadeautje in haar hand.

'Ga jij haar verwelkomen,' fluisterde Jin-Ho's moeder.

Dus kwam Jin-Ho al roepend het trapje af: 'Kóm maar! Kóm dan!' op een aanmoedigende manier, en Athena ging voetje voor voetje naar haar op weg. Toen ze op gelijke hoogte waren, duwde ze Jin-Ho het cadeautje in haar handen. Het was iets als een boek, zag Jin-Ho door de verpakking heen. Ze zei: 'Dank je wel,' maar Athena zei: ''t Is voor je zusje,' waardoor Jin-Ho zich stom voelde. Ze zei: 'Dat wist ik best.' Toen ging ze Athena voor naar de anderen.

Jin-Ho's moeder deed het voorstellen. Ze liet Xiu-Mei op haar heup wippen en zei: 'Athena, dit is Jin-Ho's oudste vriendinnetje, Susan Yazdan. En de ouders van Susan: Sami en Ziba, en de opa van Jin-Ho, Dave...'

Athena stopte weer haar vinger in haar mond. Ze droeg haar hoofd vol vlechtjes, ingeregen met piezelige gekleurde kraaltjes, en ook een kraal in elk oor, van goud. Jin-Ho wilde al tijden gaatjes in haar oren, maar zij moest van haar moeder wachten tot ze zestien was.

Het zat ongemakkelijk in de woonkamer vanwege de ballonnen. Op de een of andere manier had niemand daaraan gedacht. Met al die hangende touwtjes leek het uit het plafond te regenen. De grote mensen moesten hun hoofd bukken om in de kamer met elkaar te praten, wat hun een slechte houding gaf. Toen wandelde oom Abe zonder kloppen binnen en zei: 'Hé ho, wat is dit, een oerwoud?' en Jin-Ho's moeder zei: 'O, nou vooruit, laten we maar verkassen naar de eetkamer. Athena, dit zijn de nichtjes van Jin-Ho: Deirdre, Bridget, Polly...'

Alleen zat het in de eetkamer ook ongemakkelijk, want toen de grote mensen stoelen hadden gevonden, ja, toen zaten ze daar, om de tafel als mensen die een maaltijd verwachtten, maar het enige wat er op tafel stond waren de schalen met lekkers die pas later hadden moeten rondgaan. 'Misschien moet ik wat bordjes neerzetten,' zei Jin-Ho's moeder. 'Of... wacht! De frisdrank! Waar hebben we de frisdrank gelaten?' Toen kreeg ze de slappe lach. Dat had ze soms. Ze zei tegen Ziba: 'Een nieuwe traditie verzinnen is niet zo makkelijk als je denkt.'

Ziba zei: 'Ik haal de drankjes. Blijf rustig zitten.' Want Jin-Ho's moeder had Xiu-Mei op schoot.

'Dank je wel, Ziba,' zei Jin-Ho's moeder. En toen wendde ze zich tot tante Jeannine. 'Er is iemand een beetje p-l-a-k-k-e-r-i-g vandaag,' zei ze. 'Maar dat is te verwachten.'

Tante Jeannine zei: 'Xiu-Mei, wat heb jij nou in je mond? Is dat een binky die ik zie?'

'Het is de ene állerlaatste,' legde Jin-Ho's moeder uit. 'Als iedereen er is, gaan we hem aan de laatste ballon hangen en sturen hem omhoog, omhoog...' Ze leek nu tegen Xiu-Mei te praten, maar Xiu-Mei betrok en kauwde op haar binky.

'Geef jij haar het cadeautje,' zei Athena tegen Jin-Ho. Het was hun gelukt op de vensterbank naast Polly te zitten, die bijna-zwarte lippenstift droeg en zes ringetjes in elk oor, waarvan er niet één bij een van de andere paste. Jin-Ho gleed op de grond en liep naar Xiu-Mei toe om haar Athena's cadeautje te geven, en terwijl Xiu-Mei het cadeaupapier eraf scheurde, kwamen de Copelands binnenwandelen. Mercy Copeland zei: 'Sorry! Maar jullie bel doet het zeker niet.' Ze had Lucy op haar arm, over wie de grote mensen natuurlijk drukte moesten maken. Lucy was zó snoezig dat Jin-Ho haar graag had gebeten. Haar wangen waren rond en zacht en haar ogen zo blauw als bloemen en haar haar zat vol met honderdduizend blonde krulletjes zodat de mensen zeiden: 'Wat een éngeltje!' Ze was zelfs heel wat snoeziger dan Xiu-Mei, die steil zwart haar en spleetogen had. En daarbij had Lucy haar binky wél meegebracht, maar die hing gewoon aan een lintje om haar hals – een binky van doorzichtig plastic met gekleurde stippels aan de binnenkant, echt een heel chique die Jin-Ho nog nooit had gezien. Dus was Lucy's mond niet dichtgestopt zoals die van Xiu-Mei. Ze had een snoezig, roze tuitmondje, heel klein. Ze had een vierkante doos bij zich, in gestreept papier verpakt. En zodra haar moeder haar op de grond zette, waggelde ze naar Xiu-Mei en zette de doos op haar schoot. 'O-ó,' zei iedereen, maar Xiu-Mei leek meer geïnteresseerd in de stippelbinky. Ze boog naar voren en greep ernaar, maar Lucy was alweer op de terugweg naar haar moeder. 'O, wel bedankt, Lucy,' zei Jin-Ho's moeder, en toen: 'Dank je, Ziba,' omdat Ziba het cadeautje van de Yazdans voor haar op tafel zette. (De Yazdans kwamen altijd, áltijd met cadeautjes, voor elke mogelijke gelegenheid. Het was een van de fijnste dingen aan ze.)

'Kent iedereen elkaar?' vroeg Jin-Ho's moeder, en toen niemand sprak, zei ze: 'Prachtig. Nu, ik denk dat we de ballonnen maar meteen moeten doen, vinden jullie ook niet? Dan is dat achter de rug.'

'Net of je een pleister afrukt,' zei Jin-Ho's opa.

'Precies. Dus breng jij nu die laatste ballon, Brad, en Xiu-Mei, jij geeft me je binky...'

Alleen wachtte ze niet tot Xiu-Mei haar die gaf. Ze plukte hem gewoon Xiu-Mei uit haar mond. Xiu-Meis mond bleef staan in een natte, verbaasde o-vorm en ze keek de kamer rond alsof ze niet wist wat er zonet was gebeurd. 'Daar gaan we,' zei haar moeder en ze maakte de binky vast aan de ballon. Het was een rode ballon met witte sterretjes erop. 'De aller-állerlaatste,' zei haar moeder op een soort zangtoon. 'Klaar, iedereen? Iedereen gaat in de kamer een paar ballonnen halen, twee of drie per persoon, en dan gaan we ze buiten oplaten.'

Ze stond op en zette Xiu-Mei weer op haar heup, en ging voor naar de woonkamer. Xiu-Meis mond stond nog in een o-vorm. Jin-Ho verwachtte aldoor dat ze een keel zou opzetten, maar ze leek al te verbaasd.

'We laten ze vlíegen?' vroeg Athena aan Jin-Ho.

Jin-Ho zei: 'Jawel.'

'Ik wil de mijne mee naar huis nemen.'

'Dat mag niet,' zei Susan van haar andere kant. 'Je moet ze loslaten.'

'Op andere partijtjes mag je ze wel mee naar huis nemen.'

'Niet als er binky's aan hangen, suffie,' zei Susan.

Athena knipperde met haar ogen.

Ze gingen naar de woonkamer en kozen ieder drie ballonnen uit. Susan zei: 'Ik neem alleen de roze,' wat Jin-Ho eerst niet begreep omdat de ballonnen óf rood óf wit óf blauw waren, sommige met sterren of strepen of met allebei, alsof ze van Fourth of July waren overgebleven. Toen zag ze dat Susan de kleur van de binky's bedoelde. Jin-Ho zelf had twee blauwe binky's en een gele. De gele was toevallig de binky die op een acht op z'n kant leek, en dat maakte haar verdrietig, een beetje, omdat ze een heel duidelijk beeld in haar hoofd had van Xiu-Mei die erop kloof.

Ze gingen allemaal terug via de eetkamer en door de keuken de achterdeur uit en de verandatrap af. Mercy Copeland zei: 'Ach! Wat zónde!' Ze keek naar de iep die voor de garage was beland.

'Ja, daar waren we kapot van,' zei Jin-Ho's moeder. 'Nog daargelaten dat we mijn auto er niet uit kunnen krijgen, of de patiomeubels.'

Ze hield maar één ballon in haar hand, de laatste met de witte sterren. Xiu-Mei had er geen. Ze had toch gezegd dat ze er zes wilde? Ze zat dwars op haar moeders heup met haar onderlip zo'n beetje vooruitgestoken.

Alle ballonnen zweefden omhoog. Ze gingen met verschillende snelheden en sommige kwamen niet heel ver. Een van Jin-Ho's ballonnen bleef haken aan de gevallen iep. Een van die van Susan belandde in de heg van de Sansoms. Maar veel van de andere haalden het wel, en in een oogwenk zag je de binky's al niet meer, maar alleen de ballonnen waaraan ze waren vastgemaakt, als in de volmaakte hemel geprikte rode, witte en blauwe punaisetjes. Jin-Ho's moeder had het goed gezien: het was een mooi gezicht.

Toen riep mevrouw Sansom: 'Bitsy?'

Ze stond aan de andere kant van de heg met Susans ballon in haar handen.

'Bitsy, bij ons in de tuin lijken er overal fopspenen te zijn,' zei ze.

Jin-Ho's moeder zei: 'O jeetje.'

'Er hangen spenen in onze rozenstruiken en onze goten en onze kornoelje.'

'Dottie, het spijt me...'

'En de tv-kabel die van de elektriciteitspaal in het achterom hangt? Stikvol spenen.'

'We ruimen ze op, dat beloof ik,' zei Jin-Ho's moeder. 'O hemeltje, ik had nooit gedacht...'

'Hé daar! Xiu-Mei!' riep Jin-Ho's vader.

Jin-Ho's moeder wendde zich naar hem om alsof ze blij was van hem te horen.

Hij stond op de achterveranda, hoewel Jin-Ho tot nu toe had aangenomen dat hij met de anderen in de tuin was. 'Zou de Binkyfee iets voor je hebben achtergelaten?' riep hij.

'O-o!' zeiden de mensen, en: 'Xiu-Mei! Laten we gaan kijken!'

Xiu-Mei keek van gezicht naar gezicht, nog steeds met haar pruillipje, terwijl haar moeder haar het trapje op droeg om te zien wat ze gekregen had.

Tja, het was geen American Girl-pop. Toch was het best een mooi cadeau: een poppenwandelwagentje dat ze kon duwen in plaats van haar winkelkarretje. Het stond voor de schouw met een rode strik aan de stang. 'Zullen je kangoeroes dat niet geweldig vinden?' vroeg haar moeder. Xiu-Mei gaf geen antwoord, maar toen haar moeder haar op de grond zette, liep ze naar haar winkelkarretje en hees haar mammakangoeroe en kangaroebaby eruit en stapelde ze in het wandelwagentje. Toen begon ze ze door de kamer te duwen. Ze leek een beetje kaal zonder binky in haar mond. Ze was zo klein dat ze, ook al was het een speelgoedwagentje, omhoog moest reiken om bij de stang te kunnen. Iedereen zei alweer: 'O-oh.' Lucy kwam naar haar toe gewaggeld en pakte ook de stang beet, en met z'n tweeën duwden ze het wagentje terwijl Jin-Ho's vader en Lucy's vader honderdduizend foto's maakten.

In de eetkamer deelde Ziba blikjes priklimonade rond uit de koeldoos die ze op tafel had gezet. Jin-Ho mocht geen prik drinken. Ze nam er een aan en liep naar het raamzitje waar Athena en Polly weer waren neergestreken. 'Deden de gaatjes boven in je oren meer pijn dan de gaatjes onderaan?' vroeg Athena. 'Ik wil ook meer gaatjes, maar mijn moeder vindt dat ordinair.'

Polly zei: 'Ordinair! Ach, dat is alleen omdat zij een groot mens is,' en ze glimlachten elkaar toe alsof ze de oudste, beste vriendinnen waren. Geen van beiden sloeg acht op Jin-Ho.

Ginds in de hoek praatte Deirdre in haar mobieltje, met haar gezicht naar de muur en haar stem gedempt. Ze had een vriendje, wist Jin-Ho, hoewel ze pas dertien was, veel en veel te jong voor een vriendje, volgens Jin-Ho's moeder. En Bridget vertelde Mercy Copeland op welke school ze zat en in welke klas enzovoort enzovoort, arme Bridget, terwijl Mercy ernstig knikte en een slok van haar frisdrank nam.

Jin-Ho's frisdrank smaakte naar blik, maar misschien hoorde dat zo.

Nu was haar vader foto's aan het maken van oom Abe en tante Jeannine. Ze hadden hun armen in elkaar gehaakt als een filmsterrenpaar en ze lachten met al hun tanden, en oom Abe zei almaar: 'Cheddar! Roquefort! Monterey Jack!' wat zijn manier van leuk doen was. Maar Lucy's vader was opgehouden met fotograferen en praatte met Sami in de kamer. 'Daar heb je op zijn allerminst drie megapixels voor nodig,' zei hij. Jin-Ho slenterde verder, met haar blikje fris laag tegen haar zij gedrukt voor het geval ze haar moeder tegen het lijf liep.

Maar waar wás haar moeder dan? O ja, daar, op het stoepje met Jin-Ho's opa. Jin-Ho zag ze door de hordeur heen. Ze stonden met hun rug naar haar toe en merkten het niet eens toen ze dichterbij kwam en haar neus tegen de hor hield.

Haar opa zei tegen haar moeder dat hij ja, nu ja, werk te doen had. Hij had nog takken op zijn gras zo dik als zijn arm. 'En waarom ik een elektrische kettingzaag heb in plaats van een op benzine, weet ik niet,' zei hij. 'Je zou toch denken dat het in me was opgekomen dat áls ik bomen moest kleinhakken, dat na een storm zou kunnen zijn die een stroomstoring had veroorzaakt. Dus moet het nu met de handzaag, en ik heb nog minstens, o, wel acht of tien...'

'Ik snap het, pa,' zei Jin-Ho's moeder, 'en ik probeer je ook niet tegen te houden, heus. Maar als je weggaat om een andere reden – als je weggaat vanwege Sami en Ziba... ja, dat is onzin. Ze zien je juist graag! Ze voelen zich absoluut niet vreemd!'

'Nee, dat weet ik,' zei Jin-Ho's opa. 'Hemel! Het heeft ook niks met hen te maken. 't Is alleen dat mijn tuin, zie je...' Hij was even stil, en toen hij weer sprak, was hij op een heel ander onderwerp overgeschakeld. Hij zei: 'Ik ga het aldoor maar weer na, ik probeer het te verklaren. Ik zeg: "Ze leek zo gelukkig; ze gaf me nooit de geringste aanwijzing; waarom liet ze me in de waan dat ze van me hield?" Ik herinner me dat ze me iets te eten bracht en tegenover me ging zitten om te zien of ik het lekker vond. Niemand zal dat ooit nog doen. Ik maak mezelf niets wijs. Niemand zal ooit nog zo om me geven op mijn leeftijd.'

Jin-Ho verwachtte dat haar moeder ging tegenspreken; natuurlijk, ze gaven allemaal om hem, zou ze zeggen. Wat dacht hij in vredesnaam? Maar dat deed ze niet. Ze zei: 'O, pa. Het was niet dat ze gelukkig léék. Ze wás gelukkig. Jullie allebei.

En ze hield wel van je, ik zweer het. Ze hield intens en oprecht van je; dat kon iedereen zien, en het doet me zo'n verdriet dat jullie niet meer bij elkaar zijn.'

Achter Jin-Ho zei haar vader: 'Psst.'

Ze draaide zich om en keek naar hem op.

'Doe me een plezier,' fluisterde hij. 'Zet de deur een beetje open. Ik wil een foto van hen tweeën.'

Ze duwde tegen de hordeur, zo stil als ze kon. Soms gaf de veer een jengelend geluid, maar vandaag gelukkig niet. Haar vader stak zijn camera door de opening en drukte op de knop. 'Bedankt,' fluisterde hij. 'Hebbes. Ik zie al dat hij gelukt is. Ziet je moesje er niet prachtig uit?'

Echt, het was zo. Haar gezicht was naar Jin-Ho's opa gewend en de hemel erachter verlichtte haar gladde huid en de lieve, volle booglijn van haar mond.

Jin-Ho sloot de hordeur en volgde haar vader terug naar de eetkamer.

Nogmaals richtte hij zijn camera op Xiu-Mei en Lucy. Die stonden nog voor de schouw, maar de wandelwagen was opzijgezet en nu keken ze allebei naar Susan, die hen voorging in een of ander spelletje. Ze stond met haar handen op haar heupen, zo bazig als een schooljuf, en zei: 'Oké, zeg me na: wah, wah, wah, altijd huilen we met bedtijd.'

Braaf echoden ze: 'Wah, wah...'

'Nee! Fout! Zei ik: "Susan zegt?" Nog eens: wah, wah, wah, altijd huilen we met lunchtijd.'

'Wah, wah...'

'Wat mankéért jullie, jongens? Nou. *Susan zegt*: wah, wah, wah, altijd huilen we met zwemlestijd.'

'Wah, wah, wah...'

Lucy sprak heel duidelijk voor haar leeftijd, maar Xiu-Mei was moeilijker te verstaan, want ze had een stippelbinky in haar mond.

10

Maryam kwam Susan ophalen van de Vlugge Voetjes, school voor ballet en moderne dans. Ongelukkigerwijs was ze te vroeg, omdat ze er nooit eerder was geweest en ze te veel tijd had uitgetrokken voor de rit. Ze viel in voor Ziba, die een afspraak met de tandarts had.

Het was een zonnige dag eind juni en ze voelde de hitte van het plaveisel opstijgen toen ze voor de school stond, die een heel eenvoudig huis van bruine planken was, een ietsje van de straat af. Er wachtte nog een andere vrouw, maar die draafde achter haar peuter aan en dus wisselden ze niet meer dan een glimlach, wat Maryam allang best vond.

Toen zei een man: 'Maryam?' en ze keek om en zag Dave Dickinson naast haar staan.

'Dag,' zei hij.

'O,' zei ze. 'Hallo.'

Dit was niet de eerste keer dat ze elkaar tegen het lijf waren gelopen. Eén keer, kort na hun breuk, had ze hem ontmoet toen hij Jin-Ho bij Sami en Ziba afzette, en nog eens een paar weken later toen ze in de rij stond op het postkantoor. Maar dat was meer dan een jaar geleden, en bij beide gelegenheden was hij zo kortaf geweest – had amper een woord gezegd eigenlijk – dat ze niet goed wist hoe ze zich nu diende te gedragen. Ze hief haar kin en zette zich schrap voor wat er kon komen.

Hij had die sterke, gebruinde, leerachtige huid die zo aantrekkelijk is bij oudere mannen en zo onaantrekkelijk bij vrouwen. Zijn haar moest geknipt, en als ze haar hand had uitgestoken om zijn krullen aan te raken, zouden ze haar vingers geheel hebben omcirkeld.

'Zit Susan hier op les?' vroeg hij.

'Ja, ze begint met ballet.'

'Jin-Ho ook.'

Ja, natuurlijk: zo zou Ziba op het idee zijn gekomen. Maryam had het moeten weten. Ze zei: 'Zeker de zomerpaniek. Wat doen we als de school eenmaal dicht is?'

'Ja, want het is vast niet vanwege een of ander van God gegeven talent,' zei Dave. 'Althans niet in het geval van Jin-Ho. En Susan? Beweegt die zich gracieus?'

Maryam haalde haar schouders op. Inderdaad beschouwde ze Susan als heel gracieus, maar dat wilde ze niet zeggen tegen de grootvader van een zo houterig kind als Jin-Ho. 'Ik denk dat ze haar met alle mogelijkheden kennis willen laten maken,' zei ze. 'Vorig jaar was het een schilderkamp.'

'O ja, daar is Jin-Ho ook geweest.'

Ze glimlachten allebei.

Toen zei Dave: 'Bitsy is ziek.'

Het was het plotse van de opmerking waaruit ze begreep dat hij iets meer dan het gewone bedoelde. Ze wachtte, met haar ogen gericht op de zijne. Hij zei: 'Dat is waar ze nu zijn, zij en Brad: het gesprek met de oncoloog. Vorige week hebben ze een knobbeltje uit haar borst weggehaald en nu nemen ze de opties door.'

'O, Dave, wat erg,' zei Maryam. 'Dat zal alles wel weer bij je naar boven halen.'

'Ja, uiteraard maak ik me zorgen.'

'Maar ze ontdekken elk jaar nieuwe behandelingen,' zei ze. 'En ze waren er vroeg bij, neem ik aan.'

'Ja, de dokters zijn erg bemoedigend geweest. Alleen was het voor ons toch een hele schrik.'

'Ja, allicht,' zei ze. Ze hield een hand boven haar ogen; de zon stond nu recht boven hem. 'Ik hoop dat ze 't me zal laten weten als ik iets kan doen,' zei ze. 'Ik wil met alle plezier de kinderen ophalen, eten brengen...'

'Ik zal het haar zeggen. Bedankt,' zei hij. 'Ik weet dat ze met Ziba wil spreken zodra vaststaat wat het plan wordt.'

Een andere vrouw kwam naderbij met een baby in een wagentje. Nu ze een gehoor hadden, veranderde Dave van onderwerp. 'Enfin!' zei hij. 'Kom je op het Aankomstfeest dit jaar? O. Ja natuurlijk, het is jouw beurt.'

'Och, niet míjn beurt; van Sami en Ziba. En ik ben dan misschien in New York.'

'New York?'

'Kari en Danielle en ik hebben erover gesproken een paar toneelstukken te zien.'

'Maar dat kun je op elk moment doen,' zei hij.

'Een van de stukken stopt misschien binnenkort. En daarbij, nu ja. Eígenlijk is het een feest voor jonge mensen. Ik word te oud voor die dingen.'

'Oud!' zei hij zo scherp dat de vrouw met het wandelwagentje Maryam een nieuwsgierige blik toewierp.

'En er is een kans dat mijn nicht Farah overkomt,' zei Maryam.

'Allebei in de tijd dat je weg bent én de tijd dat je een gast hebt?'

'Nu ja, niet precies op dezelfde datum...'

Ze gaf het op. Ze deed er het zwijgen toe.

Dave zei: 'Kijk, Maryam. Het is idioot te denken dat we niet allebei dezelfde sociale gelegenheid kunnen bijwonen.'

En dat van de man die haar vlakaf had gezegd: 'Nee, we kunnen elkaar níet blijven zien.'

Maar ze zei: 'Och, ja, je hebt natuurlijk gelijk.'

'Vorig jaar was je er ook niet. Je hebt een leuke partij gemist.'

'Ja, dat heb ik gehoord. Heeft Ziba me verteld.'

'Jin-Ho liet per ongeluk de video in de punchkom vallen, maar we visten hem eruit voor er schade was gedaan. En 'Coming Round the Mountain' werd zo'n gekrijs toen de nichtjes 'Hi babe!' schreeuwden, dat je zou zweren dat ze uit het raam van een bordeel hingen! Maar afgezien daarvan...'

Maryam lachte. (Ze was altijd gecharmeerd van zijn typische manier van formuleren.)

'Denk erover,' zei hij.

Ze zei: 'Goed.'

Toen begonnen de kinderen de school uit te druppelen – hun eigen twee voorop, de pruikenbollige Jin-Ho en Susan zwaaiend met haar lange vlechten – en gingen ze ieder huns weegs.

In de loop van de volgende paar dagen merkte ze dat ze werd geplaagd door een zeurend verdriet. Deels was dit natuurlijk het gevolg van het bericht over Bitsy. Maryam nam aan – ze hoopte vurig – dat de kanker tijdig was ontdekt, maar durfde niet te dénken aan wat de Donaldsons moesten doormaken. En deels treurde ze toch weer om Dave. Hem zien had haar herinnerd aan hoe hij op zijn veranda had gestaan, die ochtend toen hij haar zag wegrijden, zijn gerafelde, opgelapte werkbroek, bedaagd geknikt bij de knieën. Ze miste hem zeer. Ze deed haar best zich nooit toe te staan te beseffen hóezeer.

Ze schreef Bitsy een briefje, om haar deelneming uit te drukken en de nodige hulp aan te bieden. 'Ik stuur je mijn beste gedachten,' schreef ze, voor de duizendste keer wensend dat ze gelovig was geweest en haar gebeden had kunnen offreren. 'Ik hoop dat je niet zult aarzelen een beroep op me te doen.' Ze overlegde even met zichzelf voor ze het ondertekende. Vriendelijke groeten? Met beleefde groet? Ten slotte besloot ze tot 'Veel liefs', omdat Bitsy haar fouten mocht hebben, maar het waren tenminste goedbedoelde fouten. Ze was een warmhartige, grootmoedige vrouw en Maryam voelde hetzelfde medeleven met haar dat ze zou voelen met een oude vriendin.

Haar wereld was heel kalm geworden sinds de breuk. Nu ja, daarvóór was die ook kalm geweest, maar op de een of andere manier had haar kortstondig avontuur in een levendiger, meer betrokken levenswijze haar meer waardering ingegeven voor de zalige overzichtelijkheid van haar dagelijkse routine. Ze ontwaakte voor zonsopgang, wanneer de lucht parelwit was en de vogels zich amper roerden. Een van de kardinaalvogels op haar blok had de gewoonte de tweede noot van zijn roep weg te laten en alleen de eerste te herhalen in een kiezelachtig, schel staccato. '*Vite! Vite! Vite!*' leek hij te zeggen, als een overenthousiaste Fransman. Een straalvliegtuig doorkruiste de hoogste ruiten volmaakt horizontaal, volmaakt stil, en soms hing er nog een pipse, doorschijnende maan achter de esdoorn bij de buren.

Ze lag haar gedachten te verzamelen, verstrooid de kat aaiend, die altijd in de holte van haar arm sliep, totdat de jonge dokter aan de overkant zijn lawaaiige auto startte en op pad ging voor zijn ochtendronde. Dat was voor haar het sein om op te staan. Wat werd ze toch een krakepit! Elk gewricht moest 's ochtends van voren af aan leren buigen, leek het wel.

Kwam ze terug van de douche, dan was de zon al op en was een groter deel van de buurt wakker. De nieuwe puppy stormde het huis ernaast uit, opgewonden keffend. Een baby begon te huilen. Verscheidene auto's zoefden voorbij. Je wist precies hoe laat het was in deze straat, alleen door de auto's te tellen en te horen hoe snel ze reden.

Ze kleedde zich met zorg, met eyeliner en al; ze was niet het soort vrouw voor een ochtendjas. Ze maakte haar bed op en pakte haar waterglas en het boek waarmee ze in slaap was gevallen, en ging pas dan op weg naar beneden, gevolgd door de kat, die zich graag om haar voeten mocht kronkelen.

Thee. Geroosterd pitabrood. Een plak feta. Terwijl de thee trok, legde ze haar zilveren mes en vork op een placematje van geweven stro. Ze vulde het waterbakje van Moush en controleerde zijn voorraad brokjes. Ze ging buiten de krant halen, wierp een enkele blik op de koppen waarna ze hem terzijde legde en ging zitten ontbijten. (Ze concentreerde zich liefst op één ding tegelijk.) De thee was vers en heet en verkwikkend. De feta was Bulgaars, romig en niet te zout. Haar stoel was zo gezet dat hij het zonlicht opving, dat de huid op haar armen verguldde en aanvoelde als warm vernis op haar hoofd.

Wat een klein leventje leefde ze! Ze had één volwassen zoon, één schoondochter, één kleinkind en drie intieme vriendinnen. Haar werk was aangenaam voorspelbaar. Haar huis was in decennia niet veranderd. Aanstaande januari zou ze vijfenzestig worden – niet stokoud, maar toch, ze kon niet hopen op een wereld die voortaan iets anders dan enger zou worden. Ze vond deze gedachte verlichtend in plaats van beangstigend.

Vorige week was haar een overlijdensbericht opgevallen van een achtenzeventigjarige vrouw in Lutherville. 'Mevrouw Cotton hield van tuinieren en naaien,' had ze gelezen. 'Familieleden zeggen dat ze haast nooit tweemaal dezelfde kleren droeg.'

Mevrouw Cotton had als meisje ongetwijfeld iets dramatischers voor ogen gehad, maar toch klonk het Maryam niet als zo'n slecht bestaan in de oren.

Als het een woensdag was – de ene dag waarop ze 's zomers werkte – vertrok ze naar Julia Jessup, even na negenen, als de ochtendspits voorbij was. Dan begroette ze de conciërge, maakte de post open, handelde het kleine beetje administratie af. De geur van de gewreven vloeren maakte dat ze zich verdienstelijk voelde, als was zíj degene die ze had gewreven, en het wegdoen van de kalenderblaadjes van de afgelopen week gaf haar een besef van afronding. De school zonder haar kinderen – hun 'Ha, mevrouw Yaz! Morgen, mevrouw Yaz!' – bezorgde haar een zacht steekje van nostalgie. Op een prikbord leek een niet opgehaalde want van de afgelopen winter te tieren van leven.

Als het geen woensdag was, ging ze pas met de krant op de zonneveranda zitten nadat ze de ontbijtspullen had afgeruimd. Ze las te hooi en te gras – slecht nieuws, meer slecht nieuws, nog meer om haar hoofd over te schudden en de pagina om te slaan. Dan legde ze de krant in de kringloopzak onder het aanrecht en ging haar bloemperken wieden, of betaalde wat rekeningen in Sami's oude kamer of hield zich bezig met een of ander huishoudelijk werkje. Heel zelden begaf ze zich 's morgens in het openbaar. Uitgaan was werk. Het vergde converseren. Het wierp de mogelijkheid van vergissingen op.

Ze had gemerkt dat Engels spreken haar meer moeite ging kosten naarmate ze ouder werd. Ze kon vragen om een 'esschaar' in plaats van een schaar, of haar 'hij's' en 'zij's' door elkaar halen, en het pas beseffen wanneer ze een blik van verwarring op iemands gezicht zag. En dan voelde ze zich doodmoe. O, wat maakte dat nu voor verschíl? kon ze zich afvragen. Zo nodeloos, een taal die de geslachten specificeert! Waarom moest zij zich daarmee bezighouden?

In het publiek was ze eenzamer dan thuis, eerlijk gezegd.

Voor de lunch maakte ze meestal een lange wandeling, waarbij ze elke dag dezelfde route nam en tegen dezelfde buurtbewoners en honden en baby's lachte, hier een jong boompje opmerkte, daar een verandering van huiskleur. Werklieden zwermden uit door de buurt, zo nijver als mieren. Ze stuitte op die aardige loodgieter, rammelend door het gereedschap in zijn bestelwagentje.

Het was nu warm, maar ze had het graag warm. Ze voelde zich soepeler bewegen in de hitte. Het waas van zweet op haar gezicht herinnerde haar aan de benauwde nachten in Teheran, wanneer zij en haar familie sliepen op naar het dak gesleepte matrassen en je kon uitkijken over de stad en alle andere gezinnen hun matrassen zien schikken op hun platte dak, alsof elk huis was opengebarsten om de levens te laten zien die zich erbinnen afspeelden. En dan, bij zonsopgang, deed de oproep tot het gebed hen omhoogzweven uit hun slaap.

Het was niet zozeer dat ze verlangde daarginds te zijn (zoveel in die privacyloze levenswijze had haar tegengestaan, ook toen al), maar ze had het niet erg gevonden nog eenmaal die verre kreet vanaf de minaret te horen.

Ze ging naar huis, spoelde haar gezicht af met koud water en maakte voor zichzelf een lichte lunch klaar. Voerde een paar telefoongesprekken. Bekeek haar post. Soms kwam Ziba langs met Susan. Of soms stalde ze Susan alleen maar terwijl zij boodschappen deed; die dagen waren Maryam het liefst. Je kon een kind makkelijker amuseren als er geen grote mensen bij waren. Dan mocht Susan spelen met haar sieradendoos, gouden kettingen en trosjes turkooizen door haar vingers ziften. Ze liet haar de fotoalbums zien. 'Dit is mijn oudoom van moederszijde, Amir Ahmad. De baby op zijn knie is zijn zevende zoon. In die dagen was het ongebruikelijk dat een man zich vertoonde met zijn armen om een baby. Het moet een interessant mens zijn geweest.' Ze bestudeerde zijn gezicht – stug en met een vierkante baard, bekroond door een zware zwarte tulband, niets verradend. Ze had niet meer dan de flauwste herinnering aan hem. 'En dit is mijn vader, Sadredin. Gestorven toen ik vier was. Hij zou jouw overgrootvader zijn.' Maar was dat zo? De woorden klonken onwaar zodra ze aan haar mond ontglipten. Hoe na ze zich ook voelde staan tot Susan – zo na als een grootmoeder maar kon staan –, ze had moeite zich de dunste schakel te verbeelden tussen de verwanten thuis en dit Aziatische feeënkind met haar steile zwarte haar, haar exotische zwarte ogen, haar zo bleke en ondoorzichtige en als been zo rimpelloze huid.

Meermalen kwam Jin-Ho mee en twee keer ook Xiu-Mei. De hele maand juli paste Ziba tamelijk vaak op hen omdat Bitsy door de chemotherapie de hele tijd wilde slapen. Maar het ging heel goed, vertelde Ziba. Ze zei: 'Weet je zeker dat je het niet vervelend vindt, Mari-june? Ik blijf niet lang weg, heus.' Maryam zei: 'Natuurlijk vind ik het niet vervelend,' en meende het. Dit was tenminste een manier om Bitsy te helpen. En twee of drie kinderen konden ook elkaar bezighouden. Het enige wat Maryam deed was hun in de loop van het bezoek verfrissingen aanbieden – zelfgebakken koekjes of brownies en appelsap-'thee' in kleine geëmailleerde kommetjes.

Jin-Ho was nu anderhalve kop groter dan Susan en ze had gevraagd 'Jo' te worden genoemd, hoewel niemand van hen kon onthouden het te doen. Xiu-Mei was nog steeds klein en teer maar ook pittig en weerbaar, met een eigen willetje. Ze droeg afleggertjes van zowel Jin-Ho als Susan; het was vreemd Susans verwassen speelpakjes herrezen te zien, in combinatie met Jin-Ho's oude sandalen en een speen aan een stuk elastiek om haar hals.

Laat in de middag, weer alleen, waagde Maryam zich dan eindelijk de straat op voor wat ze maar nodig had aan boodschappen. Dan bereidde ze een volledig en serieus avondmaal, ook al was zij de enige die het opat. Maar vaak kwamen haar vriendinnen mee-eten. Of anders ging zij naar een van hen toe. Alle vier konden ze voortreffelijk koken. Ieder had een andere keuken: de Turkse, Griekse, Franse en Maryams eigen Iraanse. Het was geen wonder dat ze steeds minder vaak in restaurants aten.

Wanneer ze zich aankleedde voor een avond met haar vriendinnen, voelde Maryam niets van de onzekerheid die ze in vroeger dagen altijd voelde bij het kleden voor sociale gelegenheden. In die tijd kon ze meer dan eens van toilet veranderen voor ze besloot wat ze zou dragen, en maakte ze in gedachten een lijstje van gespreksopeningen. Het was niet alleen dat de leeftijd het verschil maakte (hoewel dat ongetwijfeld hielp); het was meer dat ze de mensen bij wie ze zich niet op haar gemak voelde, eruit had geschift. Niet langer accepteerde ze uitnodigingen voor die zinloze, oppervlakkige party's die zij en Kiyan hadden doorstaan. Haar vriendinnen hadden daar nu en dan hun twijfels over. Of Danielle althans. Danielle was eeuwig op zoek naar nieuwe kennissen en nieuwe ervaringen. Maar Maryam zei: 'Waarom zou ik de moeite doen? Dit is één pluspunt van oud worden; ik weet nu wat ik wil en wat ik niet wil.'

Telkens wanneer Danielle het woord 'oud' hoorde, rimpelde ze misprijzend haar neus. Maar de andere twee vrouwen knikten. Zij wisten wat Maryam bedoelde.

Ze hadden het vaak over oud worden. Ze praatten over waar het met de wereld heen ging; ze praatten over boeken en films en toneel en (in Danielles geval) mannen. Er werd verrassend weinig gezegd over kinderen of kleinkinderen, tenzij die toevallig te maken hadden met een of andere specifieke crisis. Maar bijna altijd kwamen de Amerikanen als onderwerp ter sprake, op een geamuseerde en verwonderde toon. Het bespreken van de Amerikanen werden ze nooit moe.

Of Maryam nu haar avond thuis of buitenshuis doorbracht, in de regel lag ze om tien uur in bed. Ze las tot haar oogleden zwaar werden – soms twee of drie uur – en deed dan haar lamp uit, schoof dieper onder het dekbed en legde één arm rond Moush. Buiten haar raam zong de spotvogel van de buurt eenzaam in de plataan, en ze sliep in, dankbaar voor de rijzigheid van haar bomen, die vogelzang van zo grote hoogte lieten vallen en ook zo heerlijk waren bij zomerse regenbuien, wanneer ze een gestaag gemurmel lieten horen dat haar in de oren klonk als 'Aah. Aah.'

Op een ochtend nam ze de telefoon op en een vrouw zei: 'Maryam?'

Het kwam alleen door haar uitspraak dat Maryam wist dat het Bitsy was. (Bitsy chargeerde de A's in Maryams naam altijd op het koddige af, kennelijk in de waan dat vreemdtalige A's niet kort konden zijn.) Haar stem was zwak en licht hees, alsof ze nog moest genezen van een kuch. Inderdaad kuchte ze juist toen.

'Bitsy? Hoe is het met jou?'

'Heel goed,' vertelde Bitsy. 'De behandelingen waren geen pretje, maar ik ben er nu klaar mee en de dokters zijn heel tevreden.' Toen kuchte ze weer en zei: 'Sorry, een kleine bijwerking. Niet iets dat hun zorgen baart. In elk geval: nog bedankt voor je briefje. Ik had al veel eerder terug moeten schrijven.'

'Nee, je had níet terug moeten schrijven. Of alleen als je iets had bedacht wat ik kon doen.'

'Al was het maar om je te bedanken voor het contact, bedoel ik. Ik was zo blij van je te horen! Ik heb je echt gemist, wij allemaal. We verheugen ons erop je te zien op het feest bij Sami en Ziba.'

Maryam zei: 'O, het... Aankomstfeest.'

'Pa zei dat je misschien kwam.'

'Ja, ik heb gezegd dat ik erover zou denken,' zei Maryam. 'Maar het ligt deze zomer zo ingewikkeld. Ik weet niet of...'

'Het zou net als vroeger zijn!' zei Bitsy met zo veel kracht dat ze weer kuchte. 'Het voelde niet hetzelfde vorig jaar. Zelfs Xiu-Mei merkte het. Ze zei: "Waar is Mari-june?" Ik vind het een vreselijk idee dat je niet meer in ons leven zou zijn.'

Maryam zei: 'Nou, dank je, Bitsy.'

De excuses die ze nu op het punt had gestaan te maken – New York, Farahs bezoek – leken opeens doorzichtig. In plaats daarvan zei ze de waarheid: 'Ik ben toch bang dat het pijnlijk wordt.'

'Pijnlijk! Onzin. We zijn allemaal volwassen mensen.'

Dit argument kwam als een domper; Maryam wist niet precies waarom. Wat had ze gewild dat Bitsy zou zeggen? Een kneepje van beledigdheid beklemde haar borst. Ze zei: 'Ik weet dat je vader vindt dat ik een en ander niet zo goed heb aangepakt.'

'Nou, maar is dat in enige zin van belang voor dit gesprek? We hebben het over een doodeenvoudig, doodnormaal familiebijeenkomstje,' zei Bitsy. 'Kom op, we zouden je domweg moeten shanghaaien.'

Shanghaaien. Als werkwoord was het haar onbekend. Wie weet betekende het iets als 'lynchen'. Maryam zei: 'Ja, misschien wel,' op een toon die bitterder moest hebben geklonken dan haar bedoeling was, want Bitsy zei: 'O, Maryam, vergeef me. Ik bén een bemoeial, dat weet ik wel.'

Dat was ze, ja. Maar Maryam zei: 'O nee, Bitsy, je bent heel lief. Zo aardig van je om te bellen.' En toen, in een poging Bitsy's energie te evenaren: 'Maar je hebt niet gezegd wat ik voor je kan doen! Toe, geef me een taak.'

'Nee, niets, dank je wel,' zei Bitsy. 'Ik word met de dag sterker. Je zou ervan opkijken. Wacht maar tot je me ziet op het Aankomstfeest.'

Typisch Bitsy. Die moest altijd het laatste woord hebben, dacht Maryam toen ze ophing.

‘Hoe vertel je het je familie?’ had hij haar gevraagd. ‘Ze waren zo blij voor ons. Hoe ga je uitleggen waarom je alles vergooit?’

Ze zei: ‘Ik heb het ze al verteld. Ik kom er net vandaan.’

De blik op zijn gezicht deed haar wensen dat ze dit voor zich had gehouden. ‘Je hebt het eerst hun verteld en toen pas mij?’ zei hij.

‘Eh, ja.’

‘Hoe kon je dat dóen, Maryam?’

‘Weet ik niet,’ zei ze vlakaf. Ze had de kracht niet meer om zich te verdedigen. ‘Gewoon gedaan, meer niet,’ zei ze. ‘’t Is gebeurd.’

Nu echter kwam het in haar op zich hetzelfde af te vragen. Waaróm had ze het hun eerst verteld? Wat een rare manier van te werk gaan!

Had een of ander deeltje van haar gehoopt dat Sami en Ziba het haar uit het hoofd zouden praten?

En o, als ze, áls ze niet had toegegeven dat ze het hun had verteld, zou hij er dan mee hebben ingestemd dat ze elkaar konden blijven zien?

Ze was verliefd op hem geworden terwijl ze even niet oplette, zou je kunnen zeggen. Het was als een complete verrassing gekomen. Aanvankelijk was hij de zoveelste ongelukkige man die snakte naar een levensmaatje – een aardige kerel, maar wat ging haar dat aan? Zelfs nadat ze samen waren gaan optrekken, had ze zich niet, o, verwant met hem gevoeld, zoals ze zich verwant had gevoeld met Kiyan. ‘Heus, Dave,’ had ze eens gezegd, ‘we hebben niets gemeen. We hebben geen gemeenschappelijke achtergrond. Ja, ik kan me zelfs geen voorstelling maken van wat je voor jeugd hebt gehad.’

‘Jeugd?’ zei hij. ‘Hoe kom je dáár nu bij? Wat maakt mijn jeugd voor verschil? Het is waartoe we uiteindelijk zijn ingekookt wat werkelijk van belang is – als je alleen het bezinksel en de essentie overhoudt.'

Ja, hij kon heel overtuigend zijn, dat wel. Als hij dat soort dingen zei, begreep ze wat hij bedoelde. Maar alleen zolang als hij ze zei.

Ze was die zomer naar Vermont vertrokken met het gevoel dat ze ontsnapte. Op de een of andere manier was ze hem, tegen haar intuïtie in, te veel gaan zien, en dit was haar kans om enige afstand te herwinnen. Ze had Farah begroet met zo'n stroom van Farsi dat Farah om haar had gelachen. 'Maryam! Langzaamaan! Ik versta je niet! Maryam, spreek je met een accent?'

Sprak ze met een accent? In haar eigen taal? Wat was haar eigen taal dan eigenlijk? Hád ze er wel een, op dit moment?

Ze had langzaamaan gedaan. Ze had zich wederom aangepast aan Farahs strooptrage tempo. Luierend op een ligstoel in de door dennen beschaduwde tuin had ze William een zijdelingse blik toegeworpen en zich afgevraagd hoe Farah zich ooit had kunnen voegen naar zo'n buitenissig iemand. Die zomer was hij bezig geweest met het vervolmaken van een huisdiervlekverwijderend product dat hem gegarandeerd miljoenen zou opleveren. 'Dit is begonnen als een supersnel drogende correctievloeistof voor typisten,' had hij Maryam toevertrouwd. 'Ik heb het een jaar of wat geleden bedacht. D'elite, zou ik het noemen – D apostrof elite – snap je? Maar toen, alweer pech, gingen schrijfmachines pleite; dus heb ik deze nieuwe toepassing ervoor uitgevonden. En dit is nog het mooiste: zonder zelfs van naam te veranderen! D'elite! Vind je 't niet prachtig? Plus dat mensen die niet beter weten gewoon 'Delight' kunnen gaan zeggen zonder dat er iets verloren gaat.'

En Farah, op een ligstoel naast haar, murmelde intussen maar door in het Farsi alsof William niets had gezegd. 'Waarom knippen oudere vrouwen in dit land hun haar zo kort als monniken? Waarom dragen vrouwen uit de hogere klassen hier nooit genoeg make-up?'

Als twee kleine kinderen hadden ze om Maryams aandacht gestreden, en Maryam bemerkte verrast dat ze meer naar William neigde – om zijn geestdrift, zijn eenvoud, zijn innemende optimisme. Er was een levensmoeheid in Farah die deprimerend kon zijn, zo nu en dan. Maryam glimlachte om William en dacht opeens aan Dave. In wezen leek Dave in niets op William, zeker niet zo extreem of excentriek, maar toch...

'Ik weet niet waarom ik van puur goeie mensen altijd zo triest word,' had Kiyan eens tegen haar gezegd. Ze begreep nu wat hij had bedoeld.

Tijdens haar uitje naar Vermont had ze Dave geschreven om te zeggen dat ze hem miste. Nu ja, ze had het wat subtieler verwoord. ('Ik heb hier een heel prettige tijd, maar ik denk voortdurend aan je en vraag me af wat je aan het doen bent.') Toch wist ze welk effect dat zou hebben. Toen ze de brief door de gleuf in de brievenbus schoof, had ze hem een lang, besluiteloos ogenblik vastgehouden eer ze hem liet vallen. En toen had ze gedacht: wat heb ik gedaan? en half verlangd naar een manier om hem terug te krijgen.

Maar toen Dave haar afhaalde van het vliegveld, had hij zich niet anders gedragen. Hij was zichtbaar blij haar te zien, maar hij zei niets over haar brief noch deed hij of er iets veranderd was. 'Genoten van je bezoek?' had hij gevraagd. 'Weer op de hoogte van alle familieroddels?' Ze was door de grond gegaan. Wat ingebeeld van haar, te denken dat wat ze had geschreven voor hem verschil zou maken! Ze had hem koeltjes bejegend en hem vroeg naar huis gestuurd. Ze had de hele nacht gewoeld en gedraaid, rouwend om wat ze als haar laatste kans op liefde had gezien. Voorgoed hierna zou ze een van die vastberaden, opgewekte weduwen zijn die zich alleen redden.

O, dat martelende heen-en-weer van verliefdheid! De avances en de aftochten, de geheime kwetsuren, het strategische terugtrekken!

Was de werkelijke cultuurschok niet die tussen beide seksen?

De volgende dag was hij midden in haar lunch op de stoep verschenen. 'Ik heb je brief gekregen,' zei hij.

'Mijn brief?'

'Pas tien minuten geleden bezorgd. Jij kwam het eerst aan.'

'O!'

'Maryam, heb je voortdurend aan me gedacht? Heb je me gemist?'

En toen, nog voor ze kon antwoorden, had hij haar in zijn armen genomen en haar overdekt met kussen. 'Je hebt me gemist!' riep hij almaar weer. 'Je houdt van me!' en ze lachte en beantwoordde zijn kussen en hapte tegelijkertijd naar adem.

Het leek in niets op haar huwelijk. Deze keer ging ze te werk in de wetenschap dat mensen doodgingen; dat aan alles een eind kwam; dat, ook al trokken zij en Dave elke dag en elke nacht samen op, het moment zou komen dat ze zou zeggen: 'Morgen is het twee jaar geleden dat ik hem voor het laatst heb gezien.' Of dat hij dat zou zeggen van haar. Ze haalden zich meer aan dan enig jong stel mogelijkerwijs kon voorzien, en beiden waren zich ervan bewust.

Dit maakte hen minder geneigd tot ruziemaken of aanstoot nemen. Ze verspilden weinig tijd aan kleine ergernisjes. Ze toonde zich verdraagzamer jegens zijn rommel en zijn dwingend hardop voorlezen uit de krant. ('Moet je horen: "Ik heb een huis van drie miljoen," pochte de bokser tegen een interviewer, "en tienduizenddraads lakens." Tienduizenddraads? Is dat mogelijk?') Hij van zijn kant leerde dat ze kon opknappen van een kommetje witte rijst wanneer ze zich grieperig of moe voelde; en een keer, toen Moush al twee dagen zoek was, had hij tientallen posters opgeprikt met WEGGELOPEN en BELONING en KIND VERDRIETIG. 'Kind verdrietig?' had ze gevraagd. 'Waar heb je het over? Er is hier toch geen kind.'

Maar hij had gezegd: 'Wel waar. Jij bent het kind,' en had haar gezicht in zijn handen genomen en haar op haar hoofd gezoend.

En hij had gelijk gehad.

Vroeger kon ze fantaseren over reizen in een tijdmachine naar lang, lang vervlogen perioden. Bijvoorbeeld naar de prehistorie, waar ze zou kunnen meemaken hoe de taal zich had ontwikkeld. Of de tijd van Jezus; waar gíng dat nu over? Maar nu koos ze vaak een recenter tijdvak. Ze zou graag op een BOAC-vliegtuig stappen om haar moeder te bezoeken, het platform oversteken op klikklakkende hakken, want in die dagen droegen vrouwen voor vliegreizen altijd hoge hakken, en neerzijgen in een van die twee-aan-tweezetels en glimlachen tegen de stewardessen in hun aerodynamische uniformen. Ze zou graag met Kiyan uit eten gaan in het oude Golden Arm-restaurant van Johnny Unitas aan York Road. (Ze zou de befaamde garnalensalade bestellen en de knapperig gebakken plakjes aubergine, en de serveerster zou 'Strangers in the Night' neuriën onder het bedienen.)

Toen herinnerde ze zich dat Kiyan, telkens wanneer zij en Kiyan buiten de deur aten, veel te lang de kaart bestudeerde voor hij eindelijk zijn keus maakte, en dat hij, nadat het eten was gebracht, naar zijn bord keek, naar het hare keek, dan weer naar het zijne en zei: 'Arme ik!' Ze ziedde altijd als hij dat zei.

Of die keer dat ze de kan met yoghurt op zijn bord had gekieperd; ze was de hele middag bezig geweest om zijn lievelingseten te maken, *baghali polo*, met de limaboontjes die ze een voor een uit hun velletjes moest wippen tot haar vingertoppen gerimpeld en doorweekt waren, en toen ze de schaal voor hem had neergezet, had hij gezegd: 'Geen yoghurt om eroverheen te doen, zie ik.' Een vergeeflijke opmerking, maar op dat moment de verkeerde, en daarom was de kan yoghurt beland waar hij was beland.

Ze zag haar vroegere ik als zuinig, benepen. Ze had tegen hem moeten zeggen: 'Hier, neem mijn garnalenslaatje als je dat lekkerder vindt.' Ze had moeten zeggen: 'Yoghurt? Natuurlijk. Komt eraan.' Maar destijds had ze zich geërgerd aan zijn eeuwige behoeftigheid. Het was nog niet in haar opgekomen dat een leven waarin niemand haar nodig had een zwak, glansloos, meelijwekkend leven zou zijn.

Was dat niet wat haar naar Dave had getrokken? Het was zo duidelijk geweest dat ze hem gelukkig kon maken. Er was alleen een 'ja' voor nodig; hoe lang was het sinds ze die macht had gehad? *Door nood verleid*, dacht ze, het zich verbeeldend als de vlammende titel van een felromantisch beeldverhaal. Uiteindelijk was dat haar ongeluk geweest: het verlangen zich nodig te voelen.

Sufferd.

Om zich nodig te voelen had ze zich verbonden met een zo ongeschikte man, dat ze zijn naam net zo goed uit een hoge hoed had kunnen vissen. Een Amerikáánse man, naïef en zelfvoldaan en onopmerkzaam, ervan overtuigd dat zijn manier de enige manier was en dat hij het volste recht had haar leven te herschikken. Ze was gesmolten op het moment dat hij had gezegd: 'Kom erin,' ook al besefte ze terdege dat die insluiting maar een mythe was. En waarom? Omdat ze had geloofd dat ze een verschil kon maken in zíjn leven.

'Hoe kon je dat dóen, Maryam?' had hij gevraagd, en: 'Hoe ga je uitleggen dat je alles vergooit?'

De laatste tijd voelde ze zich soms alsof ze helemaal opnieuw was geëmigreerd. Nogmaals had ze haar vroegere wezen achtergelaten, was ze naar een vreemd land getrokken en had ze alle hoop op terugkeer verloren.

De reden waarom Farah dit jaar bij Maryam logeerde in plaats van Maryam bij haar, was dat William het plan had al hun vloeren op te knappen en zei dat het makkelijker was als Farah uit de buurt was. Maar haar bezoek viel niet werkelijk met het Aankomstfeest samen; dat was maar een excuus geweest. Ze arriveerde op een vrijdagmiddag eind juli, met zo veel kleren bij zich dat je zou denken dat ze een maand bleef in plaats van een weekend. Haar cadeautje voor de gastvrouw was een beschilderd blikje met saffraan. (Wonend in het landelijke Vermont had ze er geen notie van dat je saffraan vandaag de dag in de meeste supermarkten kon vinden.) 'Via internet besteld,' zei ze. 'Ik ben een internetgenie geworden! Je zou me met mijn muis moeten zien, klik-klik!' Ook had ze een serie vierkante kartonnetjes meegebracht, aangestreken in verschillende tinten bruin en geel om op hout te lijken. 'Wat vind jij, Mari-june? Welke beits moeten we kiezen voor onze vloeren? Ik zeg deze, William zegt die.'

Maryam zag weinig verschil, maar ze zei: 'De jouwe is mooi.'

'Ik wist dat jij het met me eens zou zijn! Ik bel William vanavond om het te zeggen.' Toen zei ze: 'O, Maryam, Amerikaanse mannen kunnen van alles. Een wc ontstoppen, een lichtschakelaar vervangen... Nu ja. Dat weet jij al.' Ze keek opeens verward en Maryam begreep niet waarom, tot Farah vroeg: 'Hoor je nog weleens van hem?'

'Van...? O. Van Dave,' zei Maryam. 'Nee.'

'Ja, je zult wel je redenen hebben gehad,' zei Farah toegeeflijk. 'Weet je nog vroeger thuis: tante Nava? Hoe iedereen haar aanspoorde te trouwen met de man die haar vader voor haar uitgekozen had? En ze zei nee, nee, nee, en haar ouders waren ten einde raad, maar ze konden haar natuurlijk niet dwingen. En ze ligt dus op een avond in bed en haar vader klopt op haar deur en zegt: "Nava-june. Ben je wakker? Nava, juneam," zegt hij...'

O, die oude, oude verhalen, herhaald met alle juiste nuances, gedempte stemmen, dramatische pauzes! Maryam voelde zich ontspannen en meedrijven als op muziek.

Maar in het algemeen was het bezoek niet ontspannend. Dat was het nooit, in Maryams ervaring, omdat Farah zo gespitst was op bijpraten met al haar kennissen. Eerst moesten ze een etentje organiseren voor Sami en Ziba en Susan, en moest Farah veel drukte maken over Susan en de cadeautjes uitstallen die ze voor haar had meegebracht. Dat vond Maryam best; haar eigen familie was tenslotte geen werk. Maar daarna moesten ze met de auto naar Washington voor een bezoek aan Ziba's ouders, die dol waren op Farah (véél leuker dan Maryam, vonden ze ongetwijfeld) en steevast een feest gaven wanneer zij overkwam. Een gróót feest, dat zwom in kaviaar en ijsgekoelde wodka, en waarop Farah als een koningin het hoogste woord had. Ze sprankelde en ze trillerde met haar beringde vingers en ze lachte met haar hoofd achterover. Minzaam gaf ze zich moeite om Maryam erin te betrekken. 'Jullie kennen allemaal Maryam, ja? Mijn lievelingsnicht! We waren meisjes samen.' Dan kwam Maryam naar voren, stak met een stijf glimlachje haar hand uit; maar ze was hier geen lid. Zodra ze kon, trok ze zich terug in een rustig hoekje, waar ze Sami aantrof, die Susan voorlas uit een koffietafelboek over Persepolis. (Ook hij was geen lid, hoewel Ziba onbekommerd circuleerde onder de jongere gasten in de speelkamer.)

'Als we in Iran woonden,' zei Maryam tegen Sami, 'dan zou elke avond zo verlopen.'

Sami keek op en zei: 'Ook nu nog?'

Maryam zei: 'Tja...' Ze wist het eigenlijk niet zo zeker. Ze zei: 'Toen ik een meisje was, heb ik het zo gehaat! Op al die familiefeesten zat ik altijd waar jij nu zit.'

Ze vroeg zich af of er een gen voor bestond – voor jezelf terughouden, weerstand bieden aan de algehele feestvreugde. Het was nooit in haar opgekomen dat ze deze eigenschap aan Sami doorgegeven had.

Op Farahs laatste dag, een zondag, gingen ze winkelen in een hypermarkt en verloor Farah haar hart aan een discountzaak voor tienermeisjes. Ze kocht een stapel wijde, wapperende kunstzijden broeken die extravagant en verfijnd leken toen zij ze paste – helemaal niet afgeprijsd of tienerachtig. Toen gingen ze lunchen op de afdeling Levensmiddelen. 'En wat heb jij gekocht? Niks,' zei Farah op een vertederde, beknorrende toon. 'Ik zeg, Maryam-jon, er zijn twee soorten mensen op deze wereld. De ene soort gaat winkelen en komt met veel te veel thuis en zegt: 'O-o, te veel gekocht.' En de andere komt thuis met lege handen en zegt: 'O jee, had ik maar zus of zo gekocht.'

Daar moest Maryam om lachen. Het was waar dat ze vaak iets zag wat ze wilde hebben, maar dat de transactie te ingewikkeld leek; het vergde te veel energie en dus liet ze het lopen en had er later spijt van.

's Middags kookten ze samen, bereidden verscheidene van de Iraanse gerechten die bij buitenlanders het meeste succes hadden gehad, en die avond kwamen Maryams drie vriendinnen eten. Ze kenden Farah van vorige bezoeken, dus was het een gezellige gelegenheid. Maryam pendelde tussen keuken en eetkamer terwijl Farah de anderen amuseerde met een beschrijving van de party bij de Hakimi's. 'Eigenlijk waren het twee party's, die van de oude mensen en de jonge mensen,' zei ze. Maryam begreep meteen wat ze bedoelde, hoewel ze het op het moment zelf niet zo had gezien. 'De oudjes doften zich op en de jonkies droegen jeans. De oudjes luisterden naar Gougoush op de geluidsinstallatie boven en de jonkies dansten op iets dat béng-béng-béng deed beneden in de speelzaal.'

Toen zei ze: 'Ze verliezen hun cultuur, de jonkies. Ik zie het overal. Ze leggen hun traditionele nieuwjaarsvisites af, maar ze weten niet precies wat ze er moeten doen als ze er eenmaal zijn. Ze volgen alle regels, maar ze kijken voortdurend naar de anderen om te zien of het zo goed is. Ze probéren wel om erbij te horen, maar ze weten niet hoe. Zo is het toch, Maryam? Denk je ook niet?'

Maryams gasten wendden zich tot haar, wachtend op haar antwoord. Maar hoewel ze eenvoudig 'ja' had kunnen zeggen en het moment voorbij laten gaan, voelde ze zich plotseling schuldig, alsof ze een bedriegster was. Welk recht van spreken had ze? Ze stond zelf buiten de cultuur. Ze had er altijd buiten gestaan. Op de een of andere manier, zonder een reden die ze kon noemen, had ze zich in haar eigen land nooit thuis gevoeld noch ergens anders, hetgeen waarschijnlijk de reden was waarom haar drie beste vriendinnen vreemdelingen waren. Kari, Danielle en Calista: stuk voor stuk buitenstaanders, zelf ook zo geboren.

'Denk jij ook niet, Mari-june?' vroeg Farah nog eens, en Maryam stond in de deuroppening met een slakom in haar handen en vroeg zich af of elk besluit dat ze ooit had genomen, was afgestemd op het behoud van haar buitenstaanderschap.

Ziba deelde Maryam mee dat ze dit jaar voor het Aankomstfeest iets heel anders op tafel wilde brengen. 'Al die Iraanse gerechten worden wel wat oud,' zei ze. 'Ik dacht eventueel sushi.'

'Sushi?' herhaalde Maryam. Een ogenblik meende ze haar verkeerd verstaan te hebben.

'Ik kan ze bestellen bij die zaak in Towson die thuisbezorgt.'

Maryam zei: 'Ah. Ja, maar...'

'Voor mijn ouders en mijn broers kan ik Californische rolletjes nemen. Reken maar dat die geen rauwe vis eten.'

'Maar in die rolletjes zit krab,' zei Maryam.

'O, niemand houdt zich nog aan die oude beperkingen. Vorig jaar Kerstmis gaf Hassans vrouw kreeft.'

En de Donaldsons? had Maryam willen vragen. De Donaldsons zouden verslagen zijn! Geen authentiek middenoosterse keuken!

Maar tegen Ziba zei ze alleen: 'Laat me weten wat ik kan meebrengen.'

'Een fles sake zou fijn wezen,' zei Ziba.

Maryam moest lachen, maar Ziba niet. Blijkbaar meende ze het.

Maryam wás van plan dit jaar te verschijnen. Ze had zichzelf een berisping gegeven. Het was lafhartig van haar, besefte ze, dat ze vorig jaar niet naar het feest was gegaan. Blijkbaar trok ze zich andermans meningen nog te veel aan. Op deze leeftijd moest ze kunnen zeggen: 'En áls het pijnlijk is, wat dan nog?'

Ze zocht van tevoren uit wat ze zou aandoen, misschien met te veel aandacht ervoor, en ze raadpleegde de man van de drankwinkel over het te kopen merk sake. De nacht voor het feest sliep ze slecht. Eigenlijk zou ze hebben gezegd dat ze helemaal niet sliep, als ze niet op een gegeven moment had gedroomd, dus ze moest op zijn minst een ogenblik zijn ingedommeld. Ze droomde dat ze weer op de lagere school zat en haar klas het kippenlied zong: *Jig, jig, jujehayam*, zongen ze, met schattige eendachtige stemmetjes, en Dave keek toe en schudde verwijtend zijn hoofd, Dave even oud als hij nu was, met zijn grijze krullen en zijn luikjes van oogleden. 'Kind verdrietig, Maryam,' zei hij, en ze ontwaakte boos op zichzelf om zo'n doorzichtige droom. Haar klokradio gaf 03:46 uur aan. Nadat ze daarnaar had liggen kijken tot hij was versprongen naar vier uur, halfvijf en vijf uur, stond ze op.

Misschien lag het aan haar onrustige nacht dat ze de ochtend in zo'n mist doorbracht. Het was een zondag, ongewoon koel en aangenaam voor augustus, en ze had in de tuin moeten werken, maar in plaats daarvan bleef ze talmen over de kranten. Daarna las ze een roman uit waarin ze de vorige avond was begonnen, ook al kostte het haar moeite zich het begin te herinneren en was ze niet echt geïnteresseerd in de afloop. Toen, plotseling leek het, was het halfeen. Hoe was dat zo gekomen? Het Aankomstfeest was vastgesteld op één uur. Ze stond op en verzamelde haar kranten en ging naar boven om zich te verkleden.

Ziba zou nu de bladen met sushi klaarzetten en de eetstokjes die ze had gekocht. Haar broers zouden pistachenootjes pikken van de plaat met baklava die wemelde van de Amerikaanse vlaggetjes, en ze zou ze wegjagen en haar schoonzusters roepen om zich met hun mannen te komen bemoeien. Iedereen zou overal rondlopen, half in het Engels en half in het Farsi kakelen, soms het een en het ander door elkaar halen, zodat ze per ongeluk Susan aanspraken in de verkeerde taal.

Zo'n lawaaiige troep konden Iraniërs zijn! Meer dan eens had Dave erop gewezen dat ze heel wat lawaaiiger waren dan de Donaldsons. Maryam moest hem gelijk geven, maar toch leek het haar dat de Donaldsons... o, eigenwijzer, eigendunkelijker waren. Ze leken te denken dat hún gelegenheden – hun trouwdagen, verjaardagen, zelfs hun bladeren harken – van zo wereldschokkend belang waren dat jan en alleman er vanzelfsprekend naar verlangden die met hen mee te vieren. Ja, dat was waar ze bezwaar tegen had: hun aanname dat ze recht hadden op een onevenredig deel van het universum.

'Weet je nog, de avond dat de meisjes aankwamen,' had ze Dave eens gevraagd. 'Jouw familie nam het hele vliegveld in beslag! De onze werd in een hoekje gedrukt.' Ze had luchtig gesproken, met opzet. Dit was immers een vriendschappelijk gesprek – een theoretisch gesprek; geen ruzie. En toch was ze zich heimelijk bewust geweest van een klein opvlammen van wrok. 'En toen Xiu-Mei kwam, ging het net zo. Die keer werd ze afgehaald door allebei de gezinnen, maar ik had het gevoel dat we mochten... lenen van júllie feestvreugde. Aan de randen erbij hingen.'

Hij had het niet begrepen. Dat zag ze. Hij had waarachtig niet begrepen waar ze het over had.

Ze ging naar de kast voor de jurk die ze had gekozen – mouwloos, van zwart linnen, heel eenvoudig. Maar in plaats van hem aan te trekken, legde ze hem over de rug van een stoel. Toen schoof ze uit haar schoenen en strekte zich op haar bed uit, met een arm over haar ogen, die warm en moe en pijnlijk voelden.

De Donaldsons zouden hun dochters in iets etnisch steken. Of althans Xiu-Mei verkleden. Jin-Ho ('Jo') zou misschien verzet bieden. Bitsy zou klagen over 'She'll Be Coming Round the Mountain' alhoewel ze waarschijnlijk het zoeken naar een alternatief had opgegeven. 'Ach meid,' zou Brad zeggen, 'wind je toch niet op. Laat die kinderen hun liedje.'

Vorige week was Maryam in de apotheek een stel opgevallen dat het vak met wenskaarten afzocht, en had ze zich afgevraagd waarom ze haar zo bekend voorkwamen. Toen dacht ze: o! het was de lange jongeman die uit de aviobrug was gestapt, de avond dat de meisjes arriveerden, met de jonge vrouw die hem had opgewacht. Alleen hadden ze nu twee kinderen – een mooi bruinogig jongetje loodste zijn zusje-met-paardenstaart voor hen uit door het middenpad – en de jonge vrouw droeg een van die moederlijke rugtassen, bol van de luiers en tuimelbekertjes. Ze zouden nooit vermoeden dat ze waren vastgelegd op een videoband die elk jaar in augustus voor een drom wildvreemde mensen werd afgedraaid, tot in aller eeuwigheid.

Ergens ging een bel. Maryam dacht eerst dat het de deurbel was en toen de ovenwekker; zo diep was ze in slaap. Ze greep zelfs naar de knop van het fornuis voor ze zich betrapte op haar vergissing. Ze opende haar ogen en verhief zich op een elleboog om op de klok te kijken. 13:35.

Het Aankomstfeest.

Het was haar telefoon die overging. Ze nam de hoorn op. 'Hallo?' zei ze, en probeerde klaarwakker te klinken.

'Mam?'

'O, Sami, het spijt... Is het feest al begonnen? Het spijt me zo! Ik moet in slaap zijn gevallen!'

'Ja, nou,' zei hij droog, 'de kust is nu vrij, dat wil je misschien weten.'

'Wat?'

'De Donaldsons zijn vertrokken. Je bent vrij om te komen, als je wilt.'

'Zijn ze vertrókken?' zei ze. Ze keek nog eens op de klok. 'Zijn ze al weg van het feest? Wat is er gebeurd?'

'Geen idee,' zei Sami. Nu kon ze een toon van gekrenktheid in zijn stem bespeuren, of misschien verbeeldde ze zich dat maar. 'Ze zaten binnen met de anderen,' zei hij. 'Zi was in de eetkamer bezig de laatste hand aan iets te leggen, ik was ijs gaan halen uit de keuken. Vervolgens komt Zi de keuken in en zegt: "Waar zijn de Donaldsons naartoe? Ze zijn weg," zegt ze, "tot op de laatste man! Ik ging de mensen aan tafel roepen en daar zat alleen mijn familie, niet die van hen. Ik vroeg waar ze waren en iedereen zei: 'O! Zijn ze dan niet buiten bij jou?' Maar ze zijn nergens," zegt ze. "Ze zijn weg!"'

'O, maar heeft... Kan iemand iets hebben gezegd waardoor ze beledigd zijn, denk je?'

'Niemand, voorzover iemand weet. En wát had dat kunnen zijn, dan?' vroeg Sami.

Maryam voelde iets trekken om haar lippen. 'Misschien waren ze ontdaan toen ze hoorden dat jullie een sushibuffet gaven,' zei ze.

'Dit is niet grappig, mam,' zei Sami. 'Denk je dat ze dachten dat het een te grote groep was? Ik moet eerlijk zeggen, er zijn wel érg veel Hakimi's dit jaar.'

Toen pas werd Maryam getroffen door het gekeuvel in het Farsi op de achtergrond. 'O, maar ik geloof nooit dat de Donaldsons van slag zouden raken door zo'n kleinigheid. O, ik hoop niet dat het een probleem was met Bitsy – dat ze zich ziek voelde...'

'Ziba is in alle staten, dat kun je je voorstellen,' zei Sami. 'Ze heeft ze direct gebeld, maar er nam niemand op. Ze wíllen misschien niet opnemen; dat zit haar dwars. Hoewel, als het Bitsy was; als ze naar de eerste hulp moest... Maar hoe dan ook, mam, je kunt nu komen, het is alleen wij en de Hakimi's. Ziba was echt doodongelukkig toen ze zag dat je niet kwam.'

'O, Sami, het was helemaal niet mijn bedoeling weg te blijven. Ik kom er nú aan. Ik zie je over een paar minuten.'

Ze legde de hoorn neer, maar het feestgedruis leek nog in haar oren te hangen – het gerinkel van glazen en de dreunende stemmen van de Hakimi-mannen, de prachtige rondheid van de klinkers in het Farsi.

Ze stond op en deed haar blouse en haar broek uit, lichtte de zwarte linnen jurk van de stoel en trok hem over haar hoofd. De zijrits nog dichtritsend stapte ze in haar schoenen; ze liep naar de toilettafel voor de haarborstel, langs het open raam, waar ze toevallig Brad Donaldson zag, beneden op haar pad.

Hij had Xiu-Mei op zijn arm en hij was in zijn gewone zomerdracht van uitgerekt T-shirt en enorme, gekreukelde bermudashort, zijn knieën even zoetmollig als van een peuter. Hij stond met zijn gezicht naar het huis, maar bleef daar. Uit zijn blikrichting maakte Maryam op dat hij naar iemand voor haar deur keek. 'Nog niet aanbellen,' zei hij duidelijk verstaanbaar. 'Wacht tot de rest er is.' Hij klonk zo dichtbij dat Maryam in een reflex achteruit stapte, hoewel ze er vrij zeker van was dat ze niet kon worden gezien.

Toen stopte er een auto, die van Dave, en parkeerde achter die van de Donaldsons, recht voor haar huis. Nog twee auto's schoven aan achter de zijne. De eerste was die van Abe – zijn rode Volvo. De tweede, een grijze sedan, was zo merkloos dat pas toen Laura aan de passagierskant uitstapte, Maryam zeker wist dat het die van Mac was. 'Is ze er?' riep Laura.

'Ik wacht tot ze er allemaal zijn,' antwoordde Bitsy met gedempte stem, en zo wist Maryam dat het Bitsy was die op haar stoep stond.

Uit de twee auto's achter die van Dave rolden volwassenen en tieners. Maryam kreeg een vage indruk van in de zon verschoten haar en doorschijnend dunne zomerjurken en het glinsteren van armbanden. Jeannine beval een van haar meisjes – moeilijk te zeggen welk – die kauwgum onmíddellijk uit te spugen. Xiu-Mei vroeg Brad haar op de grond te zetten, maar hij luisterde niet. Hij had zich nu omgedraaid om naar Daves auto te kijken en van lieverlee keken ze allemaal om, een voor een, toen ze bij Brad waren.

Brad riep: 'Dave?'

En Mac riep: 'Kom je, pa?'

Daves autoportier ging langzaam open en hij klom er in etappes uit. Hij sloot het portier met een losse, weifelende klik. Hij bukte om iets van een broekspijp te slaan. Hij richtte zich op en keek naar de anderen.

‘Oké, ik bel aan,’ zei Bitsy, en Maryam hoorde haar deurbel overgaan.

Maar ze stond daar.

Weer ging de bel. Een seconde later klepperde de koperen klopper.

Bitsy riep: ‘Maryam?’

Nu sjokte Dave het pad op en de groep voor het huis week uiteen om hem te laten passeren. Vanuit deze hoek leek hij ouder. Een plekje dunnend haar was boven op zijn kruin te zien.

‘Roep haar naam, pa,’ zei Bitsy.

Hij stond stil en rechtte zijn schouders. Hij zei: ‘Maryam.’

Maryam gaf geen antwoord.

Beneden rammelde luid de deurknop. Even leek het of Bitsy had weten in te breken.

‘Wij zijn het!’ riep Bitsy. ‘Met ons allemaal! Maryam, ben je daar? Alsjeblieft, doe open. We komen je halen voor het feest. We kunnen het feest niet houden zonder jou. We hebben je nodig! Laat ons erin, Maryam.’

In de stilte die volgde sloeg het ‘*Vite! Vite!*’ van de overenthousiaste kardinaalvogel scherfjes van de lucht boven hun hoofd.

‘Ze is niet thuis,’ zei een klein stemmetje treurig – Maryams eerste aanwijzing dat Jin-Ho op de stoep moest staan met haar moeder.

De anderen waren aan het mompelen en delibereren. ‘Misschien...’ zei er een.

En: ‘Kijk eens of...’

Toen zei óf Mac óf Abe iets beslissends dat Maryam niet kon verstaan, en ze boog dichter over naar het raam en zag een soort schuifelende beweging in de groep beneden – zag eerst de een en dan een ander zich omdraaien, aarzelen, zich dan afscheiden om te vertrekken. Brad had Xiu-Mei niet meer op zijn arm en ze was nu op weg naar Dave. Toen ze bij hem was, pakte ze zijn hand vast, en hij keek een ogenblik op haar neer alsof hij zich probeerde te herinneren wie ze ook weer was, waarna ook hij zich omdraaide en naar de straat begon te lopen. Polly en Bridget hadden Jin-Ho tussen zich in. Deirdre volgde, en liet een klein tasje tollen aan een hengsel van roze lint.

En toen, eindelijk, kwam Bitsy, die Brad inhaalde en zijn arm vastpakte. Zo teer als ze leek! Ja, ze moest op hem steunen en haar strak omgeslagen hoofddoek gaf haar schedel een gekrompen aanblik.

Maryam dacht aan Bitsy's optimisme, haar groothartigheid, haar verzonnen 'tradities' die nu dapper leken in plaats van kinderachtig. De plotselinge steek door haar hart gaf haar de vraag in of het Bitsy was van wie ze hield. Of misschien waren ze het wel allemaal.

Ze wendde zich met een ruk van het raam af. Ze verliet de slaapkamer. Ze liep door de gang. Bij de trap aangekomen rende ze. Ze rende de trap af, ze rende naar de deur. Het huis uit stormend riep ze: 'Stop!'

'Wacht!' riep ze. 'Niet weggaan!'

'Wacht op me!' riep ze.

Ze bleven staan. Ze draaiden zich om. Ze keken naar haar op en begonnen te lachen, en ze wachtten tot ze er was.